€1.-

D0717366

# DE DOOD DRAAGT RODE SCHOENEN

# DONNA
# LEON

## DE DOOD DRAAGT
## RODE SCHOENEN

VERTAALD DOOR
LUCIE VAN ROOIJEN

CARGO

2011
DE BEZIGE BIJ
AMSTERDAM

Cargo is een imprint van uitgeverij De Bezige Bij, Amsterdam

Copyright © 1994 Donna Leon en Diogenes Verlag AG, Zürich
Copyright Nederlandse vertaling © 2011 Lucie van Rooijen
Eerste druk 1997
Vierde druk, volledig herziene vertaling 2011
Oorspronkelijke titel *Dressed for Death*
Oorspronkelijke uitgever Harper Collins, New York
Omslagontwerp Wil Immink
Omslagillustratie Image Select
Foto auteur Saskia van Osnabrugge
Vormgeving binnenwerk Peter Verwey, Heemstede
Druk Koninklijke Wöhrmann, Zutphen
ISBN 978 90 234 5682 7
NUR 305

www.uitgeverijcargo.nl

Ter nagedachtenis aan Arleen Auger
Een gedoofde zon

Ah forse adesso
Sul morir mio delusa
Priva d'ogni speranza, e di consiglio
Lagrime di dolor versa dal ciglio.

Ah, misschien dat er nu
Door het bedrog van mijn dood
Verstoken van elke hoop en raad
Tranen van smart uit haar ogen stromen.

Mozart, *Lucio Silla*

# 1

De schoen was rood, het rood van Londense telefooncellen en New Yorkse brandweerauto's, al waren dat niet de beelden die opkwamen in de man die de schoen als eerste zag. Hij dacht aan het rood van de Ferrari Testarossa op de kalender in de douches van de slagers, die ene waarop een naakte blondine schijnbaar in een woeste vrijpartij was verwikkeld met de linkerkoplamp. Hij zag de schoen dronken op zijn kant liggen, met de neus aan de rand van een van de olieplassen die de grond voor het abattoir als een vloek bevuilden. Daar zag hij hem liggen, en hij moest natuurlijk ook aan bloed denken.

Om onverklaarbare redenen was er jaren geleden toestemming gegeven het abattoir daar neer te zetten, lang voordat Marghera tot bloei was gekomen – al is dat misschien een wat ongelukkige woordkeus – en was het uitgegroeid tot een van de belangrijkste industriële centra van Italië; voordat de olieraffinaderijen en chemiebedrijven zich hadden verspreid over de eindeloze hectaren moerasland aan de overkant van de lagune van Venetië, de parel van de Adriatische Zee. Het betonnen gebouw lag laag en gedrongen binnen een hoge gazen afrastering. Was het hek er vroeger neergezet, toen de schapen en koeien nog over stoffige paden naar het gebouw konden worden gedreven? Was het oorspronkelijk bedoeld om te voorkomen dat ze zouden ontsnappen voor ze over de toegangsweg naar hun lot werden gejaagd,

9

geduwd, geslagen? Nu kwamen de dieren in vrachtwagens aan, vrachtwagens die meteen achteruit naar de verhoogde ingangen reden, zodat ze geen kans hadden om te ontsnappen. Natuurlijk wilde niemand bij dat gebouw in de buurt komen; het hek was dan ook niet echt nodig om de mensen weg te houden. Misschien dat de langgerekte gaten in het hek daarom niet werden gerepareerd en er 's nachts soms zwerfhonden doorheen kropen, aangetrokken door de stank van wat er binnen gaande was, jankend van verlangen om wat ze wisten dat zich daar bevond.

De velden rondom het abattoir lagen braak; de fabrieken stonden ver van het lage betonnen gebouw, alsof ze gehoor gaven aan een taboe dat zo diepgeworteld was als bloed zelf. De gebouwen bleven op afstand, maar hun afval en rotzooi en de giftige vloeistoffen die ze in de grond pompten kenden geen taboe en kropen elk jaar dichter naar het abattoir toe. Zwart slijm borrelde om de stelen van het moerasbeemdgras omhoog, en er dreef een glanzend groenblauw laagje olie op de poelen die nooit verdwenen, hoe droog het seizoen ook was. Hier buiten was de natuur vergiftigd, maar wat de mensen met afgrijzen vervulde was wat er binnen gebeurde.

De schoen, de rode schoen, lag zo'n honderd meter achter het abattoir op zijn kant, vlak buiten het hek, links van een grote pol helmgras die leek te gedijen op het gif dat in de wortels sijpelde. Op een hete maandagochtend in augustus gooide een gezette man in een bloeddoordrenkt leren schort om halftwaalf de metalen achterdeur van het abattoir open en liep de brandende zon in. Hij werd gevolgd door golven hitte, stank en gekrijs. Door de zon was het moeilijk te voelen dat het hier koeler was, maar de stank van het slachtafval was hier tenminste niet zo afgrijselijk. Hier was het denderende verkeer een kilometer verderop te horen, van de toeristen die met Ferragosto Venetië binnen stroomden, niet het gegil en gekrijs waarvan de lucht achter hem was vervuld.

Hij veegde een bebloede hand af aan zijn schort, waarbij hij vooroverboog om aan de rand nog een schoon plekje te vinden. Daarna haalde hij een pakje Nazionale uit de zak van zijn overhemd. Met een plastic aansteker stak hij zijn sigaret op en hij trok er gulzig aan, blij met de geur en scherpe smaak van de goedkope tabak. Uit de deur achter hem kwam een hartverscheurend gekrijs dat hem bij het gebouw vandaan dreef, naar het hek en de schaduw die te vinden was onder de armetierige bladeren van een acacia, die tot een hoogte van vier meter had weten te groeien.

Toen hij daar stond, keerde hij zijn rug naar het gebouw en keek uit over het woud van fabrieksschoorstenen dat zich uitstrekte naar Mestre. Uit sommige kwamen vlammen; uit andere grijze, groenige rookpluimen. Een licht briesje, te zwak om op zijn huid te voelen, dreef de wolken zijn kant op. Hij trok aan zijn sigaret en keek naar zijn voeten; hier in het veld lette hij er altijd op waar hij liep. Toen hij naar beneden keek zag hij de schoen, die op zijn kant achter het hek lag.

De schoen was gemaakt van een soort stof, niet van leer. Zijde? Satijn? Bettino Cola had geen verstand van dat soort dingen, maar hij wist wel dat zijn vrouw een paar schoenen had dat van hetzelfde spul was gemaakt, en ze had er meer dan honderdduizend lire aan uitgegeven. Hij had vijftig schapen of twintig kalveren moeten slachten om zo veel geld te verdienen, maar zij had het doodleuk uitgegeven aan een paar schoenen. Ze had ze één keer gedragen en toen achter in de kast gegooid om er nooit meer naar om te kijken.

Omdat er in dat dorre landschap niets was wat zijn aandacht verdiende, bestudeerde hij, al rokend, de schoen. Hij liep naar links en bekeek hem vanuit een andere hoek. Hoewel de schoen zich vlak bij een grote olieplas bevond, leek het of hij op een stukje droge grond lag. Cola deed nog een stap naar links, waardoor hij in de brandende zon kwam te staan, en keek naar de grond rondom de schoen, zocht naar de andere helft van het paar. Daar, onder een pol gras, zag hij een langwerpige vorm die de zool van de andere schoen kon zijn, die eveneens op zijn kant lag.

Hij gooide zijn sigaret op de grond en drukte hem met de neus van zijn schoen in de zachte aarde, liep een paar meter langs het hek, bukte toen en kroop door een groot gat, voorzichtig vanwege de roestige metalen punten om hem heen. Hij kwam overeind en liep naar de schoen, die nu bij een paar hoorde en daarom misschien nog de moeite van het meenemen waard was.

'*Roba di puttana*,' mompelde hij zachtjes toen hij de hak van de eerste schoen zag, die hoger was dan het pakje sigaretten in zijn zak; alleen een hoer zou die dingen dragen. Hij bukte en pakte de eerste schoen, waarbij hij ervoor zorgde de buitenkant niet aan te raken. Zoals hij had gehoopt was de schoen schoon en was hij niet in de olieplas gevallen. Hij deed een paar stappen naar rechts, bukte zich en haakte twee vingers om de hak van de tweede schoen, maar die leek vast te zitten in een bos gras. Hij ging op één knie zitten, erop bedacht waar hij neerknielde, en gaf een ruk aan de schoen. Hij raakte los, maar toen Bettino Cola zag dat hij hem van een voet had getrokken, sprong hij achteruit, bij het gras vandaan, en liet de eerste schoen in de zwarte plas vallen waar die 's nachts voor gespaard was gebleven.

# 2

Twintig minuten later was de politie ter plaatse, twee blauw-witte personenauto's van het Squadra Mobile van Mestre. Inmiddels stonden er allemaal mannen uit het gebouw op het veld achter het abattoir, de zon in gedreven door hun nieuwsgierigheid naar deze andersoortige slachtpartij. Toen Cola de voet en het been zag waaraan de schoen vastzat, was hij in blinde paniek naar binnen gerend en het kantoor van de voorman in gestormd om te vertellen dat er een dode vrouw in het veld achter het hek lag.

Cola was een goede werknemer, dus de voorman geloofde hem op zijn woord en belde meteen de politie, zonder zelf naar buiten te gaan om te kijken of Cola de waarheid sprak. Maar anderen hadden Cola het gebouw binnen zien komen en kwamen vragen wat er was, wat hij had gezien. De voorman snauwde dat ze weer aan het werk moesten: de koelwagens stonden bij de laadplatforms te wachten en ze hadden geen tijd om de hele dag te staan lullen over een of ander hoertje van wie de keel was doorgesneden.

Dat bedoelde hij natuurlijk niet letterlijk, want Cola had hem alleen maar over de schoen en de voet verteld, maar de velden tussen de fabrieken waren bekend terrein voor de mannen die in de fabrieken werkten – en voor de vrouwen die in de velden werkten. Als ze zichzelf daar had laten vermoorden, dan was het waarschijnlijk een van die opgetuigde lijken die aan het eind van de middag langs de kant van de weg stonden

14

die van het industriegebied terugliep naar Mestre. Het werk zat erop, het was tijd om naar huis te gaan, maar waarom zou je niet even stoppen langs de weg en naar een deken lopen die in het gras was uitgespreid? Het ging vlug, ze verwachtten maar tienduizend lire van je, en tegenwoordig waren het steeds vaker blondjes uit Oost-Europa, zo arm dat ze niet van je konden eisen dat je bescherming gebruikte, anders dan die Italiaanse meiden op de Via Cappuccina, en sinds wanneer zeiden hoeren tegen mannen wat ze moesten doen of waar ze hem in moesten stoppen? Dat was waarschijnlijk wat er was gebeurd, ze had zeker lastig gedaan, en toen was die man ook lastig geworden. Er waren nog zat anderen en elke maand kwamen er nog zat over de grens.

De politieauto's kwamen aangereden, en uit allebei stapte een agent in uniform. Ze liepen naar de ingang van het gebouw, maar de voorman was bij hen voordat ze bij de deur waren. Achter hem stond Cola, die zich heel wat voelde nu hij in het middelpunt van de belangstelling stond, al was hij nog steeds een beetje misselijk van de aanblik van die voet.

'Hebt u gebeld?' vroeg de eerste politieagent. Hij had een rond gezicht, glimmend van het zweet, en keek de voorman van achter een zonnebril aan.

'Ja,' antwoordde de voorman. 'Er ligt een dode vrouw in het veld achter het gebouw.'

'Hebt u haar gevonden?'

'Nee,' antwoordde de voorman, terwijl hij een stap opzij deed en gebaarde dat Cola naar voren moest komen. 'Hij.'

Na een knik van de eerste haalde de agent uit de tweede auto een blauw notitieboekje uit de zak van zijn jasje, sloeg het open, haalde de dop van zijn pen en bleef met de pen boven het papier staan wachten.

'Wat is uw naam?' vroeg de eerste agent, die zijn donkere brillenglazen nu naar de slager wendde.

'Cola, Bettino.'

'Adres?'

'Waarom wilt u zijn adres weten?' onderbrak de voorman hem. 'Er ligt daar een dode vrouw.'

De eerste agent wendde zich af van Cola en boog zijn hoofd iets naar beneden, net genoeg om met toegeknepen ogen over zijn zonnebril heen naar de voorman te kunnen kijken. 'Die kan geen kant op.' Terwijl hij zich weer tot Cola richtte, vroeg hij nog eens: 'Adres?'

'Castello 3453.'

'Hoe lang werkt u hier?' vroeg hij met een knik naar het gebouw achter Cola.

'Vijftien jaar.'

'Hoe laat was u hier vanochtend?'

'Halfacht. Net als anders.'

'Wat had u in het veld te zoeken?' Door de manier waarop hij de vragen stelde en de ander de antwoorden opschreef kreeg Cola op de een of andere manier het gevoel dat ze hem ergens van verdachten.

'Ik ging een sigaret roken.'

'Het is midden augustus en u ging buiten in de zon een sigaret staan roken?' vroeg de eerste agent, alsof dat iets belachelijks was. Of een leugen.

'Ik had pauze,' zei Cola met stijgende verontwaardiging. 'In de pauze ga ik altijd naar buiten. Dan wil ik weg uit die stank.' Door dat woord drong het tot de agenten door, en ze keken naar het gebouw. Degene met het notitieboekje kon niet verhullen dat zijn neusvleugels samentrokken door wat ze roken.

'Waar ligt ze?'

'Vlak achter het hek. Ze ligt onder wat struikgewas, dus eerst zag ik haar niet.'

'Waarom bent u naar haar toe gelopen?'

'Ik zag een schoen.'

'Wát zag u?'

'Een schoen. In het veld, en toen zag ik de tweede. Ik dacht dat ze misschien nog mooi waren, dus kroop ik door het hek om ze te pakken. Ik dacht dat mijn vrouw ze misschien wel wilde.' Dat was gelogen; hij had gedacht dat hij ze kon verkopen, maar dat wilde hij de politie niet vertellen. Het was een leugentje om bestwil, volstrekt onschuldig, maar wel de eerste van veel leugens die de politie te horen zou krijgen over de schoen en degene die hem droeg.

'En toen?' vroeg de eerste agent, omdat Cola verder niets zei.

'Toen kwam ik hier terug.'

'Nee, daarvoor nog,' zei hij terwijl hij een geïrriteerde beweging met zijn hoofd maakte. 'Toen u de schoen zag. Toen u haar zag. Wat gebeurde er toen?'

Cola begon vlug te praten, in de hoop dat het snel voorbij zou zijn en hij er dan vlug vanaf was. 'Ik raapte de ene schoen op en toen zag ik de andere. Die lag onder het struikgewas. Dus trok ik eraan. Ik dacht dat hij vastzat. Dus trok ik nog eens, en toen kwam hij los.' Hij slikte een keer. En nog een keer. 'Hij zat aan haar voet. Daarom zat hij vast.'

'Bent u daar lang gebleven?'

Ditmaal was het Cola die dacht dat de ander gek was geworden. 'Nee. Nee. Nee, ik ben teruggegaan naar het gebouw en heb het aan Banditelli verteld, en hij heeft u gebeld.'

De voorman knikte om dit te bevestigen.

'Hebt u daarachter rondgelopen?' vroeg de eerste agent aan Cola.

'Rondgelopen?'

'Rondgehangen? Gerookt? Iets bij haar in de buurt laten vallen?'

Cola schudde zeer nadrukkelijk van nee.

De tweede bladerde zijn notitieboekje door en de eerste zei: 'Ik vroeg u iets.'

'Nee. Niets. Toen ik haar zag, heb ik de schoen laten vallen en ben ik naar binnen gegaan.'

'Hebt u haar aangeraakt?' vroeg de eerste.

Cola keek hem met grote ogen aan. 'Ze is dood. Natuurlijk heb ik haar niet aangeraakt.'

'U hebt haar voet aangeraakt,' zei de tweede agent, die in zijn aantekeningen keek.

'Ik heb haar voet niet aangeraakt,' zei Cola, al kon hij zich nu niet meer herinneren of hij dat wel of niet had gedaan. 'Ik heb haar schoen aangeraakt, en toen ging hij uit.' Hij kon zich niet inhouden en vroeg: 'Waarom wilt u weten of ik haar heb aangeraakt?'

Geen van beide agenten gaf antwoord op zijn vraag. De eerste draaide zich om en knikte naar de tweede, die zijn notitieboekje dichtsloeg. 'Goed, laat maar zien waar ze ligt.'

Cola stond aan de grond genageld en schudde zijn hoofd. Het bloed op zijn schort was opgedroogd in de zon en er zoemden vliegen om hem heen. Hij keek ze niet aan. 'Ze ligt daarachter, achter het grote gat in het hek.'

'Ik wil dat u ons laat zien waar ze ligt,' zei de eerste agent.

'Ik heb u net verteld waar ze ligt,' snauwde Cola, en zijn stem ging scherp omhoog.

De twee agenten wisselden een blik die op de een of andere manier suggereerde dat Cola's onwil belangrijk, de moeite van het onthouden waard was. Maar ze wendden zich van hem en van de voorman af en liepen zonder iets te zeggen om het gebouw heen.

Het was twaalf uur en de zon brandde fel op de platte uniformpetten van de agenten. Daaronder was hun haar drijfnat en het zweet liep in straaltjes langs hun nek. Achter het gebouw zagen ze het grote gat in het hek en ze liepen ernaartoe. Achter zich hoorden ze, tussen de doodskreten door die nog steeds uit het gebouw kwamen, het geluid van mensen, en ze keerden zich ernaartoe. Bij de achteringang van het gebouw stonden vijf of zes mannen op een kluitje, hun schorten net zo rood van het geronnen bloed als die van Cola. De agenten, die gewend waren aan dit soort nieuwsgierigheid, draaiden zich weer om naar het hek en gingen naar het gat. Ze bukten zich, kropen er na elkaar doorheen en liepen naar links, naar wat grote, stekelige struiken die achter het hek stonden.

Een paar meter ervandaan bleven de agenten staan. Omdat ze wisten dat ze naar de voet moesten zoeken, vonden ze hem algauw. Ze zagen de voetzool tussen de lage begroeiing. Beide schoenen lagen er vlak voor.

De twee liepen langzaam naar de voet toe en letten goed op waar ze liepen, al net zo voorzichtig om de onheil brengende poelen te ontwijken als om niet op iets te gaan staan wat een voetafdruk kon zijn. Vlak naast de schoenen knielde de eerste neer en hij duwde het heuphoge gras met zijn hand opzij.

Het lichaam lag op de rug, met de buitenkant van de enkels in de grond gedrukt. De agent boog voorover en duwde het gras plat, zodat er een stuk haarloze kuit zichtbaar werd.

Hij zette zijn zonnebril af en tuurde in de schaduw, volgde met zijn blik de lange, gespierde benen, over de knokige knie naar de roodkanten onderbroek die onder de vuurrode jurk uitkwam die over het gezicht was getrokken. Hij keek nog eens goed.

'*Cazzo*,' riep hij uit en hij liet het gras los zodat het zich weer oprichtte.

'Wat is er?' vroeg de ander.

'Het is een man.'

# 3

Normaal gesproken zou het nieuws dat er in Marghera een travestie-prostitué was gevonden van wie het hoofd en gezicht waren ingeslagen zelfs onder het doorgewinterde personeel van de Venetiaanse Questura voor opwinding hebben gezorgd, vooral tijdens de lange Ferragosto-vakantie, als de criminaliteit tot stilstand kwam of de saaie voorspelbaarheid had van inbraken en diefstalletjes. Maar vandaag was er iets veel sensationelers voor nodig om het spectaculaire nieuws te overschaduwen dat als een lopend vuurtje door de gangen van de Questura ging: Maria Lucrezia Patta, de vrouw met wie vice-*questore* Giuseppe Patta al zevenentwintig jaar getrouwd was, had dat weekend haar man verlaten om het Milanese appartement te betrekken van – en hier wachtte iedereen die het verhaal vertelde even om degene die het voor het eerst hoorde voor te bereiden op het klapstuk – Tito Burrasca, de oprichter en grote baas van de Italiaanse pornofilmindustrie.

Het nieuws was die ochtend uit de lucht komen vallen, mee het gebouw in genomen door een secretaresse van het Ufficio Stranieri van wie de oom in een appartementje op de verdieping boven de Patta's woonde. Hij beweerde langs de deur van de Patta's te zijn gelopen op het moment dat de fatale ruzie tussen de echtelieden was losgebarsten. Patta, vertelde de oom, had een paar keer Burrasca's naam geroepen, gedreigd hem te laten arresteren als hij zich ooit in Venetië durfde te vertonen; signora Patta had hem van repliek gediend door niet alleen te dreigen dat ze bij Burrasca zou gaan wonen, maar ook dat ze een hoofdrol zou krijgen in zijn volgende film. De oom was de trap weer op geslopen en had een halfuur lang geprobeerd zijn voordeur open te krijgen, en al die tijd bleven de Patta's elkaar dreigementen en beschuldigingen naar het hoofd slingeren. Er kwam pas een eind aan de vijandigheden met de komst van een watertaxi aan het eind van de *calle* en het vertrek van signora Patta. Zij kwam de trap af en werd gevolgd door zes koffers, gedragen door de taxichauffeur, en de verwensingen van Patta die opstegen naar de oom door de akoestiek van het trappenhuis, dat werkte als een trechter.

Het nieuws had de Questura maandagochtend om acht uur bereikt; Patta kwam er zelf om elf uur achteraan. Om halftwee kwam het telefoontje over de travestiet binnen, maar toen was het merendeel van het personeel al weg om te gaan lunchen, waarbij sommige werknemers van de Questura zich verloren in nogal woeste speculaties over de toekomstige filmcarrière van signora Patta. De populariteit van de vice-questore was af te lezen aan de weddenschap die aan één tafel werd afgesloten: de eerste die de vice-questore durfde te vragen naar de gezondheid van zijn vrouw zou honderdduizend lire winnen.

Guido Brunetti hoorde over de vermoorde travestiet van vice-questore Patta zelf, die Brunetti om halfdrie op zijn kantoor ontbood.

'Ik kreeg zojuist een telefoontje uit Mestre,' zei Patta nadat hij Brunetti had verzocht plaats te nemen.

'Uit Mestre, meneer?' vroeg Brunetti.

'Ja, die stad aan het eind van de Ponte della Libertà,'

snauwde Patta. 'Daar heb je vast weleens van gehoord.'

Brunetti dacht aan wat hij die ochtend over Patta had gehoord en besloot de opmerking te negeren. 'Waarom hebben ze u gebeld, meneer?'

'Er is daar een moord gepleegd en ze hebben niemand om een onderzoek in te stellen.'

'Maar ze hebben meer personeel dan wij, meneer,' zei Brunetti, er nooit echt zeker van of Patta wist hoe het politiekorps in beide steden werkte.

'Dat weet ik ook wel, Brunetti. Maar twee van hun *commissario's* zijn op vakantie. Een ander heeft dit weekend bij een auto-ongeluk zijn been gebroken, dus dan blijft er maar eentje over, en zij' – Patta snoof misprijzend om de mogelijkheid alleen al – 'gaat op zaterdag met zwangerschapsverlof en komt pas eind februari weer terug.'

'En de twee die op vakantie zijn dan? Die kunnen toch worden opgeroepen?'

'De een zit in Brazilië, en de ander schijnen ze nergens te kunnen vinden.'

Brunetti wilde net zeggen dat een commissario moest laten weten waar hij bereikt kon worden, wat zijn vakantiebestemming ook was, maar toen hij Patta's gezicht zag besloot hij te vragen: 'Wat hebben ze u over de moord verteld, meneer?'

'Het gaat om een hoer. Een travestiet. Iemand heeft zijn hoofd ingeslagen en zijn lichaam op een veld ergens in Marghera achtergelaten.' Voordat Brunetti bezwaar kon maken, zei Patta: 'Zeg maar niks. Het veld ligt in Marghera, maar het abattoir waar het bij hoort staat een paar meter verderop in Mestre, dus het valt onder Mestre.'

Brunetti had geen zin om tijd te verspillen aan details over eigendomsrechten of stadsgrenzen, dus vroeg hij: 'Hoe weten ze dat het een prostitué is, meneer?'

'Weet ik veel hoe ze weten dat het een prostitué is, Brunetti,' zei Patta, en zijn stem schoot een paar tonen omhoog. 'Ik vertel je alleen maar wat ze mij hebben verteld. Een travestie-hoer, in een jurk, met zijn hoofd en gezicht in elkaar geslagen.'

'Wanneer is hij gevonden, meneer?'

Patta was niet gewoon om aantekeningen te maken, dus hij had niet de moeite genomen iets op te schrijven over het telefoontje dat hij had gekregen. De feiten hadden hem niet geïnteresseerd – wat zou het, een hoer meer of minder – maar het zat hem wel dwars dat zijn personeel het werk van die lui van Mestre moest opknappen. Dat betekende dat elk succes dat ze zouden boeken naar Mestre zou gaan. Maar toen dacht hij aan de recente gebeurtenissen in zijn privéleven en kwam hij tot de conclusie dat dit weleens het soort zaak kon zijn waar hij Mestre alle succes voor moest gunnen – en alle publiciteit.

'Ik werd gebeld door de questore van Mestre, en die vroeg of wij het konden doen. Waar zijn jullie drieën mee bezig?'

'Mariani is op vakantie en Rossi is nog bezig met de papieren over de Bortolozzi-zaak,' vertelde Brunetti.

'En jij?'

'Mijn vakantie begint dit weekend, vice-questore.'

'Dat kan wel wachten,' zei Patta met een overtuiging die zaken als hotelreserveringen of vliegtickets te boven ging. 'Trouwens, dit is vast heel simpel. Zoek de pooier, vraag een lijst met klanten op. Daar is het er vast een van.'

'Hebben die een pooier, meneer?'

'Hoeren? Natuurlijk hebben die een pooier.'

'Mannelijke hoeren, meneer? Travestie-hoeren? Als het tenminste een hoer was.'

'Hoe moet ik dat nou weten, Brunetti?' vroeg Patta argwanend en geïrriteerder dan normaal. Hierdoor moest Brunetti opnieuw denken aan het nieuws van die ochtend, en het leek hem maar beter om van onderwerp te veranderen.

'Hoe lang geleden is het telefoontje binnengekomen, meneer?' vroeg Brunetti.

'Een paar uur geleden. Hoezo?'

'Ik vroeg me af of het lichaam verplaatst is.'

'In deze hitte?' vroeg Patta.

'Ja, dat is waar,' beaamde Brunetti. 'Waar is het naartoe gebracht?'

'Geen idee. Een van de ziekenhuizen. Umberto Primo waarschijnlijk. Volgens mij doen ze daar de lijkschouwingen. Waarom?'

'Ik wil eens gaan kijken,' zei Brunetti. 'En ook op de plek waar het is gebeurd.'

Patta was niet iemand die zich interesseerde voor details. 'Aangezien dit een zaak van Mestre is, zorg je maar dat je hun chauffeurs gebruikt, niet de onze.' Over details gesproken.

'Was er verder nog iets, meneer?'

'Nee. Ik ben ervan overtuigd dat dit heel eenvoudig is. Dit weekend heb je het vast opgelost en kun je op vakantie.' Het was echt iets voor Patta om niet te vragen waar Brunetti naartoe zou gaan of wat voor reserveringen hij misschien moest annuleren. Ook weer details.

Op het moment dat Brunetti Patta's kantoor verliet, realiseerde hij zich dat hij, toen hij binnen was, ineens meubelen had zien staan in het kamertje dat direct aan Patta's kantoor grensde. Aan één kant stond een groot houten bureau, en onder het raam was een tafeltje neergezet. Zonder er verder acht op te slaan ging hij naar beneden, naar het kantoor waar de agenten in uniform werkten. Brigadier Vianello keek op van wat papieren op zijn bureau en glimlachte naar Brunetti. 'Voor u het vraagt, commissario, ja, het is waar. Tito Burrasca.'

Toen Brunetti die bevestiging hoorde, was hij niet minder verbaasd dan een paar uur geleden, toen hij het verhaal pas had gehoord. In Italië was Burrasca een legende, als je dat zo kon noemen. In de jaren zestig begon hij films te maken, bloederige horrorfilms die zo ontzettend nep waren dat ze onbedoeld een parodie werden op het genre. Burrasca, die niet op zijn achterhoofd was gevallen, hoe slecht hij ook was in het maken van horrorfilms, beantwoordde het gunstige onthaal van zijn films door ze nog onwaarschijnlijker te maken: vampiers met polshorloges die de acteurs ogenschijnlijk waren vergeten af te doen; telefoons die meldden dat Dracula was ontsnapt; acteurs van de toneelschool van *overacting*. In een mum van tijd was hij een cultfiguur geworden en kwamen er massa's mensen naar zijn films die allemaal probeerden zijn trucs te doorzien, hem te betrappen op blunders.

In de jaren zeventig verzamelde hij al die meesters in overacting en zette ze in om pornofilms te maken, waar ze niet veel beter in bleken te zijn. Kostuums waren geen probleem, en al snel realiseerde hij zich dat een plot de creatieve geest al evenmin hoefde te belemmeren: hij stofte gewoon de plots van zijn oude horrorfilms af en veranderde de geesten, vampiers en weerwolven in verkrachters en seksmaniakken en trok er volle zalen mee, al waren het ditmaal kleinere zalen met een ander publiek, dat er totaal niet op uit was om hem op anachronismen te betrappen.

In de jaren tachtig werd de Italiaanse tv getrakteerd op talloze nieuwe privézenders, en Burrasca trakteerde die zenders op zijn laatste films, ietwat afgezwakt om tegemoet te komen aan de mogelijke gevoeligheden van het tv-publiek. En toen ontdekte hij de videoband. Zijn naam dook al snel op in het dagelijkse vocabulaire van het Italiaanse leven: hij was het mikpunt van spot in spelshows en in de krant stonden spotprenten van hem. Omdat zijn succes eveneens zorgvuldig in de gaten werd gehouden, moest hij echter naar Monaco verhuizen en was hij staatsburger geworden van het vorstendom met zijn gunstige belastingklimaat. Tegenover de Italiaanse belastingdienst beweerde hij dat het twaalfkamerappartement dat hij aanhield in Milaan alleen werd gebruikt om zakenrelaties te ontvangen. En naar het er nu uitzag ook Maria Lucrezia Patta.

'Tito Burrasca, niemand minder,' herhaalde brigadier Vianello, en Brunetti kon niet bevroeden hoeveel moeite het hem kostte om een grijns te onderdrukken. 'Misschien mag u blij zijn dat u de komende dagen in Mestre zit.'

Brunetti kon zich niet inhouden. 'Wist niemand er eerder van?' vroeg hij.

Vianello schudde zijn hoofd. 'Nee. Niemand. Nog geen gerucht.'

'Niet eens Anita's oom?' vroeg Brunetti, waarmee hij onthulde dat zelfs de hogere rangen wisten waar dit verhaal vandaan kwam.

Vianello wilde antwoord geven, maar werd onderbroken door de zoemer op zijn bureau. Hij nam de telefoon op, drukte op een knopje en vroeg: 'Ja, vice-questore?'

Hij luisterde even, zei: 'Zeker, vice-questore,' en hing op.

Brunetti keek hem vragend aan.

'De afdeling immigratie. Hij wil weten hoe lang Burrasca in het land kan blijven nu hij staatsburger is van een ander land.'

Brunetti schudde zijn hoofd. 'Ik heb eigenlijk wel medelijden met die arme kerel.'

Vianello's hoofd schoot omhoog. Hij kon zijn verbazing niet verbergen, wilde dat ook niet. 'Medelijden? Met hem?' Met zichtbare moeite weerhield hij zich ervan nog meer te zeggen, en hij richtte zijn aandacht weer op het dossier op zijn bureau.

Brunetti liep terug naar zijn eigen kamer. Van daaruit belde hij met de Questura in Mestre, zei wie hij was en vroeg of hij kon worden doorverbonden met degene die de zaak van de vermoorde travestiet leidde. Binnen een paar minuten sprak hij met ene brigadier Gallo, die vertelde dat hij de zaak leidde totdat iemand met een hogere rang het van hem overnam. Brunetti noemde zijn naam en zei dat hij diegene was, en vroeg Gallo toen een auto te sturen om hem over een halfuur op te halen van het Piazzale Roma.

Toen Brunetti vanuit het halfdonkere portaal van de Questura naar buiten liep, trof de zon hem als een mokerslag. Hij werd verblind door het licht en de weerspiegeling in het kanaal en haalde zijn zonnebril uit de borstzak van zijn jasje. Hij had nog geen vijf stappen gedaan of hij voelde al dat het zweet zijn overhemd doorweekte, voelde het langs zijn rug druipen. Hij sloeg rechts af en besloot toen naar San Zaccaria te lopen en de nummer 82 te nemen, hoewel hij een groot deel van de weg erheen in de zon moest lopen. De *calli* naar Rialto lagen door de hoge gebouwen dan wel grotendeels in de schaduw, maar hij zou er tweemaal zo lang over doen om er te komen, en hij moest er niet aan denken ook maar een minuut te lang buiten te lopen.

Toen hij op de Riva degli Schiavoni uitkwam en naar links keek, zag hij dat de *vaporetto* aan de steiger lag aangemeerd en de mensen ervan af stroomden. Hij stond voor een van die typisch Venetiaanse dilemma's: rennen en de boot proberen te halen of hem voorbij laten gaan en de volgende tien minuten in de benauwde hitte van de deinende *embarcadero* staan wachten op de volgende. Hij begon te rennen. Terwijl hij over de houten planken van de aanlegsteiger denderde, moest hij nog een beslissing nemen: even blijven staan om zijn kaartje af te stempelen in de gele machine bij de ingang en daardoor de boot misschien missen, of doorrennen naar de boot en de vijfhonderd lire toeslag betalen omdat hij zijn kaartje niet had afgestempeld. Maar toen schoot hem te binnen dat hij met een politiezaak bezig was en daarom op kosten van de stad mocht reizen.

Zelfs door de korte spurt dropen zijn gezicht en borst van het zweet, en hij bleef dan ook liever op het dek staan, zodat zijn lichaam het kleine beetje wind kon vangen dat werd veroorzaakt door de statige vaart van de boot over het Canal Grande. Hij keek om zich heen en zag halfnaakte toeristen, mannen en vrouwen in badpakken, korte broeken en t-shirts, en even benijdde hij hen, al wist hij dat het strand de enige plek was waar hij zich in zulke kledij zou vertonen.

Terwijl zijn lichaam opdroogde, vervloog de jaloezie en begon hij zich zoals gewoonlijk weer te ergeren aan het feit dat ze er zo bij liepen. Als ze perfecte lichamen en perfecte kleding hadden, zou het hem misschien minder ergeren.

Maar nu deden de goedkope stof van hun kleren en de jammerlijke staat van te veel van hun lichamen hem verlangen naar de verplichte bescheidenheid van islamitische landen. Hij was niet wat Paola een 'schoonheidssnobist' noemde, maar hij was er wel van overtuigd dat het beter was om er goed uit te zien dan slecht. Zijn aandacht verplaatste zich van de mensen op de boot naar de *palazzi* die langs het kanaal stonden, en hij voelde zijn irritatie meteen verdwijnen. Veel van die paleizen zagen er eveneens jammerlijk uit, maar het was de jammerlijkheid van eeuwenlange slijtage, niet die van luiheid en goedkope kleding. De stad was oud geworden, maar Brunetti hield van de treurnis op haar veranderende gezicht.

Hoewel hij niet precies gezegd had waar de auto hem op moest halen, liep hij naar het Carabinieristation op het Piazzale Roma. Daar zag hij een van de blauw-witte personenauto's van het Squadra Mobile van Mestre geparkeerd staan met een lopende motor. Hij klopte op het raampje van de chauffeur. De jongeman in de auto draaide het naar beneden en er blies een golf koele lucht over de voorkant van Brunetti's overhemd.

'Commissario?' vroeg de jongeman. Toen Brunetti knikte, stapte de jongeman uit, en terwijl hij de achterdeur voor hem openhield, zei hij: 'Brigadier Gallo heeft me gestuurd.' Brunetti stapte in en liet zijn hoofd even op de rand van de rugleuning rusten. Het zweet op zijn borst en schouders werd koud, maar Brunetti wist niet of het verdampen van dat vocht hem genoegen deed of onaangenaam was.

'Waar wilt u naartoe, meneer?' vroeg de jonge agent terwijl hij de auto in de eerste versnelling zette.

Op vakantie. Op zaterdag, zei hij, maar alleen in gedachten en alleen tegen zichzelf. En tegen Patta. 'Breng me maar naar de plek waar jullie hem gevonden hebben,' beval Brunetti.

Aan de andere kant van de verhoogde weg die van Venetië naar het vasteland leidde, reed de jongeman richting Marghera. De lagune verdween en al snel reden ze over een rechte weg vol verkeer waar op elke kruising een stoplicht stond. Ze kwamen maar langzaam vooruit. 'Ben je er vanochtend geweest?' De jongeman draaide zich om en keek naar Brunetti, en toen weer naar de weg. De achterkant van zijn kraag zag er fris en schoon uit. Misschien zat hij wel de hele dag in zijn auto met airconditioning.

'Nee, meneer. Dat waren Buffo en Rubelli.'

'Volgens het rapport is het een prostitué. Is hij geïdentificeerd?'

'Dat weet ik niet, meneer. Maar het klinkt wel aannemelijk, toch?'

'Hoezo?'

'Nou, meneer, daar staan de hoeren altijd, de goedkope tenminste. Midden in de rimboe, bij de fabrieken. Er staan er altijd een stuk of tien langs de kant van de weg, voor als iemand op weg naar huis zin heeft in een vluggertje.'

'Zelfs mannen?'

'Hoe bedoelt u, meneer? Wie gaan er anders naar de hoeren?'

'Ik bedoel: zelfs een mannelijke hoer? Zouden ze daar staan, waar iedereen die langsrijdt de mannen kan zien die op weg naar huis voor ze stoppen? Het lijkt me niet echt iets wat de meeste mannen hun vrienden willen laten weten.'

Daar dacht de chauffeur een tijdje over na.

'Waar staan ze meestal?'

'Wie?' vroeg de jongeman voorzichtig. Hij wilde niet weer de mist in gaan door een strikvraag.

'De mannelijke hoeren.'

'Meestal langs de Via Cappuccina, meneer. Soms bij het treinstation, maar in de zomer proberen we er iets tegen te doen, als er veel toeristen met de trein naar de stad komen.'

'Was dit een bekende?'

'Dat weet ik niet, meneer.'

De auto reed linksaf een smal weggetje in en sloeg toen links af naar een brede straat met gebouwen erlangs. Brunetti keek op zijn horloge. Bijna vijf uur.

De gebouwen aan weerszijden stonden nu steeds verder uit elkaar, de ruimte ertussen begroeid met laag gras en hier en daar een struik. Schots en scheef stonden er enkele achtergelaten auto's, de ruiten ingeslagen en de stoelen er uitgerukt en ernaast gegooid. Om elk gebouw leek vroeger een afrastering te hebben gestaan, maar de meeste daarvan hingen nu slap aan de palen die waren vergeten ze overeind te houden.

Er stonden wat vrouwen langs de kant van de weg; twee van hen stonden in de schaduw van een strandparasol die bij hun voeten in het zand was gestoken.

'Weten ze wat hier vandaag is gebeurd?' vroeg Brunetti.

'Dat zal vast wel, meneer. Zoiets gaat meestal als een lopend vuurtje rond.'

'En ze staan er toch?' vroeg Brunetti, niet in staat zijn verbazing te verbergen.

'Ze moeten toch ergens van leven, meneer? Trouwens, als het een man was die is vermoord, lopen zij geen risico, ik denk tenminste dat zij er zo tegenaan kijken.' De chauffeur ging langzamer rijden en stopte langs de weg. 'Hier is het, meneer.'

Brunetti deed de deur open en stapte uit. De hitte en vochtigheid stegen op en omarmden hem. Voor hem stond een laag, langgerekt gebouw; aan één kant leidden vier schuine betonnen opritten naar dubbele metalen deuren. Een blauw-witte politieauto stond onder aan een van de opritten geparkeerd. Er stond geen naam op het gebouw, en er was geen enkel bord waarop je kon lezen wat het was. De stank die om hen heen golfde, maakte dat overbodig.

'Volgens mij was het aan de achterkant, meneer,' zei de chauffeur uit zichzelf.

Brunetti liep rechts om het gebouw heen, naar de open vlakte die hij erachter zag liggen. Toen hij aan de achterkant van het gebouw kwam, zag hij het zoveelste amechtige hek, een acacia die alleen door een wonder wist te overleven en, in de schaduw daarvan, een politieagent die op een houten stoel zat te slapen, met zijn hoofd knikkebollend op zijn borst.

'Scarpa,' riep de chauffeur voordat Brunetti iets kon zeggen. 'Hier is een commissario.'

Het hoofd van de agent schoot omhoog en hij was meteen klaarwakker, sprong direct overeind. Hij keek naar Brunetti en salueerde. 'Goedemiddag, meneer.'

Brunetti zag dat het jasje van de man over de rugleuning van de stoel hing en dat zijn overhemd, dat door het zweet aan zijn lichaam vastplakte, eerder lichtroze leek dan wit. 'Hoe lang zit u hier al, agent Scarpa?' vroeg Brunetti terwijl hij op de man toeliep.

'Sinds de mensen van het technische team zijn vertrokken, meneer.'

'Hoe laat was dat?'

'Rond een uur of drie, meneer.'

'Waarom zit u dan nog hier?'

'De leidinggevende brigadier zei dat ik moest blijven tot er een team kwam om de werknemers te ondervragen.'

'Waarom zit u hier in de zon?'

De man deed geen poging de vraag te ontwijken of zijn antwoord te verbloemen. 'Ik kon er niet tegen daarbinnen, meneer. De stank. Ik ging naar buiten om over te geven, en toen wist ik dat ik niet meer naar binnen kon. Het eerste uur probeerde ik te staan, maar alleen op dit plekje is schaduw, dus ben ik teruggegaan en heb een stoel gehaald.'

Terwijl de andere man aan het woord was, gingen Brunetti en de chauffeur instinctief ook in het kleine stukje schaduw staan. 'Weet u of het team er al is om ze te ondervragen?' vroeg Brunetti.

'Ja, meneer. Ze zijn een uur geleden aangekomen.'

'Wat doet u hier dan nog?' vroeg Brunetti.

De agent keek Brunetti koel aan. 'Ik vroeg de brigadier of ik terug mocht naar de stad, maar hij wilde dat ik hielp met ondervragen. Ik zei dat ik dat niet kon, alleen maar als de werklui naar buiten zouden komen om met me te praten. Dat beviel hem niet, maar ik wilde niet meer naar binnen.'

Door een speels briesje had Brunetti daar alle begrip voor.

'Wat doet u hier dan nog buiten? Waarom zit u niet in de auto?'

'Hij zei dat ik hier moest wachten, meneer.' Het gezicht van de man veranderde niet toen hij dat zei. 'Ik vroeg of ik in de auto mocht gaan zitten – die heeft airconditioning – maar hij zei dat ik buiten moest blijven als ik niet wilde helpen ondervragen.' Alsof hij Brunetti's volgende vraag voorvoelde, zei hij: 'De volgende bus gaat pas om kwart voor acht, om de mensen na het werk terug te brengen naar de stad.'

Brunetti nam dit in zich op en vroeg toen: 'Waar is hij gevonden?'

De agent draaide zich om en wees naar struikgewas en hoog gras aan de andere kant van het hek. 'Hij lag daaronder, meneer.'

'Wie heeft hem gevonden?'

'Een van de werklui daarbinnen. Die was naar buiten gekomen om te roken en zag een van de schoenen van die vent op de grond liggen – een rode, geloof ik – dus ging hij dichterbij kijken.'

'Was u hier toen het forensisch team er was?'

'Ja, meneer. Ze hebben alles onderzocht, foto's gemaakt en alles van de grond opgeraapt wat op zo'n honderd meter van het gras lag.'

'Voetafdrukken?'

'Ik geloof het wel, meneer, maar ik weet het niet zeker. Er waren er een paar van de man die hem heeft gevonden, maar ik geloof dat ze ook nog andere hebben gevonden.' Hij wachtte even, veegde wat zweet van zijn voorhoofd en voegde eraan toe: 'En er waren er een paar van de eerste agent die ter plaatse was.'

'Uw brigadier?'

'Ja, meneer.'

Brunetti keek naar het struikgewas en toen weer naar het doorweekte overhemd van de agent. 'Ga maar naar onze auto, agent Scarpa. Die heeft airconditioning.' En toen tegen de chauffeur: 'Ga maar met hem mee. Jullie kunnen daar allebei op me wachten.'

'Dank u, meneer,' zei de agent dankbaar terwijl hij het jasje van de rugleuning van de stoel pakte.

'Doe geen moeite,' zei Brunetti toen hij zag dat de man zijn arm in een mouw wilde steken.

'Dank u, meneer,' zei die nog eens en hij boog voorover om de stoel te pakken. De twee mannen liepen terug naar het gebouw. De agent zette de stoel buiten op het beton bij de uitgang van het gebouw en liep met de andere man mee. Ze verdwenen langs het gebouw en Brunetti liep naar het gat in het hek.

Hij boog zich diep voorover, kroop erdoorheen en liep naar het struikgewas. Overal waren sporen te zien van het forensisch team: gaten waar ze meetstokken in de grond hadden gestoken om afstanden te meten, zand dat op kleine hoopjes was geschoven doordat mensen zich er hadden omgedraaid, dichter bij de pol gras een klein bergje afgeknipte sprieten er netjes naast: blijkbaar hadden ze die moeten afknippen om bij het lijk te komen en het te verwijderen zonder het open te halen aan de scherpe randen van de halmen.

Achter Brunetti sloeg een deur dicht en toen schreeuwde een mannenstem: 'Hé, jij daar, wat moet dat? Maak dat je wegkomt.'

Brunetti draaide zich om, en zoals hij al had verwacht zag hij een man in politie-uniform snel op zich afkomen van de achterkant van het gebouw. Toen Brunetti keek, maar niet bij het struikgewas vandaan ging, trok de man zijn revolver uit zijn holster en schreeuwde naar Brunetti: 'Handen omhoog en naar het hek komen.'

Brunetti draaide zich om en liep naar het hek; hij liep als over rotsachtige bodem, met zijn handen zijwaarts om zijn evenwicht te bewaren.

'Ik zei dat je ze omhoog moet houden,' snauwde de man toen Brunetti bij het hek kwam.

Omdat de man een pistool in zijn hand had, probeerde Brunetti niet tegen hem te zeggen dát hij zijn handen ook omhooghield, alleen niet boven zijn hoofd. In plaats daarvan zei hij: 'Goedemiddag, brigadier. Ik ben commissario Brunetti uit Venetië. Hebt u verklaringen opgenomen van de mensen binnen?'

De man had kleine ogen waaruit niet veel intelligentie af viel te lezen, maar Brunetti kon wel zien dat de man de valkuil zag die zich voor zijn voeten opende. Hij kon vragen om het bewijs, een commissario van de politie vragen diens volmacht te tonen, of hij kon toestaan dat een vreemde die zich uitgaf voor een politiefunctionaris niet werd ondervraagd.

'Excuses, commissario, ik herkende u niet met dat zonlicht in mijn ogen,' zei de brigadier, al scheen de zon over zijn linkerschouder. Hij had er zonder kleerscheuren van af kunnen komen, Brunetti's schoorvoetende respect kunnen verdienen, als hij er niet aan toe had gevoegd: 'Het is lastig om de zon in te komen vanuit het donker daarbinnen. Trouwens, ik had niet verwacht dat hier iemand anders naartoe zou komen.'

Op het naamkaartje op zijn borst stond BUFFO.

'Mestre schijnt de komende weken zonder commissario te zitten, dus ben ik gestuurd om het onderzoek te leiden.' Brunetti bukte en kroop door het gat in het hek. Toen hij aan de andere kant stond, zat Buffo's revolver weer in zijn holster, met de flap stevig dichtgedrukt.

Brunetti liep naar de achteringang van het abattoir, met Buffo naast zich. 'Wat hebt u gehoord van de mensen daarbinnen?'

'Niets meer dan toen ik vanochtend het eerste telefoontje beantwoordde, meneer. Een slachter, Bettino Cola, heeft het lichaam even na elven vanochtend gevonden. Hij was naar buiten gegaan om een sigaret te roken en naar het struikgewas gelopen om te kijken naar een paar schoenen dat hij daar had zien liggen, zei hij.'

'Lagen er dan geen schoenen?' vroeg Brunetti.

'Ja. Ze lagen er toen we hier aankwamen.' Uit de manier waarop hij dat zei, zou iedereen die hem hoorde afleiden dat Cola ze daar had neergelegd om de verdenking van zichzelf af te leiden. Net als elke burger of crimineel had Brunetti een hekel aan Agressieve Agenten. 'Volgens het telefoontje dat we kregen lag hier een hoer in het veld, een vrouw. Ik had het telefoontje aangenomen en ben gaan kijken, maar het bleek een man te zijn.' Buffo spuugde op de grond.

'Volgens het rapport dat ik kreeg was hij een prostitué,' zei Brunetti op vlakke toon. 'Is hij geïdentificeerd?'

'Nee, nog niet. We laten foto's maken door de jongens van het mortuarium, al was hij behoorlijk toegetakeld, en dan laten we een tekenaar een schets maken van hoe hij eruit moet hebben gezien. Die delen we uit, en vroeg of laat zal iemand hem wel herkennen. Ze zijn vrij bekend, die jongens,' zei Buffo met iets wat tussen een grijns en een grimas in zat, en toen ging hij verder: 'Als hij hier uit de buurt komt, zullen we vrij snel weten wie het is.'

'En zo niet?' vroeg Brunetti.

'Dan zal het langer duren, denk ik. Of misschien komen we er niet achter wie het is. Hoe dan ook, we hoeven geen traan om hem te laten.'

'Hoe dat zo, brigadier Buffo?' vroeg Brunetti zacht, maar Buffo hoorde alleen de woorden, niet de toon.

'Wie wil ze nou hebben? Viespeuken. Ze hebben allemaal aids, en ze vinden het geen probleem om dat aan fatsoenlijke mannen met een baan door te geven.' Hij spuugde nog eens.

Brunetti bleef staan en wendde zich tot de brigadier. 'Voorzover ik weet, brigadier Buffo, krijgen die fatsoenlijke mannen met een baan over wie u zich zo bezorgd maakt aids omdat ze die "viespeuken" betalen om hun pik in hun kont te steken. Laten we dat niet vergeten. En laten we niet vergeten dat wie de dode man ook is, hij vermoord is, en het onze taak is om de moordenaar te vinden. Zelfs als dat een fatsoenlijke man met een baan is.' Daarop deed Brunetti de deur open en liep het abattoir binnen, waarvan de stank hem liever was dan die daarbuiten.

# 4

Binnen kwam hij niet veel meer te weten: Cola deed zijn verhaal nog eens, en de voorman bevestigde het. Nors vertelde Buffo hem dat geen van de mannen die in de fabriek werkten iets vreemds had gezien, noch die ochtend, noch de dag ervoor. De hoeren hoorden zó bij het landschap dat niemand tegenwoordig echt op ze lette of op wat ze deden. Niemand kon zich herinneren of het veld achter het abattoir ooit door de hoeren werd gebruikt: alleen de stank al verklaarde waarom niet. Zelfs al was er een in de buurt gesignaleerd, dan nog zou het waarschijnlijk niemand zijn opgevallen.

Toen hij dit alles had gehoord, liep Brunetti terug naar zijn auto en vroeg de chauffeur of die hem naar de Questura in Mestre wilde brengen. Agent Scarpa, die zijn jasje weer had aangetrokken, stapte uit de auto en ging bij brigadier Buffo in de andere wagen zitten. Toen de twee auto's terugreden naar Mestre, draaide Brunetti zijn raampje halfopen om wat lucht binnen te laten in de auto, hoe warm ook, zodat de geur van het abattoir die in zijn kleren was blijven hangen wat werd verdreven. Zoals de meeste Italianen had Brunetti altijd gespot met vegetarisme en het afgedaan als een van de vele grillen van weldoorvoede lieden, maar vandaag had hij er alle begrip voor.

Op de Questura bracht de chauffeur hem naar de eerste verdieping om hem voor te stellen aan brigadier Gallo, een lijkbleke man met ingevallen ogen die eruitzag alsof de jaren dat hij achter boeven aan had gezeten zijn lichaam van binnenuit hadden aangevreten.

Nadat Brunetti was gaan zitten op een stoel naast Gallo's bureau, vertelde de brigadier hem dat er weinig viel toe te voegen aan wat Brunetti al had gehoord, al had hij het eerste, mondelinge rapport van de patholoog: de dood was ingetreden na een reeks klappen op hoofd en gezicht die twaalf tot achttien uur vóór het lichaam was gevonden waren toegebracht. Door de hitte was moeilijk vast te stellen wanneer precies. Uit stukjes roest die in enkele wonden waren aangetroffen en uit de vorm ervan had de patholoog afgeleid dat het moordwapen een stuk metaal was, waarschijnlijk een stuk buis, maar zeker iets cilindervormigs. De laboratoriumanalyse van de maaginhoud en het bloed zou op zijn vroegst pas woensdagochtend terug zijn, dus was het moeilijk te zeggen of de man onder invloed van drugs of alcohol was geweest toen hij werd vermoord. Omdat bekend was dat veel van de prostituees in de stad en bijna alle travestieten drugs gebruikten, was dit aannemelijk, al was er aan het lichaam niets te zien dat wees op intraveneus drugsgebruik. De maag was leeg, al waren er tekenen dat hij in de vierentwintig uur voor zijn dood een maaltijd had genuttigd.

'En zijn kleren?' vroeg hij aan Gallo.

'Een rode jurk, van een of ander goedkoop synthetisch materiaal. Rode schoenen, nauwelijks gedragen, maat eenenveertig. Ik zal ze laten onderzoeken om te zien of we de fabrikant kunnen achterhalen.'

'Zijn er foto's?' vroeg Brunetti.

'Die zijn pas morgenochtend terug, meneer, maar als je mag afgaan op het verslag van de jongens die hem hebben opgehaald, wilt u ze misschien liever niet zien.'

'Is het zo erg?' vroeg Brunetti.

'Degene die hem heeft vermoord moet hem óf verschrik-kelijk hebben gehaat, óf buiten zinnen zijn geweest toen hij het deed. Er zit geen neus meer.'

'Vraagt u een tekenaar om een schets te maken?'

'Ja, meneer. Maar het zal grotendeels gissen worden. Hij kan alleen maar uitgaan van de vorm van het gezicht, de kleur ogen. En van het haar.' Gallo wachtte even en voegde eraan toe: 'Het is heel dun, en hij heeft een grote kale plek, dus hij zal wel een pruik hebben gedragen als hij, eh, aan het werk was.'

'Is er een pruik gevonden?' vroeg Brunetti.

'Nee, meneer, dat niet. En het lijkt erop dat hij ergens an-ders is vermoord en toen daar naartoe is gebracht.'

'Voetafdrukken?'

'Ja. Het technische team heeft een stel gevonden dat naar het gras toe en er weer vandaan leidde.'

'Dieper op de heenweg?'

'Ja, meneer.'

'Dus hij is ernaartoe gedragen en in het struikgewas ge-gooid. Waar kwamen de voetafdrukken vandaan?'

'Er loopt een smal geplaveid paadje achter langs het veld achter het abattoir. Zo te zien kwamen ze daar vandaan.'

'En op de weg?'

'Niets, meneer. Het heeft al weken niet geregend, dus er kan daar een auto of zelfs een vrachtwagen zijn gestopt zon-der sporen achter te laten. Er zijn alleen die voetafdrukken. Van een man. Maat drieënveertig.' Dezelfde maat als Bru-netti.

'Hebben jullie een lijst met travestie-prostitués?'

'Alleen van degenen die in de problemen zijn geraakt, meneer.'

'Wat zijn dat voor problemen?'

'De gebruikelijke. Drugs. Vechtpartijen onderling. Af en toe raakt er een slaags met een klant. Meestal om geld. Maar ze zijn geen van allen ooit bij iets ernstigs betrokken geweest.'

'En die vechtpartijen? Zijn die ooit gewelddadig?'

'Niet zoals nu, meneer. Nooit zo erg als nu.'

'Hoeveel zijn het er?'

'We hebben dossiers van een stuk of dertig, maar ik denk dat dat maar een fractie is. Er komen er veel uit Pordenone of uit Padua. Blijkbaar doen ze daar betere zaken, maar ik weet niet waarom.' De eerste was de grootste stad dicht bij een Amerikaanse en Italiaanse militaire basis; dat verklaarde Pordenone. Maar Padua? De universiteit? Als dat de reden was, dan was er een hoop veranderd sinds Brunetti er zijn rechtenstudie had afgerond.

'Ik wil die dossiers vanavond graag eens inzien. Kunt u ze voor me kopiëren?'

'Dat heb ik al laten doen, meneer,' zei Gallo, terwijl hij hem een dikke blauwe map overhandigde die op zijn bureau lag.

Toen hij de map van de brigadier aannam, realiseerde Brunetti zich dat hij, zelfs hier in Mestre, op nog geen twintig kilometer van huis, waarschijnlijk als een buitenstaander zou worden behandeld, dus zocht hij naar overeenkomsten zodat hij zou worden gezien als lid van het bestaande korps, en niet als de commissario van buiten de stad. 'Klopt het dat u Venetiaan bent, brigadier?' Gallo knikte en Brunetti vroeg: 'Castello?' Opnieuw knikte Gallo, maar ditmaal met een glimlach, alsof hij wist dat het accent hem zou blijven achtervolgen, waar hij ook naartoe ging.

'Hoe bent u hier in Mestre terechtgekomen?' vroeg Brunetti.

'U weet hoe dat gaat, meneer,' begon hij. 'Ik was het zat om een appartement te zoeken in Venetië. Mijn vrouw en ik hebben twee jaar gezocht, maar het is onmogelijk. Niemand wil verhuren aan een Venetiaan, ze zijn bang dat als je er eenmaal in zit, ze nooit meer van je afkomen. En de prijzen als je wilt kopen – vijf miljoen per vierkante meter. Wie kan dat nou betalen? Dus zijn we hiernaartoe gekomen.'

'Het klinkt alsof u er spijt van heeft, brigadier.'

Gallo haalde zijn schouders op. Het kwam vaak genoeg voor dat Venetianen de stad uit gedreven werden door de torenhoge huren en koopprijzen. 'Het is altijd moeilijk om van huis weg te moeten, commissario,' zei hij, maar Brunetti meende dat zijn stem iets warmer klonk toen hij dat zei.

Brunetti tikte op het dossier om terug te keren naar de zaak. 'Hebben jullie hier iemand met wie ze praten, die ze vertrouwen?'

'Vroeger hadden we een agent, Benvenuti, maar die is vorig jaar met pensioen gegaan.'

'Verder niemand?'

'Nee, meneer.' Gallo was even stil, alsof hij nadacht of hij zich zijn volgende uitlating kon permitteren. 'Ik ben bang dat veel van de jongere agenten, nou ja, ik ben bang dat ze die jongens niet serieus nemen.'

'Waarom zegt u dat, brigadier Gallo?'

'Als er eens eentje komt klagen, u weet wel, over dat ze door een klant in elkaar zijn geslagen – niet dat ze niet betaald worden, begrijpt u, dat is iets waar we totaal geen controle over hebben – maar over dat ze in elkaar zijn geslagen, nou, dan wil niemand erop af worden gestuurd om het te onderzoeken, ook al hebben we de naam van de dader. En als ze diegene wel gaan ondervragen, gebeurt er meestal niets.'

'Ik bespeurde al zoiets, of nog iets ergers, bij brigadier Buffo,' zei Brunetti.

Bij het horen van die naam kneep Gallo zijn lippen op elkaar, maar hij zei niets.

'En de vrouwen?' vroeg Brunetti.

'De hoeren?'

'Ja. Is er veel contact tussen hen en de travestieten?'

'Voorzover ik weet zijn er nooit problemen geweest, maar ik weet niet hoe goed ze met elkaar overweg kunnen. Ik denk niet dat ze wat klanten betreft elkaars concurrenten zijn, als u dat soms bedoelt.'

Brunetti wist niet precies wat hij bedoelde, en hij realiseerde zich dat hij pas gerichte vragen kon stellen als hij de dossiers in de blauwe map had gelezen of als iemand het lichaam van de dode man kon identificeren. Pas dan konden ze het hebben over motieven, en pas dan konden ze begrijpen wat er was gebeurd.

Hij stond op en keek op zijn horloge. 'Ik wil morgenochtend graag om halfnegen worden opgehaald door jullie chauffeur. En het zou fijn zijn als de tekenaar dan een schets klaar heeft. Zodra jullie die hebben, zelfs al is het vanavond, stuur dan minimaal twee agenten langs de andere travestieten om te zien of er iemand is die hem kent of heeft gehoord dat er iemand wordt vermist uit Pordenone of Padua. Ik wil ook graag dat er agenten aan de hoeren vragen – de vrouwen bedoel ik – of travestieten de plek gebruiken waar hij gevonden is of dat ze iemand kennen die dat in het verleden ooit gedaan heeft.' Hij pakte de map. 'Dit lees ik vanavond door.'

Gallo had aantekeningen gemaakt van wat Brunetti zei, maar nu stond hij op en liep met hem naar de deur.

'Dan zie ik u morgenochtend, commissario.' Hij liep terug naar zijn bureau en pakte de telefoon. 'Als u beneden bent, staat er een chauffeur te wachten om u terug te brengen naar het Piazzale Roma.'

Terwijl de politieauto over de damweg terugzoefde naar Venetië, keek Brunetti naar rechts, naar de grijze, witte, groene en gele rookpluimen die opstegen uit het woud van schoorstenen in Marghera. Zo ver het oog reikte, dekten de rooksluiers het enorme industriegebied toe, en de stralen van de ondergaande zon veranderden het geheel in een vlammend visioen van de volgende eeuw. Bedrukt door die gedachte wendde hij zich af en keek naar Murano, en daarachter naar de verre toren van de basiliek van Torcello, waar volgens sommige historici meer dan duizend jaar geleden het hele idee van Venetië was ontstaan, toen de kustbewoners het moeras in vluchtten om aan de invasie van de Hunnen te ontkomen.

De chauffeur week onverwacht uit om een immense camper met een Duits kenteken te ontwijken die hen plotseling sneed en toen afzwenkte naar het parkeereiland Tronchetto, en Brunetti werd teruggehaald naar het heden. Alweer Hunnen, en nu was er geen ontkomen aan.

Vanaf het Piazzale Roma liep hij naar huis, zonder veel acht te slaan op wat of wie hij passeerde, omdat zijn gedachten nog steeds terugkeerden naar dat naargeestige veld, hij nog steeds de vliegen zag die om de plek onder het gras zwermden waar het lichaam had gelegen. Morgen zou hij het lichaam gaan bekijken, met de patholoog praten en zien wat voor geheimen het zou onthullen.

Hij kwam vlak voor acht uur thuis, nog vroeg genoeg om het een gewone dag te doen lijken. Paola stond in de keuken toen hij het appartement binnen kwam, maar niets van de gebruikelijke kookgeuren en -geluiden. Nieuwsgierig liep hij de gang door en stak zijn hoofd om de keukendeur; ze stond aan de aanrecht tomaten te snijden.

'*Ciao*, Guido,' zei ze terwijl ze met een glimlach naar hem opkeek.

Hij gooide de blauwe map op de aanrecht, liep naar Paola en kuste haar in haar nek.

'In deze hitte?' vroeg ze, maar ze leunde tegen hem aan terwijl ze dat zei.

Hij likte zachtjes aan haar huid.

'Zoutttekort,' zei hij terwijl hij nog eens likte.

'Volgens mij verkopen ze zoutpillen bij de apotheek. Dat is misschien hygiënischer,' zei ze terwijl ze vooroverleunde, maar alleen om nog een rijpe tomaat uit de gootsteen te pakken. Ze sneed hem in dikke plakken en legde ze bij de andere die al in een cirkel langs de rand van een grote aardewerken schaal lagen.

Hij deed de ijskast open, pakte een fles *acqua minerale* en nam een glas uit het kastje boven zijn hoofd. Hij schonk het vol, dronk het leeg, toen nog een, draaide de dop weer op de fles en zette die terug in de ijskast.

Van de onderste plank pakte hij een fles prosecco. Hij haalde de zilveren folie van de dop en duwde toen met zijn duimen langzaam de kurk omhoog, bewoog hem voorzichtig op en neer. Zodra de kurk uit de fles sprong, hield hij hem schuin om het schuim er niet uit te laten lopen. 'Hoe kan het dat jij toen we trouwden wel wist hoe je voorkomt dat champagne overstroomt en ik niet?' vroeg hij, terwijl hij wat van de mousserende wijn in zijn glas schonk.

'Dat heb ik van Mario geleerd,' antwoordde ze, en hij wist meteen dat ze, van de stuk of twintig Mario's die ze kenden, haar neef de wijnhandelaar bedoelde.

'Jij ook wat?' vroeg hij.

'Geef maar een slokje uit jouw glas. Ik drink niet graag met deze warmte, dan stijgt het meteen naar mijn hoofd.' Hij sloeg zijn arm om haar heen en hield zijn glas tegen haar lippen, terwijl zij een slokje nam. '*Basta*,' zei ze. Hij nam het glas en dronk van de wijn.

'Lekker,' mompelde hij. 'Waar zijn de kinderen?'

'Chiara zit op het balkon. Te lezen.' Deed Chiara dan ooit weleens wat anders? Behalve wiskundige vraagstukken oplossen of bedelen om een computer?

'En Raffi?' Die zat vast bij Sara, maar Brunetti vroeg het altijd.

'Bij Sara. Hij eet bij haar thuis, en daarna gaan ze naar de film.' Ze moest lachen om de hondse toewijding van Raffi aan Sara Paganuzzi, het meisje van twee verdiepingen lager. 'Ik hoop dat hij zich twee weken van haar kan losscheuren om met ons naar de bergen te gaan,' zei Paola, zonder het te menen: twee weken in de bergen boven Bolzano, om te ontsnappen aan de verzengende hitte van de stad, waren zelfs voldoende om Raffi weg te lokken van de geneugten van een prille liefde. Bovendien hadden Sara's ouders gezegd dat ze een weekend van die vakantie naar Raffaeles familie mocht.

Brunetti reageerde er niet op, schonk zichzelf nog een half glas wijn in. '*Caprese*?' vroeg hij met een knik naar de cirkel van tomaten op de schaal die voor Paola stond.

'Jee, wat een superagent,' zei Paola, terwijl ze nog een tomaat pakte. 'Hij ziet een rand tomaten met ruimte tussen elke twee plakken, net groot genoeg om een plak mozzarella tussen te leggen, en dan ziet hij verse basilicum die links van zijn mooie vrouw in een glas staat, pal naast de verse mozzarella die op een bord ligt. En hij telt het allemaal bij elkaar op en concludeert bliksemsnel dat er vanavond *insalata caprese* op het menu staat. Geen wonder dat deze man het criminele deel van de stadsbevolking de stuipen op het lijf jaagt.' Ze draaide zich om en glimlachte toen ze dit tegen hem zei om zijn humeur te peilen en te zien of ze misschien te ver was gegaan. Toen ze zag dat dat zo was, pakte ze het glas uit zijn hand en nam nog een slok. 'Wat is er gebeurd?' vroeg ze terwijl ze hem het glas teruggaf.

'Ik ben op een zaak in Mestre gezet.' Voor ze hem kon onderbreken, ging hij verder: 'Daar zijn twee commissario's op vakantie, één ligt met een gebroken been in het ziekenhuis en één is met zwangerschapsverlof.'

'Dus geeft Patta jou aan Mestre?'

'Er is niemand anders.'

'Guido, er is altijd iemand anders. Om te beginnen is er Patta zelf. Het zou niet slecht voor hem zijn om eens wat anders te doen dan rondhangen op zijn kantoor, papieren ondertekenen en secretaresses bepotelen.'

Brunetti kon zich maar moeilijk voorstellen dat iemand zich überhaupt door Patta liet bepotelen, maar dat hield hij voor zich.

'Nou?' vroeg ze toen hij niets zei.

'Hij heeft problemen.'

'Is het dan waar?' vroeg ze. 'Ik wil je al de hele dag bellen om te vragen of het waar is. Tito Burrasca?'

Toen Brunetti knikte, gooide ze haar hoofd achterover en maakte een onsubtiel geluid dat nog het meest leek op gierend gelach. 'Tito Burrasca,' zei ze nog eens, ze draaide zich weer om naar de gootsteen en pakte nog een tomaat. 'Tito Burrasca.'

'Kom op, Paola. Zo grappig is het nou ook weer niet.'

Met een ruk draaide ze zich om, met het mes nog voor zich. 'Hoe bedoel je, zo grappig is het nou ook weer niet? Hij is een arrogante, schijnheilige, zelfingenomen klootzak, en ik kan niemand bedenken die zoiets als dit meer verdient dan hij.'

Brunetti haalde zijn schouders op en schonk nog wat wijn in zijn glas. Zolang ze tekeerging over Patta vergat ze Mestre misschien, al wist hij dat dit maar een tijdelijke afleiding was.

'Niet te geloven,' zei ze, terwijl ze zich omdraaide en zich schijnbaar richtte tot de enige tomaat die nog in de gootsteen lag. 'Hij zit je al jaren op je nek, haalt al het werk dat je doet overhoop, en nou verdedig je hem ook nog.'

'Ik verdedig hem helemaal niet, Paola.'

'Daar lijkt het anders wel op,' zei ze, ditmaal tegen de bol mozzarella die ze in haar linkerhand hield.

'Ik zeg alleen maar dat niemand dit verdient. Burrasca is een hufter.'

'En Patta niet?'

'Zal ik Chiara roepen?' vroeg hij toen hij zag dat de salade bijna klaar was.

'Pas als je me verteld hebt hoe lang dat gedoe in Mestre ongeveer gaat duren.'

'Ik heb geen idee.'

'Wat is er gebeurd?'

'Een moord. Er is een travestiet gevonden in een veld in Mestre. Iemand heeft zijn gezicht bewerkt, waarschijnlijk met een metalen buis, en hem toen daar naartoe gesleept.' Hij vroeg zich af of in andere gezinnen voor het eten net zulke opbeurende gesprekken werden gevoerd als in het zijne.

'Waarom zou zijn gezicht zijn toegetakeld?' vroeg ze, waarmee ze de vraag stelde die hem al de hele middag dwarszat.

'Woede?'

'Tsja,' zei ze, terwijl ze de mozzarella sneed en de plakken tussen de tomaat legde. 'Maar waarom in een veld?'

'Omdat hij het lijk een heel eind van de plek wilde hebben van waar hij hem had vermoord.'

'Weet je zeker dat hij daar niet is vermoord?'

'Het ziet er niet naar uit. Er gingen voetafdrukken naar de plek waar het lijk lag, en weer lichtere ervandaan.'

'Een travestiet?'

'Meer weet ik ook niet. Niemand heeft me iets verteld over zijn leeftijd, maar iedereen lijkt ervan overtuigd dat het een travestiet was.'

'Geloof jij het dan niet?'

'Ik heb geen reden om het niet te geloven. Maar ik heb ook geen reden om het wel te geloven.'

Ze nam wat basilicumblaadjes, hield ze even onder de koude kraan en sneed ze fijn. Ze strooide ze over de tomaat en mozzarella, bestrooide het geheel met zout en goot er toen rijkelijk olijfolie overheen.

'Ik was van plan om op het terras te eten,' zei ze. 'Chiara zou de tafel dekken. Wil jij even kijken?' Hij draaide zich om om de keuken uit te lopen en nam de fles en het glas mee.

Toen Paola dat zag, legde ze het mes in de gootsteen. 'Je bent er niet in een weekend mee klaar, of wel?'

Hij schudde zijn hoofd. 'Waarschijnlijk niet.'

'Wat wil je dat ik doe?'

'We hebben de reservering in het hotel. De kinderen zijn er helemaal aan toe. Ze kijken er al naar uit sinds de school is afgelopen.'

'Wat wil je dat ik doe?' vroeg ze opnieuw. Eén keer, een jaar of acht geleden, was hij erin geslaagd haar vragen over iets te ontwijken; hij wist niet meer waarover. Het was hem één dag gelukt.

'Ik wil dat jij en de kinderen naar de bergen gaan. Als dit bijtijds klaar is, kom ik ook. Ik probeer in ieder geval volgend weekend te komen.'

'Ik heb je er liever bij, Guido. Ik wil niet alleen op vakantie.'

'Je bent toch met de kinderen.'

Paola verwaardigde zich niet hiertegen in te gaan. Ze pakte de salade en liep naar hem toe. 'Ga eens kijken of Chiara de tafel heeft gedekt.'

# 5

Die avond las hij voor het slapengaan de dossiers door, die hem een wereld toonden waarvan hij misschien wel vermoedde dat hij bestond, maar waarvan hij niets met zekerheid wist en waarvan hij ook geen details kende. Bij zijn weten waren er in Venetië geen travestieten die als prostitué werkten. Er was echter minstens één transseksueel, maar Brunetti wist alleen van haar bestaan af omdat hij ooit een brief had moeten ondertekenen waarin stond dat Emilio Marcato geen strafblad had, waarna Emilia het geslacht op haar *carta d'identità* kon laten veranderen zodat het zou kloppen met de fysieke veranderingen die al waren aangebracht aan haar lichaam. Hij had geen idee wat voor aandrang of gevoelens iemand ertoe dreven zo'n onomkeerbare beslissing te nemen; hij wist nog wel dat hij geraakt was en een emotie voelde die hij liever niet wilde analyseren, door die simpele wijziging van één letter in een officieel document: Emilio – Emilia.

Met de mannen in de map was het niet zover gekomen. Zij hadden ervoor gekozen alleen hun uiterlijk te veranderen: gezicht, kleding, make-up, manier van lopen, gebaren. De foto's die in een aantal dossiers zaten, gaven blijk van de vakkundigheid waarmee sommigen van hen dit hadden gedaan. De helft van hen was totaal onherkenbaar als man, ook al wist Brunetti dat ze dat wel waren. Hun wangen hadden iets zachts en een fijne botstructuur die niets met mannelijkheid te maken had; zelfs onder de genadeloze lampen en lens van de politiecamera zagen velen van hen er mooi uit, en Brunetti zocht tevergeefs naar een schaduw, een vooruitstekende kin, iets waaruit bleek dat ze geen vrouw waren, maar een man.

Paola zat naast hem in bed de bladzijden te lezen die hij aan haar doorgaf. Ze bekeek vluchtig de foto's, las een van de arrestatierapporten, voor het verhandelen van drugs, en gaf de papieren zonder commentaar aan hem terug.

'Wat vind je ervan?' vroeg Brunetti.

'Waarvan?'

'Dit allemaal.' Hij hief het dossier in zijn hand op. 'Vind je die mannen niet vreemd?'

Ze keek hem lange tijd aan, en in haar blik meende hij afkeer te zien. 'Ik vind de mannen die gebruik van ze maken veel vreemder.'

'Waarom?'

Terwijl ze naar de map wees, zei Paola: 'Deze mannen houden zichzelf tenminste niet voor de gek over waar ze mee bezig zijn. De mannen die gebruik van ze maken wel.'

'Hoe bedoel je?'

'Kom op, Guido. Denk nou eens na. Deze mannen worden betaald om geneukt te worden of om zelf te neuken, afhankelijk van degene die ze betaalt. Maar ze moeten zich als vrouw verkleden voordat die andere mannen ze willen betalen of gebruiken. Denk eens na. Denk eens aan al die hypocrisie, de behoefte jezelf voor de gek te houden. Zodat ze de volgende ochtend kunnen zeggen: "O, *Gesù Bambino*, ik had pas door dat het een man was toen het al te laat was," of: "Nou ja, het bleek dan wel een man te zijn, maar ik ben tenminste degene die hem erin heeft gestoken." Dus zijn ze nog steeds een echte man, een macho, en hoeven ze het feit niet onder ogen te zien dat ze liever een andere man neuken omdat ze daarmee hun mannelijkheid in gevaar zouden brengen.' Ze keek hem lang aan. 'Soms heb ik het idee dat je over een heleboel dingen niet echt nadenkt, Guido.'

Vrij vertaald betekende dat meestal dat hij niet hetzelfde over dingen dacht als zij. Maar nu had Paola gelijk: dit was iets waarover hij nog nooit had nagedacht. Zodra Brunetti vrouwen had ontdekt, hadden ze hem veroverd, en hij kon zich niet voorstellen dat een ander geslacht – nou ja, daar was er eigenlijk maar één van – aantrekkelijk kon zijn. Toen hij opgroeide ging hij ervan uit dat alle mannen ongeveer net zo waren als hij; toen hij erachter kwam dat dat niet zo was, was hij te overtuigd van zijn eigen verrukking om meer te doen dan verstandelijk erkennen dat er een alternatief bestond.

Toen moest hij denken aan iets wat Paola hem kort na hun ontmoeting had verteld, iets wat hem nooit was opgevallen: dat Italiaanse mannen hun eigen geslachtsdelen continu betastten, ermee speelden, ze bijna liefkoosden. Hij herinnerde zich dat hij ongelovig en schamper had gelachen toen ze hem dat vertelde, maar de volgende dag was hij erop gaan letten en binnen een week had hij ontdekt dat ze gelijk had. Weer een week later was hij erdoor gefascineerd geraakt, verbijsterd over de frequentie waarmee mannen op straat hun hand naar beneden brachten voor een onderzoekend klopje, een geruststellende aanraking, alsof ze bang waren dat het zaakje eraf was gevallen. Eens stond Paola tijdens een wandeling met hem stil om te vragen waar hij aan dacht. Hij had al duizenden redenen, maar het feit dat zij de enige ter wereld was bij wie hij zich er niet voor schaamde om te vertellen wat hij op dat moment dacht, overtuigde hem ervan dat dit de vrouw was met wie hij wilde trouwen, moest trouwen, zou trouwen.

Een vrouw liefhebben en begeren leek hem toen volstrekt natuurlijk, en nu nog steeds. Maar om redenen waarover hij kon lezen en waarvan hij kennis kon nemen, maar die hij met geen mogelijkheid kon begrijpen, hadden de mannen in deze map vrouwen de rug toegekeerd en het lichaam van andere mannen opgezocht. Dat deden ze in ruil voor drugs of geld, of soms ongetwijfeld in naam van de liefde. In wat voor wilde omarming van haat had een van hen een gewelddadige dood gevonden? En om wat voor reden?

Paola lag vredig naast hem te slapen, een gewelfde bult, zijn grote liefde, zijn alles. Hij legde de map op het nachtkastje, deed het licht uit, sloeg zijn arm om Paola's schouder en zoende haar nek. Nog steeds zout. Hij viel algauw in slaap.

Toen Brunetti de volgende ochtend op de Questura van Mestre kwam, trof hij brigadier Gallo aan diens bureau, met weer een blauwe map in zijn hand. Terwijl Brunetti ging zitten, gaf de agent hem de map en zag Brunetti voor het eerst het gezicht van de vermoorde man. Bovenop lag de reconstructie van de tekenaar van hoe hij er mogelijk uit had gezien, en daaronder zag hij de foto's van de verbrijzelde werkelijkheid aan de hand waarvan de tekenaar zijn schets had gemaakt.

Het was onmogelijk vast te stellen hoeveel klappen het gezicht had moeten incasseren. Zoals Gallo de avond daarvoor had verteld, was de neus verdwenen, in de schedel geslagen met een wel zeer harde dreun. Eén jukbeen was volledig verbrijzeld en had een ondiepe deuk aan die kant van het gezicht achtergelaten. De foto's van de achterkant van het hoofd lieten eenzelfde gewelddadigheid zien, maar dit moesten klappen zijn die de man niet hadden misvormd, maar gedood.

Brunetti sloeg de map dicht en gaf hem terug aan Gallo. 'Hebt u kopieën van de schets laten maken?'

'Ja, meneer, we hebben een hele stapel, maar we hebben hem pas een halfuur geleden gekregen, dus geen van de agenten is er al de straat mee op gegaan.'

'Vingerafdrukken?'

'We hebben een perfect stel gemaakt en die naar Rome en naar Interpol in Genève gestuurd, maar we hebben nog geen antwoord. U weet hoe ze daar zijn.' Dat wist Brunetti maar al te goed. Rome kon weken duren; Interpol was meestal iets sneller.

Brunetti tikte met zijn vinger op de map. 'Er is wel erg veel schade aan het gezicht, hè?'

Gallo knikte, maar zei niets. In het verleden had hij met vice-questore Patta te maken gehad, zij het alleen maar telefonisch, dus was hij op zijn hoede voor iedereen die uit Venetië zijn kant op kwam.

'Bijna alsof degene die het gedaan heeft het gezicht onherkenbaar wilde maken,' ging Brunetti verder.

Gallo keek hem even van onder zijn borstelige wenkbrauwen aan en knikte weer.

'Hebt u vrienden in Rome die de boel een beetje voor ons kunnen bespoedigen?' vroeg Brunetti.

'Dat heb ik al geprobeerd, meneer, maar hij is op vakantie. En u?'

Brunetti schudde snel van nee. 'Degene die ik daar kende is overgeplaatst naar Brussel om voor Interpol te werken.'

'Dan zullen we moeten afwachten, denk ik,' zei Gallo, en uit zijn toon bleek dat hij daar helemaal niet blij mee was.

'Waar is hij?'

'De dode? In het mortuarium van Umberto Primo. Hoezo?'

'Ik wil hem graag zien.'

Als Gallo dat een vreemd verzoek vond, liet hij het niet blijken. 'Uw chauffeur kan u er vast naartoe brengen.'

'Het is toch niet zo ver?'

'Nee, maar een paar minuten,' antwoordde Gallo. 'Misschien iets langer, vanwege de ochtendspits.'

Brunetti vroeg zich af of deze mensen ooit ergens lopend naartoe gingen, maar toen dacht hij aan de drukkende, tropische hitte die als een deken over de hele Veneto-streek hing. Misschien was het verstandiger om in een auto met airconditioning van en naar gebouwen met airconditioning te rijden, maar hij betwijfelde of hij zich daar ooit prettig bij zou voelen. Hij zei er echter niets over, maar ging naar beneden en liet zich door zijn chauffeur – blijkbaar had hij recht op een eigen chauffeur en een eigen auto – naar het Umberto Primo brengen, het grootste van de vele ziekenhuizen van Mestre.

In het mortuarium trof hij een medewerker aan achter een laag bureau, met de *Gazzettino* voor zich uitgespreid. Brunetti hield zijn politiepas omhoog en vroeg of hij de vermoorde man mocht zien die een dag eerder in het veld was gevonden.

De medewerker, een kleine man met een dikke buik en kromme benen, vouwde zijn krant op en kwam overeind. 'O, die, die heb ik aan de andere kant liggen, meneer. Er is niemand naar hem komen kijken, behalve die tekenaar, en die wilde alleen maar de haren en de ogen zien. Te veel flits op de foto's, dus hij kon ze niet goed tekenen. Hij heeft hem maar heel even bekeken, haalde het laken even weg en keek naar zijn oog. Volgens mij vond hij het niet leuk om hem te bekijken, maar jezus, hij had hem moeten zien vóór de lijkschouwing, met al die make-up vermengd met bloed. Een hels karwei om hem schoon te krijgen. Daarvoor zag hij eruit als een clown, dat kan ik u wel vertellen. Hij had van dat ogenspul over zijn hele gezicht. Nou ja, op wat er nog over was van zijn gezicht. Gek hoe lastig dat spul soms weg te krijgen is. Vrouwen doen er vast eindeloos over om zichzelf schoon te krijgen, denkt u ook niet?'

Tijdens dit alles leidde hij Brunetti door de kille kamer, waarbij hij af en toe bleef staan om zich rechtstreeks tot Brunetti te richten. Uiteindelijk stond hij stil voor één van de vele metalen deuren die de muur van de kamer vormden, boog voorover, draaide een metalen hendel om en trok de lage lade uit waarop het lijk lag. 'Ligt hij hier goed voor u, meneer, of zal ik hem hoger voor u leggen? Kleine moeite. Zo gepiept.'

'Nee, dit is goed genoeg,' zei Brunetti terwijl hij omlaag keek. Ongevraagd trok de medewerker het witte laken weg dat het gezicht bedekte, en toen keek hij naar Brunetti om te zien of hij verder moest gaan. Toen Brunetti knikte, trok de medewerker het laken van het lijk en vouwde het snel op tot een keurige rechthoek.

Hoewel Brunetti de foto's had gezien, had niets hem voorbereid op de ravage die hij nu zag. De patholoog was alleen maar geïnteresseerd geweest in het onderzoek en had geen moeite gedaan iets te fatsoeneren; als er ooit familie werd gevonden, kon die daar iemand voor inhuren.

Er was geen poging gedaan de neus van de man te herstellen, dus zag Brunetti een holrond vlak met vier ondiepe inkepingen, alsof een achterlijk kind een mensengezicht had gemaakt van klei maar er in plaats van een neus alleen maar gaten in had geprikt. Zonder de neus was hij niet meer als mens herkenbaar.

Hij bekeek het lijk om te zien of hij er iets uit kon afleiden qua leeftijd of lichamelijke conditie. Brunetti hoorde zichzelf inademen toen hij zich realiseerde dat het lichaam angstaanjagend veel op het zijne leek: dezelfde bouw, ietwat gezet in de taille, en het litteken van een blindedarmoperatie uit de kindertijd. Het enige verschil was dat er helemaal geen haar op het lichaam zat, en hij boog voorover om de borst beter te bekijken, die wreed in tweeën was gedeeld door de lange snee van de lijkschouwing. In plaats van de kronkelende grijze haren die op zijn eigen borst groeiden, zag hij korte stoppels. 'Heeft de patholoog zijn borst geschoren voor de lijkschouwing?' vroeg Brunetti aan de medewerker.

'Nee, meneer. Hij heeft geen hartoperatie op hem uitgevoerd, alleen maar een lijkschouwing.'

'Maar zijn borst is geschoren.'

'Zijn benen ook, als u goed kijkt.'

Dat deed Brunetti. De man had gelijk.

'Heeft de patholoog er nog iets over gezegd?'

'Niet toen hij aan het werk was, meneer. Misschien staat er iets over in het rapport. Hebt u genoeg gezien?'

Brunetti knikte en stapte weg van het lijk. De medewerker sloeg het laken voor zich uit, wapperde ermee in de lucht alsof het een tafelkleed was en liet het precies op de juiste plek over het lijk zakken. Hij schoof het weer naar binnen, deed de deur dicht en draaide zachtjes de hendel om.

Toen ze terugliepen naar het bureau, zei de medewerker: 'Dat verdiende hij niet, wie hij ook was. Ze zeggen hier dat hij op straat werkte, een van die mannen die zich als vrouw verkleden.'

Even dacht Brunetti dat de man het sarcastisch bedoelde, maar toen hoorde hij de klank van de woorden en realiseerde hij zich dat de man het meende.

'Gaat u uitzoeken wie hem heeft vermoord, meneer?'

'Ja.'

'Nou, ik hoop dat het lukt. Ik kan nog wel begrijpen dat je iemand wilt vermoorden, maar ik snap niet waarom je hem op zo'n manier wilt vermoorden.' Hij bleef staan en keek Brunetti onderzoekend aan. 'U wel, meneer?'

'Nee, ik ook niet.'

'Zoals ik al zei, meneer, ik hoop dat u degene vindt die dit heeft gedaan. Hoer of geen hoer, niemand verdient het om zo aan zijn eind te komen.'

# 6

'Hebt u hem gezien?' vroeg Gallo aan Brunetti toen die terugkwam op de Questura.

'Ja.'

'Niet bepaald fraai, hè?'

'Hebt u hem ook gezien?'

'Ik probeer ze altijd te bekijken,' zei Gallo op vlakke toon.
'Dan doe ik beter mijn best om degene te vinden die ze heeft
vermoord.'

'Wat denkt u, brigadier?' vroeg Brunetti, terwijl hij zich in
de stoel naast het bureau van de brigadier liet zakken en de
blauwe map neerlegde, alsof hij het als een fysiek teken van
de moord wilde gebruiken.

Gallo dacht bijna een minuut na voor hij antwoord gaf.
'Ik denk dat het misschien is gebeurd tijdens een enorme
woede-uitbarsting.' Brunetti knikte op die mogelijkheid.
'Of, zoals u al eerder suggereerde, *dottore*, om te proberen
zijn identiteit te verhullen.' Een seconde later corrigeerde
Gallo zichzelf, misschien omdat hij terugdacht aan wat hij
in het mortuarium had gezien. 'Of die te vernietigen.'

'Dat is in deze tijd praktisch onmogelijk, denkt u ook niet,
brigadier?'

'Onmogelijk?'

'Een verdwijning zal binnen een paar dagen worden opgemerkt – in de meeste gevallen binnen een paar uur, tenzij
iemand een volslagen vreemde is in een stad of geen familie

of vrienden heeft. Niemand slaagt er nog in om te verdwijnen.'

'Dan klinkt woede misschien logischer,' zei Gallo. 'Misschien heeft hij iets tegen een klant gezegd, iets gedaan waardoor de ander doorsloeg. Ik weet niet zoveel over de mannen in de map die ik u gisteren gaf. Ik ben geen psycholoog of zo, dus ik weet niet wat ze bezielt, maar ik denk dat de mannen die, eh, die betalen veel minder stabiel zijn dan de mannen die betaald worden. Woede dus?'

'Waarom zou hij dan naar een deel van de stad worden gebracht waarvan bekend is dat er hoeren werken?' vroeg Brunetti. 'Dat duidt eerder op intelligentie en planning dan op woede.'

Gallo reageerde meteen op de test waaraan hij door zijn nieuwe commissario werd onderworpen. 'Nou, nadat hij het had gedaan, kan hij bij zijn positieven zijn gekomen. Misschien had hij hem in zijn eigen huis vermoord of op een plek waar ze een van beiden kenden, dus moest hij het lijk verplaatsen. En als hij het soort man is – de moordenaar bedoel ik – als hij het soort man is dat gebruikmaakt van travestieten, dan zou hij wel weten waar de hoeren naartoe gaan. Misschien leek dat hem de aangewezen plek om hem achter te laten, zodat andere mensen die daar komen verdacht zouden worden.'

'Ja…' beaamde Brunetti langzaam, en Gallo wachtte op de 'maar' die de toon van de commissario onvermijdelijk maakte. 'Maar dan wek je de suggestie dat zulke hoeren hetzelfde zijn als gewone hoeren.'

'Hoe bedoelt u, meneer?'

'Dat mannelijke hoeren hetzelfde zijn als vrouwelijke hoeren, of dat ze tenminste op dezelfde plek werken. Als ik afga op wat ik gisteren heb gehoord en gezien, is dat gebied bij het abattoir het terrein van vrouwelijke hoeren.' Daar dacht Gallo over na, en Brunetti spoorde hem verder aan: 'Maar dit is uw stad, dus u zult er meer over weten dan ik; ik ben toch eigenlijk een vreemde hier.' Dat was nog complimenteus ook.

Gallo knikte. 'Meestal zijn het meisjes die in de velden bij de fabrieken werken. Maar we krijgen steeds vaker jongens – vaak Slaven en Noord-Afrikanen – dus misschien zijn ze gedwongen een nieuw territorium te zoeken.'

'Hebben jullie daar geruchten over gehoord?'

'Ik niet persoonlijk, meneer. Maar meestal heb ik niet zoveel te maken met de hoeren, tenzij ze betrokken zijn bij geweldsdelicten.'

'Gebeurt dat vaak?'

Gallo schudde zijn hoofd. 'Als het gebeurt zijn de vrouwen meestal bang om ons erover te vertellen, uit angst dat ze achter de tralies belanden, wie er ook verantwoordelijk is voor het geweld. Het zijn vaak illegalen, dus zijn ze bang om naar ons toe te komen, bang dat ze worden uitgezet als ze in de problemen komen. En er zijn een hoop mannen die het leuk vinden om ze in elkaar te slaan. Ik denk dat ze leren hoe ze die kunnen herkennen, of de andere meisjes vertellen het door en ze proberen ze te vermijden.

Je zou zeggen dat de mannen zichzelf beter kunnen beschermen. Als u dat dossier hebt gelezen, hebt u gezien hoe groot sommige van die jongens zijn. Knap, sommigen zelfs mooi, maar het blijven mannen. Je zou denken dat ze minder van dat soort problemen hebben. Of als ze wel problemen hebben, weten ze op zijn minst hoe ze zich moeten verdedigen.'

'Hebben jullie het autopsierapport al?' vroeg Brunetti.

Gallo pakte wat velletjes papier en gaf ze aan hem. 'Het is binnengekomen toen u in het ziekenhuis was.'

Brunetti las het snel door, was bekend met het jargon en de technische termen. Geen prikwonden in het lichaam, dus het slachtoffer spoot geen drugs. Lengte, gewicht, algehele lichamelijke conditie: alles wat Brunetti had gezien werd hier opgesomd, maar dan in precieze, nauwkeurige details. Er werd iets gezegd over de make-up waar de medewerker het over had gehad, maar alleen dat er duidelijke sporen van lippenstift en eyeliner waren aangetroffen. Er was geen bewijs van recent seksueel contact, hetzij actief, hetzij passief. Onderzoek van de handen wees op een zittend beroep: de nagels waren stomp afgeknipt en er zat geen eelt op de handpalmen. Blauwe plekken op het lichaam bevestigden dat hij elders was vermoord en naar de plek was gebracht waar hij was gevonden, maar de enorme hitte waarin hij had gelegen maakte het onmogelijk om vast te stellen hoeveel tijd er was verstreken tussen de moord en het tijdstip waarop hij was ontdekt, hooguit dat het ergens tussen de twaalf en twintig uur moest zijn.

Brunetti keek op naar Gallo en vroeg: 'Hebt u dit gelezen?'

'Ja, meneer.'

'En wat denkt u?'

'We moeten nog steeds kiezen tussen woede en listigheid, denk ik.'

'Maar eerst moeten we uitzoeken wie hij is,' zei Brunetti. 'Hoeveel mannen zijn hierop gezet?'

'Scarpa.'

'De man die gisteren in de zon zat?'

Gallo's rustige 'Ja, meneer' liet Brunetti weten dat hij over het incident had gehoord, en door de manier waarop hij het zei, werd duidelijk dat het hem niet beviel. 'Hij is de enige agent die erop is gezet. De dood van een prostitué heeft niet zo veel prioriteit, vooral in de zomer, als we personeelstekort hebben.'

'Verder niemand?' vroeg Brunetti.

'De zaak was tijdelijk aan mij toegewezen omdat ik hier was toen het telefoontje binnenkwam, dus ik heb het Squadra Mobile erop afgestuurd. De vice-questore heeft voorgesteld het aan brigadier Buffo over te dragen, omdat hij degene was die het oorspronkelijke telefoontje heeft aangenomen.'

'Op die manier,' zei Brunetti, en hij dacht er nog eens over na. 'Is er een alternatief?'

'Een alternatief voor brigadier Buffo, bedoelt u?'

'Ja.'

'Aangezien u aanvankelijk contact met mij hebt gehad en we de zaak uitvoerig hebben besproken, zou u kunnen vragen...' Hier wachtte Gallo even, alsof hij de tijd nog wilde rekken, toen ging hij verder: 'Het zou tijd schelen als ik de zaak hield.'

'Welke vice-questore gaat hierover?'

'Nasci.'

'Is de kans groot dat ze... Ik bedoel, zal ze het een goed idee vinden?'

'Ik weet zeker dat als het verzoek van een commissario komt, ze ermee in zal stemmen, meneer. Vooral als u hiernaartoe komt om ons te helpen.'

'Mooi. Laat iemand een verzoek schrijven, dan onderteken ik het voor de lunch.' Gallo knikte, maakte een aantekening op een papiertje voor hem, keek toen naar Brunetti en knikte weer. 'En laat uw mannen aan de slag gaan met de kleren en de schoenen die hij droeg.' Gallo maakte nog een aantekening.

Brunetti sloeg de blauwe map open die hij de avond daarvoor had bestudeerd en wees op de lijst met namen en adressen die aan de binnenflap was vastgeniet. 'Ik denk dat we het best kunnen beginnen deze mannen vragen te stellen over het slachtoffer, of ze weten wie hij is of dat ze hem herkennen of iemand kennen die hem misschien heeft gekend. Volgens de patholoog moet hij begin veertig zijn. Geen enkele van de mannen in de map is zo oud, er zijn er zelfs maar weinig van in de dertig, dus als hij hier uit de buurt komt valt hij op vanwege zijn leeftijd, en zullen de mensen hem zeker kennen.'

'Hoe wilt u dat doen, meneer?'

'Ik denk dat we de lijst in drieën moeten delen, en dan kunnen u en ik en Scarpa ze de foto laten zien en vragen wat ze weten.'

'Het is niet het soort mensen dat graag met de politie praat, meneer.'

'Dan stel ik voor dat we nog een afbeelding meenemen, een van de foto's waarop te zien is hoe hij eruitzag toen we hem in dat veld hebben gevonden. Ik denk dat als we die mannen duidelijk kunnen maken dat hun hetzelfde kan overkomen, ze misschien iets sneller met ons praten.'

'Ik zal Scarpa hiernaartoe laten komen,' zei Gallo terwijl hij de telefoon pakte.

# 7

Hoewel het nog ochtend was – voor de mannen op de lijst was het waarschijnlijk eerder midden in de nacht – besloten ze nu toch met ze te gaan praten. Omdat de andere agenten bekend waren in Mestre, vroeg Brunetti hun een soort geografische volgorde aan te brengen in de adressen, zodat ze niet kriskras de stad door hoefden om de namen af te gaan.

Toen dat was gebeurd, kreeg Brunetti de lijst van ze en ging naar beneden om zijn chauffeur te zoeken. Hij vroeg zich af of het wel verstandig was om deze mannen te gaan ondervragen in een blauw-witte politieauto met een agent in uniform achter het stuur, maar hij hoefde de ochtendlucht van Mestre maar in te stappen of hij concludeerde dat hij elke voorzichtigheid puur uit overlevingsdrang in de wind moest slaan.

De hitte wikkelde zich om hem heen en de lucht leek zijn ogen aan te tasten. Er stond geen wind, nog geen zuchtje; de warmte lag als een smerige deken over de stad. Auto's kropen langs de Questura, toeterend in een vergeefs protest tegen stoplichten die op rood sprongen of voetgangers die overstaken. Aan de stofwolken en de lege sigarettenpakjes die over straat heen en weer waaiden was te zien dat ze voorbijreden. Brunetti, die het zag, het hoorde en het inademde, had het gevoel dat er iemand achter hem was komen staan die zijn armen strak om zijn borst klemde. Hoe kon een mens zo leven?

Brunetti vluchtte de koele cocon van de politieauto in en kwam er een kwartier later weer uit voor een flatgebouw van acht verdiepingen aan de westkant van de stad. Toen hij omhoogkeek, zag hij dat er waslijnen tussen dit gebouw en dat aan de overkant waren gespannen. Hier stond een lichte bries, zodat de veelkleurige banen van lakens, handdoeken en ondergoed boven hem heen en weer golfden en heel even zijn stemming verbeterden.

Binnen zat de *portiere* in zijn kooiachtige kantoortje kranten en enveloppen te ordenen op een bureau; hij sorteerde de post die net moest zijn bezorgd voor de bewoners van het gebouw. Het was een oude man met een dunne baard en een leesbril met zilverkleurig montuur die op het puntje van zijn neus balanceerde. Hij keek over de rand van zijn brillenglazen en wenste Brunetti goedemorgen. De vochtige atmosfeer versterkte de zurige lucht in het vertrek, en een ventilator op de grond, die langs de benen van de oude man blies, verspreidde de geur alleen maar door de kamer.

Brunetti wenste de man goedemorgen en vroeg waar hij Giovanni Feltrinelli kon vinden.

Toen hij die naam noemde, schoof de portier zijn stoel achteruit en stond op. 'Ik heb hem gewaarschuwd dat hij jullie niet meer naar de flat moet laten komen. Als hij zijn werk wil doen, dan doet hij dat maar bij u in de auto of buiten in het veld, bij de andere beesten, maar hij gaat dat smerige werk van 'm niet meer hier doen, anders bel ik de politie.' Terwijl hij dat zei, reikte hij met zijn rechterhand naar de telefoon aan de muur achter hem en liet zijn felle blik over Brunetti gaan met een walging die hij op geen enkele manier probeerde te verbergen.

'Ik bén van de politie,' zei Brunetti zacht terwijl hij zijn politiepas uit zijn portefeuille haalde en voor de oude man omhooghield. Die rukte Brunetti de kaart ruw uit de hand, om aan te geven dat hij heus wel wist waar die dingen werden nagemaakt, en duwde zijn bril over zijn neus omhoog om hem te lezen.

'Hij ziet er echt uit,' gaf hij uiteindelijk toe, waarna hij hem weer aan Brunetti teruggaf. Hij haalde een vuile zakdoek uit zijn zak, zette zijn bril af en begon zorgvuldig de glazen te poetsen, eerst het ene en toen het andere, alsof hij zijn hele leven niet anders deed. Hij zette hem weer op, haakte beide poten zorgvuldig achter zijn oren, stopte de zakdoek weer in zijn zak en vroeg Brunetti op andere toon: 'Wat heeft hij nou weer gedaan?'

'Niets. We moeten hem ondervragen over iemand anders.'

'Een van die flikkervriendjes van 'm?' vroeg de oude man, weer op de agressieve toon van eerst.

Brunetti negeerde de vraag. 'We willen signor Feltrinelli graag spreken. Misschien kan hij ons informatie geven.'

'Signór Feltrinelli? Signór?' herhaalde de oude man Brunetti's woorden, maar hij boog de formele aanduiding om tot een belediging. 'U bedoelt Nino het Mooie Jongetje, Nino de Eikellikker?'

Brunetti zuchtte vermoeid. Waarom konden mensen niet wat genuanceerder, wat selectiever zijn in wie ze wilden haten? Misschien zelfs iets intelligenter? Waarom hadden ze geen hekel aan de christendemocraten? Of de socialisten? Waarom hadden ze geen hekel aan mensen die homo's haatten?

'Kunt u me vertellen in welk appartement signor Feltrinelli woont?'

De oude man verdween weer achter zijn bureau en ging

verder met het sorteren van de post. 'Vijfde verdieping. Zijn naam staat op de deur.'

Brunetti draaide zich om en vertrok zonder verder nog iets te zeggen. Toen hij bij de deur was, dacht hij dat hij de oude man hoorde mompelen: 'Signor,' maar misschien was het alleen maar een kwaad geluid. Aan de andere kant van de marmeren hal drukte hij op het knopje van de lift en wachtte tot die kwam. Na een paar minuten was de lift er nog steeds niet, maar Brunetti weigerde de portier te gaan vragen of hij stuk was. In plaats daarvan liep hij naar links, deed een deur naar het trappenhuis open en ging naar boven, naar de vijfde verdieping. Toen hij daar eindelijk was, moest hij zijn das losmaken en zijn broek van zijn dijen lostrekken, omdat die er door het zweet tegenaan geplakt zat. Toen hij helemaal boven was, pakte hij zijn zakdoek om zijn gezicht af te vegen.

Zoals de oude man had gezegd, stond de naam op de deur: GIOVANNI FELTRINELLI – ARCHITETTO.

Hij keek op zijn horloge: 11.35. Hij belde aan. Er werd direct gereageerd; hij hoorde snelle voetstappen naar de deur komen. Die werd opengedaan door een jongeman die vagelijk leek op de politiefoto die Brunetti de avond daarvoor had bestudeerd: kort blond haar, een vierkante, mannelijke kaak en zachte, donkere ogen.

'*Si?*' vroeg hij, terwijl hij met een vriendelijk vragende glimlach opkeek naar Brunetti.

'Signor Giovanni Feltrinelli?' vroeg Brunetti terwijl hij zijn politiepas omhoogheld.

De jongeman keurde de kaart nauwelijks een blik waardig, maar herkende hem meteen, en die herkenning deed de glimlach van zijn gezicht verdwijnen.

'Ja. Wat wilt u?' Zijn stem was nu net zo bekoeld als zijn glimlach.

'Ik wil u graag spreken, signor Feltrinelli. Mag ik binnenkomen?'

'Waarom vraagt u dat nog?' zei Feltrinelli vermoeid terwijl hij de deur verder openhield en een stap achteruit deed om Brunetti binnen te laten.

'*Permesso*,' zei Brunetti en hij ging naar binnen. Misschien was de titel op de deur geen dekmantel: het appartement had de symmetrische indeling van een leefruimte die vakkundig en met precisie was ingericht. De woonkamer die Brunetti binnen liep was helemaal wit geschilderd, op de vloer lag een licht visgraatparket. Er lagen een paar kelims op de grond, de kleuren waren van ouderdom vervaagd; nog twee andere – Brunetti vermoedde dat ze Perzisch waren – hingen aan de muur. Een lange, lage bank was tegen de andere muur geschoven en leek te zijn bekleed met beige zijde. Ervoor stond een glazen tafel met aan één kant een grote aardewerken schaal. Aan de ene muur hing een lange boekenplank, aan een andere hingen ingelijste architectuurtekeningen van gebouwen en foto's van voltooide gebouwen, allemaal laag, ruim en omringd door uitgestrekt, braakliggend terrein. In de hoek stond een hoge tekentafel, en het blad, dat schuin naar de kamer stond, was bezaaid met grote vellen transparant papier. Er brandde een sigaret in de asbak die gevaarlijk scheef op het schuine blad van de tekentafel stond.

De symmetrie van de kamer trok de blik van de kijker telkens terug naar het midden, naar de eenvoudige aardewerken schaal. Brunetti voelde duidelijk dat dit gebeurde, maar hij begreep niet hoe dat effect werd bereikt.

'Signor Feltrinelli,' begon hij, 'ik wil u vragen of u ons misschien kunt helpen met een onderzoek.'

Feltrinelli zei niets.

'Ik wil u graag een afbeelding laten zien van een man en u vragen of u hem persoonlijk of van gezicht kent.'

Feltrinelli liep naar de tekentafel en pakte de sigaret. Hij nam een gulzige trek, drukte hem toen met een nerveus gebaar uit in de asbak. 'Ik geef geen namen,' zei hij.

'Pardon?' vroeg Brunetti, die begreep wat hij bedoelde maar dat niet wilde laten blijken.

'Ik geef geen namen van mijn klanten. U kunt me alle foto's laten zien die u wilt, maar ik zal er geen een herkennen, en ik weet geen namen.'

'Ik vraag niet naar uw klanten, signor Feltrinelli,' zei Brunetti. 'En het interesseert me niet wie dat zijn. We hebben het vermoeden dat u misschien iets weet over deze man, en ik zou u graag de tekening willen laten zien en van u horen of u hem herkent.'

Feltrinelli liep bij de tafel vandaan en ging bij een klein raam in de linkermuur staan, en toen begreep Brunetti waarom de kamer zo was ingericht: het enige doel was om de aandacht af te leiden van dat raam en de treurige bakstenen muur die er slechts twee meter vandaan stond. 'En als ik dat niet doe?' vroeg Feltrinelli.

'Als u wat niet doet, hem herkennen?'

'Nee. Als ik de tekening niet bekijk?'

Er was geen airconditioning en geen ventilator in de kamer, en het rook er naar goedkope sigaretten, een geur waarvan Brunetti dacht dat hij hem in zijn vochtige kleren en in zijn haren voelde trekken. 'Signor Feltrinelli, ik vraag u uw taak als burger te vervullen, om de politie te helpen in een moordonderzoek. We willen alleen maar deze man identificeren. Pas dan kunnen we aan het onderzoek beginnen.'

'Gaat het om de man die jullie gisteren in dat veld hebben gevonden?'

'Ja.'

'En jullie denken dat het een van ons is?' Feltrinelli hoefde niet uit te leggen wie hij met 'ons' bedoelde.

'Ja.'

'Waarom?'

'Dat hoeft u niet te weten.'

'Maar u denkt dat hij een travestiet is?'

'Ja.'

'En een hoer?'

'Misschien,' antwoordde Brunetti.

Feltrinelli wendde zich af van het raam en liep door de kamer naar Brunetti. Hij stak zijn hand uit. 'Laat die tekening eens zien.'

Brunetti deed de map die hij in zijn hand hield open en haalde er een fotokopie uit van de schets die de tekenaar had gemaakt. Hij zag dat zijn vochtige handpalm knalblauw was geworden van de verf van de papieren kaft van de map. Hij gaf de tekening aan Feltrinelli, die er even geconcentreerd naar keek, toen met zijn andere hand de haargrens bedekte en hem nog eens bekeek. Hij schudde zijn hoofd en gaf de tekening terug aan Brunetti. 'Nee, hem heb ik nog nooit gezien.'

Brunetti geloofde hem. Hij deed de kopie weer in de map. 'Kent u misschien iemand die ons kan helpen achterhalen wie deze man is?'

'Ik neem aan dat jullie een lijst afwerken van iedereen die

ooit is gearresteerd,' zei Feltrinelli op minder aanvallende toon.

'Ja. We kunnen niemand anders bedenken om de tekening aan te laten zien.'

'U bedoelt degenen die nog niet zijn gearresteerd,' zei Feltrinelli, en toen vroeg hij: 'Hebt u nog zo'n tekening?'

Brunetti haalde er een uit de map en gaf die aan hem en daarna overhandigde hij zijn visitekaartje. 'U zult de Questura in Mestre moeten bellen, maar u kunt naar mij vragen. Of naar brigadier Gallo.'

'Hoe is hij vermoord?'

'Dat staat vanochtend wel in de krant.'

'Ik lees geen kranten.'

'Hij is doodgeslagen.'

'In het veld?'

'Dat mag ik u niet vertellen, signore.'

Feltrinelli liep naar de tafel, waar hij de tekening met het gezicht naar boven op legde, en stak nog een sigaret op.

'Goed,' zei hij, terwijl hij zich omdraaide naar Brunetti. 'Ik heb de tekening. Ik zal hem aan wat mensen laten zien. Als ik iets hoor, laat ik het u weten.'

'Bent u architect, signor Feltrinelli?'

'Ja. Ik bedoel, ik heb de *laurea d'architettura*. Maar ik werk niet. Ik bedoel, ik heb geen baan.'

Met een knik naar het transparante papier op de tekentafel vroeg Brunetti: 'Maar u bent bezig met een project?'

'Alleen maar voor mijn eigen plezier, commissario. Ik ben mijn baan kwijt.'

'Het spijt me dat te horen, signore.'

Feltrinelli deed allebei zijn handen in zijn zakken en keek Brunetti aan. Op volstrekt neutrale toon zei hij: 'Ik was in

Egypte aan het werk voor de regering, ik ontwierp sociale woningen. Maar toen besloten ze dat alle buitenlanders elk jaar een aidstest moesten ondergaan. Vorig jaar was de mijne positief, dus hebben ze me ontslagen en teruggestuurd.'

Toen Brunetti daar niets op zei, ging Feltrinelli verder: 'Toen ik hier terugkwam, probeerde ik een baan te vinden, maar zoals u vast wel weet zijn architecten net zo makkelijk te vinden als druiven in oogsttijd. Dus…' Nu wachtte hij even, alsof hij er de juiste bewoording voor probeerde te vinden. 'Dus besloot ik van beroep te veranderen.'

'Bedoelt u prostitutie?' vroeg Brunetti.

'Ja, inderdaad.'

'Maakt u zich geen zorgen om de risico's?'

'Risico's?' vroeg Feltrinelli, en zijn glimlach kwam dicht in de buurt van de glimlach die hij Brunetti had geschonken toen hij de deur opendeed. Brunetti zei niets. 'Bedoelt u aids?' vroeg Feltrinelli ten overvloede.

'Ja.'

'Dat is geen risico voor mij,' zei Feltrinelli, terwijl hij zich van Brunetti afwendde. Hij liep terug naar de tekentafel en pakte zijn sigaret. 'Ik neem aan dat u er zelf wel uit komt, commissario,' zei hij, terwijl hij zijn plaats aan de tafel weer innam en zich over zijn tekening boog.

# 8

Brunetti liep de straat weer op, de zon en het lawaai in, en ging een café rechts van het flatgebouw binnen. Hij bestelde een glas mineraalwater, en toen nog een. Toen hij dat bijna op had, goot hij het beetje water onder in het glas op zijn zakdoek en wreef er tevergeefs mee over de blauwe verf op zijn hand.

Was het een misdrijf als een met aids besmette prostitué seks had? Onveilige seks? Het was zo lang geleden dat de politie prostitutie als misdrijf had behandeld, dat Brunetti het moeilijk vond het als zodanig te zien. Maar als iemand met aids bewust onveilige seks had, dan was dat toch zeker een misdrijf? Al was het heel goed mogelijk dat de wet hierin achter de feiten aan hobbelde en het niet verboden was. Toen hij het morele drijfzand zag opdoemen dat dat onderscheid tussen die zaken bij hem opriep, bestelde hij een derde glas mineraalwater en keek naar de volgende naam op de lijst.

Francesco Crespo woonde maar vier blokken bij Feltrinelli vandaan, maar het had net zo goed een andere planeet kunnen zijn. Het was een gestroomlijnd gebouw, een hoge rechthoek met een glazen voorgevel die, toen het gebouw tien jaar geleden werd neergezet, het allernieuwste op het gebied van stadsontwerp moest zijn geweest. Maar Italië is een land waar nieuwe ideeën op ontwerpgebied nooit veel langer worden geprezen dan de tijd die het kost om ze te verwezenlijken, en dan zijn de eeuwig vooruitblikkende Italianen ze alweer vergeten, op zoek naar een kleurrijke nieu-we banier, net als de verdoemde zielen in het voorportaal van Dantes *Inferno*, die tot het einde der tijden rondcirke-len, op zoek naar een banier die ze kunnen herkennen noch benoemen.

De tien jaar die waren verstreken sinds dit gebouw was neergezet had de moderniteit ervan meegenomen, en nu zag het gebouw er alleen maar uit als een omgekeerde doos *spaghettini*. De ruiten in de kozijnen blonken en een klein plantsoentje tussen het gebouw en de straat was zorgvuldig onderhouden, maar dat alles kon niet verdoezelen dat het totaal misstond tussen de lagere, bescheidener gebouwen waar het met zo veel zinloze arrogantie tussen was geplaatst.

Brunetti wist het nummer van Crespo's appartement en werd door de lift met airconditioning snel naar de zevende verdieping gebracht. Toen de deur openging, liep Brunetti een marmeren gang in, eveneens met airconditioning. Hij sloeg rechts af en belde aan bij appartement D.

Binnen hoorde hij een geluid, maar er kwam niemand naar de deur. Hij belde nog eens. Hij hoorde het geluid niet nog eens, maar er kwam nog steeds niemand naar de deur. Hij belde voor de derde keer aan en hield zijn vinger op de bel. Zelfs door de deur heen kon hij het schrille geluid van de bel horen en daarna een stem die riep: 'Basta. Vengo.'

Hij haalde zijn vinger van de bel en even later werd de deur opengerukt door een grote, zwaargebouwde man in een linnen pantalon en wat eruitzag als een coltrui van kasjmier. Brunetti keek de man even aan, zag twee donkere ogen, kwade ogen, en een neus die een paar maal gebroken was geweest, maar toen viel zijn blik weer op de col van de trui, waar hij bleef steken. Het was half augustus, op straat vielen er mensen flauw van de hitte, en deze man droeg een coltrui van kasjmier. Hij richtte zijn blik weer op het gezicht van de man en vroeg: 'Signor Crespo?'

'Wie bent u?' vroeg de man, en hij deed geen poging om zowel kwaadheid als dreiging uit zijn stem te houden.

'Commissario Guido Brunetti,' antwoordde hij, terwijl hij opnieuw zijn politiepas liet zien. Net als Feltrinelli hoefde deze man alleen maar een vluchtige blik op de pas te werpen om hem te herkennen. Ineens ging hij een stap dichter bij Brunetti staan, misschien in de hoop hem door de opdringerige aanwezigheid van zijn lichaam de gang op te dwingen. Maar Brunetti verroerde zich niet, en de ander deed weer een stap terug. 'Die is hier niet.'

Uit een andere kamer hoorden ze allebei het geluid van iets zwaars dat op de grond viel.

Ditmaal was het Brunetti die een stap naar voren deed, zodat de ander bij de deur vandaan moest stappen. Brunetti liep verder de kamer in naar een leren stoel als een troon, met daarnaast een tafel waarop een enorme bos gladiolen in een kristallen vaas stond. Hij ging in de stoel zitten, sloeg zijn benen over elkaar en zei: 'Dan wacht ik wel op signor Crespo.' Hij glimlachte. 'Als u tenminste geen bezwaar hebt, signor…'

De ander sloeg de voordeur dicht, draaide zich naar een deur aan de andere kant van de kamer en zei: 'Ik ga hem wel halen.'

Hij verdween in de andere kamer en deed de deur achter zich dicht. Zijn stem, laag en kwaad, was erdoorheen te horen. Brunetti hoorde een andere stem, een tenor vergeleken bij de bas. Maar toen hoorde hij een derde stem, ook weer een tenor, die echter een toon hoger was dan de andere. Het gesprek achter de deur duurde een paar minuten, waarin Brunetti de kamer rondkeek. Alles was nieuw, alles was zichtbaar duur en Brunetti zou er niets van willen hebben, noch de parelgrijze leren bank, noch de gladde mahoniehouten tafel die ernaast stond.

De deur naar de andere kamer ging open en de zware man kwam naar buiten, op de voet gevolgd door een andere man, die tien jaar jonger en minstens drie maten kleiner was dan hij.

'Dat is hem,' zei de man in de trui terwijl hij naar Brunetti wees.

De jongere man droeg een wijde, zachtblauwe pantalon en een witzijden overhemd met een open boord. Hij liep door de kamer naar Brunetti, die opstond en vroeg: 'Signor Crespo?'

Hij kwam voor Brunetti staan, maar toen leek zijn instinct of beroepsdeformatie de overhand te krijgen in aanwezigheid van een man van Brunetti's leeftijd en algehele voorkomen. Hij deed nog een stapje dichterbij, bracht een hand met gespreide vingers in een subtiel gebaar omhoog en legde hem onder aan zijn hals. 'Ja, wat wilt u?' Het was de hogere tenorstem die Brunetti door de deur had gehoord, maar Crespo probeerde hem lager te maken, alsof hij daardoor interessanter of verleidelijker zou klinken.

Crespo was iets kleiner dan Brunetti en woog zeker tien kilo minder. Zijn ogen hadden, bewust of bij toeval, dezelfde kleur lichtgrijs als de bank; ze staken scherp af tegen zijn sterk gebruinde gezicht. Als een vrouw eruitzag zoals hij, zou men haar niet meer dan middelmatig knap vinden; de hoekige mannelijkheid maakte hem beeldschoon.

Ditmaal was het Brunetti die een stapje bij de ander vandaan deed. Daarop hoorde hij de andere man minachtend snuiven en hij draaide zich om om de map te pakken, die hij op de tafel naast zich had gelegd.

'Signor Crespo, ik wil u graag een tekening van iemand laten zien en vragen of u hem herkent.'

'Van u wil ik alles wel bekijken wat u me wilt laten zien,' zei Crespo, waarbij hij het woord 'u' zwaar benadrukte en zijn hand in de kraag van zijn overhemd deed om zijn hals te strelen.

Brunetti deed de map open en gaf Crespo de schets die de tekenaar van de dode man had gemaakt. Crespo bekeek hem nog geen seconde, keek op naar Brunetti, glimlachte en zei: 'Ik heb geen idee wie dat zou kunnen zijn.' Hij gaf de tekening terug aan Brunetti, die hem weigerde aan te nemen.

'Ik zou het fijn vinden als u de tekening wat beter bekeek, signor Crespo.'

'Hij zei dat hij hem niet kent,' zei de andere man aan de andere kant van de kamer.

Brunetti negeerde hem. 'Deze man is doodgeslagen, en we moeten uitzoeken wie het is, dus ik zou het op prijs stellen als u hem nog eens bekeek, signor Crespo.'

Crespo deed zijn ogen even dicht en bracht zijn hand naar boven om een weerbarstige krul achter zijn linkeroor te doen. 'Als u het dan echt wilt,' zei hij, terwijl hij opnieuw naar de tekening keek. Hij boog zijn hoofd over de tekening en bekeek ditmaal wel het gezicht dat was afgebeeld. Brunetti kon zijn ogen niet zien, maar hij zag dat zijn hand ineens van zijn oor weer naar zijn hals schoot, en ditmaal flirtte hij niet.

Een seconde later keek hij op naar Brunetti, glimlachte liefjes en zei: 'Ik heb hem nog nooit gezien, agent.'

'Nou tevreden?' vroeg de ander en hij zette een stap naar de deur.

Brunetti nam de tekening aan die Crespo aan hem gaf, en deed hem terug in de map. 'Dit is maar een impressie van de tekenaar van hoe hij eruit heeft gezien, signor Crespo. Ik wil u graag een foto laten zien, als u het niet erg vindt.'

Brunetti lachte zijn verleidelijkste glimlach en Crespo's hand vloog zwaluwachtig fladderend terug naar de zachte holte tussen zijn sleutelbeenderen. 'Natuurlijk, agent. Wat u maar wilt. Wat u maar wilt.'

Met een glimlach reikte Brunetti naar de onderkant van het dunne stapeltje foto's in de map. Hij haalde er een uit en bekeek hem even. Hij kon net zo goed deze nemen als een andere. Hij keek naar Crespo, die de afstand tussen hen weer had gedicht. 'Het is mogelijk dat hij is vermoord door een man die betaalde voor zijn diensten. Dat betekent dat mannen zoals hij bij die persoon gevaar lopen.' Hij overhandigde de foto aan Crespo.

De jongeman nam de foto aan, waarbij hij erin slaagde Brunetti's vingers met de zijne aan te raken. Hij hield hem tussen hen in omhoog, glimlachte breed naar Brunetti en boog zijn glimlachende gezicht toen over de foto. Hij haalde zijn hand van zijn hals om hem voor zijn opengesperde mond te slaan. 'Nee, nee,' zei hij, met zijn blik nog steeds op de foto gericht. 'Nee, nee,' zei hij nog eens en hij keek op naar Brunetti met zijn ogen wijd open van afschuw. Met een abrupt gebaar drukte hij Brunetti de foto tegen de borst en deinsde terug, alsof Brunetti verderf de kamer binnen had gebracht. 'Dat mogen ze me niet aandoen. Dat zal mij niet gebeuren,' zei hij terwijl hij voor Brunetti terugdeinsde. Zijn stem werd met elk woord hoger, grensde aan hysterie, overschreed die grens toen. 'Nee. Dat zal mij niet gebeuren. Er zal mij nooit iets gebeuren.' Zijn stem ging over in gegil, een schelle uitdaging aan de wereld waarin hij leefde. 'Mij niet, mij niet,' schreeuwde hij, terwijl hij steeds verder bij Brunetti vandaan deinsde. Hij botste tegen een tafeltje dat midden in de kamer stond, raakte in paniek toen hij merkte dat hij belemmerd werd in zijn poging weg te komen van de foto en de man die deze aan hem had laten zien, en haalde er met zijn arm naar uit. Een vaas die identiek was aan die welke bij Brunetti stond, viel kapot op de grond.

De deur naar de andere kamer vloog open en een vierde man kwam snel de kamer binnen. 'Wat is er aan de hand?' vroeg hij. 'Wat gebeurt hier?'

Hij keek naar Brunetti, en ze herkenden elkaar onmiddellijk. Giancarlo Santomauro was niet alleen een van de bekendste advocaten van Venetië, die vaak kosteloos raadsheer was van de patriarch, maar ook voorzitter en stuwende kracht van de Lega della Moralità, een genootschap van christenen dat zich wijdde aan 'het behoud en de handhaving van geloof, huis en deugd'.

Brunetti knikte alleen maar. Als deze mannen toevallig niet wisten wie Crespo's klant was, dan was het beter voor de advocaat als dat zo bleef.

'Wat doet u hier?' wilde Santomauro op kwade toon weten. Hij wendde zich tot de oudste van de twee mannen. Deze stond nu bij Crespo, die op de bank was beland en met beide handen voor zijn gezicht zat te snikken. 'Kun je niet zorgen dat hij ophoudt?' riep Santomauro. Brunetti keek hoe de oudere man zich over Crespo boog. Hij zei iets tegen hem, legde toen zijn beide handen op zijn schouders en rammelde Crespo door elkaar zodat zijn hoofd heen en weer schudde. Crespo stopte met huilen, maar hield zijn handen voor zijn gezicht.

'Wat doet u in dit appartement, commissario? Ik ben de raadsheer van signor Crespo, en ik weiger toe te staan dat de politie hem blijft lastigvallen.'

Brunetti gaf geen antwoord, maar bleef kijken naar het tweetal bij de bank. De oudere man ging naast Crespo zitten en sloeg een beschermende arm om zijn schouders, en Crespo werd langzaam stil.

'Ik vroeg u iets, commissario,' zei Santomauro.

'Ik kwam signor Crespo vragen of hij ons kon helpen met het identificeren van het slachtoffer van een misdrijf. Ik heb hem een foto van de man laten zien. U ziet zijn reactie. Nogal heftig voor de dood van een man die hij niet herkent, vindt u ook niet?'

De man in de trui keek Brunetti aan, maar Santomauro nam het woord. 'Als signor Crespo heeft gezegd dat hij hem niet herkent, dan hebt u uw antwoord en kunt u vertrekken.'

'Natuurlijk,' zei Brunetti terwijl hij de map onder zijn rechterarm stak en een stap naar de deur deed. Hij keek achterom naar Santomauro en zei op ongedwongen gesprekstoon: 'U bent vergeten uw veters te strikken, *avvocato*.'

Santomauro keek naar beneden en zag meteen dat ze allebei keurig gestrikt waren. Hij wierp een blik op Brunetti die glas had kunnen snijden, maar zei niets.

Brunetti bleef voor de bank staan en keek naar Crespo. 'Mijn naam is Brunetti,' zei hij. 'Als u iets te binnen schiet, kunt u me bereiken op de Questura in Venetië.'

Santomauro wilde iets zeggen, maar verbeet zich. Brunetti liep naar de deur en vertrok alleen uit het appartement.

# 9

De rest van de dag was niet erg productief, noch voor Brunetti, noch voor de andere twee agenten die de lijst af gingen. Toen ze elkaar later die middag op de Questura troffen, vertelde Gallo dat drie van de mannen op zijn deel van de lijst hadden gezegd dat ze geen idee hadden wie de man was. Waarschijnlijk spraken ze de waarheid. Twee anderen waren niet thuis, en weer een ander zei dat de man hem bekend voorkwam, maar dat hij niet wist hoe of waarom. Scarpa had min of meer dezelfde ervaring gehad; alle mannen die hij had gesproken, waren ervan overtuigd dat ze de overleden man nog nooit hadden gezien.

Ze kwamen overeen de volgende dag dezelfde tactiek te gebruiken en te proberen alle namen van de lijst af te werken. Brunetti verzocht Gallo een tweede lijst te maken van de vrouwelijke hoeren, zowel van de hoeren die bij de fabrieken werkten als die op de Via Cappuccina. Hoewel hij niet veel hoop had dat deze vrouwen konden helpen, was er altijd kans dat ze hun concurrenten in de gaten hielden en de man zouden herkennen.

Terwijl Brunetti de trap naar zijn appartement op liep, fantaseerde hij over wat er zou gebeuren als hij de deur opendeed. Als bij toverslag zouden er overdag elfjes zijn binnengekomen die in het hele huis airconditioning hadden aangelegd; andere zouden zo'n douche hebben geïnstalleerd die hij alleen maar in brochures van kuuroorden en in

Amerikaanse soaps had gezien: twintig verschillende douchekoppen zouden heel dunne straaltjes geurend water op zijn lichaam spuiten, en als hij klaar was met douchen zou hij zich in een dikke handdoek van vorstelijke afmetingen wikkelen. En dan zou er een bar zijn, misschien zo een die je aan het eind van een zwembad ziet, en een barman in een wit jasje zou hem een koele cocktail aanbieden waar een hibiscusbloem in dreef. Nu zijn eerste fysieke behoeftes waren bevredigd, ging hij de sciencefictionkant op en verzon twee kinderen die zowel braaf als plichtsgetrouw waren en een toegewijde vrouw die, zodra hij de deur opendeed, zou zeggen dat de zaak was opgelost en ze de volgende ochtend met zijn allen op vakantie konden gaan.

Zoals altijd zag de werkelijkheid er anders uit. Zijn gezin had zich verschanst op het terras, waar de eerste koelte van de vooravond hing. Chiara keek op van haar boek, zei: 'Ciao, *papà*,' hield haar kin schuin om zijn kus in ontvangst te nemen en dook toen weer in haar boek. Raffi keek op uit de *Gente Uomo* van die maand, herhaalde Chiara's groet en wijdde zich toen eveneens weer aan mijmeringen over de absolute noodzaak van linnen pantalons. Toen Paola zag hoe hij eraan toe was, sprong ze overeind, sloeg haar armen om hem heen en zoende hem op de mond.

'Guido, ga jij maar douchen, dan haal ik wat te drinken voor je.' Er luidde een klok, ergens links van hen, Raffi sloeg een bladzijde om en Brunetti begon zijn das los te maken.

'Doe er een hibiscusbloem in,' zei hij en toen draaide hij zich om om te gaan douchen.

Twintig minuten later zat hij Paola over zijn dag te vertellen, gekleed in een wijde katoenen broek en linnen overhemd, met zijn blote voeten tegen de rand van het balkon.

De kinderen waren vertrokken, ongetwijfeld voor een of andere brave, plichtsgetrouwe bezigheid.

'Santomauro?' vroeg ze. 'Giancarlo Santomauro?'

'De enige echte.'

'Wat heerlijk,' zei ze, en er klonk oprechte verrukking in haar stem. 'Ik wou dat ik nooit had beloofd dat ik jouw verhalen niet verder zal vertellen, want dit is geweldig.' Ze herhaalde de naam van Santomauro nog eens.

'Je vertelt toch niets door, hè, Paola?' vroeg hij, hoewel hij wist dat hij dat niet had moeten zeggen.

Ze wilde boos antwoord geven, maar boog zich toen naar hem over en legde haar hand op zijn knie. 'Nee, Guido. Ik heb nog nooit iets doorverteld. En dat zal ik ook nooit doen.'

'Sorry dat ik het vroeg,' zei hij terwijl hij naar beneden keek en een slok nam van zijn Campari-soda.

'Ken je zijn vrouw?' vroeg ze, terugkerend naar het oorspronkelijke onderwerp.

'Ik geloof dat ik ooit eens aan haar ben voorgesteld, ergens op een concert, een paar jaar geleden. Maar ik zou haar geloof ik niet herkennen als ik haar zag. Wat is ze voor iemand?'

Paola nam een slok van haar drankje, zette haar glas toen op de rand van het balkon, iets wat ze de kinderen altijd verbood. 'Nou,' begon ze, bedenkend hoe ze de vraag zo vals mogelijk kon beantwoorden. 'Als ik signor, nee, avvocato Santomauro was en ik de keus had tussen mijn lange, dunne, onberispelijk geklede vrouw, met zo'n Margaret Thatcher-achtige coiffure, om maar te zwijgen van haar Thatcher-achtige karakter, en een jonge jongen, ongeacht zijn lengte, haar of karakter, dan zouden mijn armen zich zonder enige twijfel uitstrekken naar die jongen.'

'Hoe ken jij haar?' vroeg Brunetti, die zoals altijd Paola's retoriek negeerde en terugkwam op het onderwerp.

'Ze is een klant van Biba,' zei ze, over een vriendin die juwelier was. 'Ik heb haar een paar keer ontmoet in de winkel, en toen een keer op een van die diners bij mijn ouders waar jij niet bij was.' Omdat hij aannam dat ze hem op deze manier terugpakte voor zijn vraag of ze niet doorvertelde wat hij haar toevertrouwde, ging Brunetti hier niet op in.

'Hoe zijn ze samen?'

'Zij is degene die het woord voert, en hij staat er uitdagend bij te kijken, alsof er in een straal van tien kilometer om hem heen niets of niemand is die ook maar enigszins kan tippen aan zijn hoge standing. Ik heb het altijd een stel schijnheilige, omhooggevallen burgertrutten gevonden. Ik hoefde haar maar vijf minuten te horen praten en ik wist het: ze is zo'n bijfiguur in een roman van Dickens, zo'n hypocriete, zo'n valse. Omdat alleen zij aan het woord was, wist ik het van hem nooit zeker en moest ik op mijn intuïtie afgaan, maar het doet me veel deugd om te horen dat ik gelijk had.'

'Paola,' waarschuwde hij, 'niets wijst erop dat hij er om een andere reden was dan om Crespo juridisch advies te geven.'

'En daarvoor moest hij zijn schoenen uittrekken?' vroeg ze met ongelovig gesnuif. 'Kom toch alsjeblieft terug naar deze eeuw, Guido. Avvocato Santomauro was daar maar om één reden, en die had niets te maken met zijn vak, tenzij hij een heel interessant betaalplan heeft uitgewerkt voor signor Crespo.'

In de loop van meer dan twintig jaar had hij geleerd dat Paola de neiging had Te Ver Te Gaan. Zelfs na al die tijd wist hij nog steeds niet of dat een deugd of een ondeugd was, maar het leed geen twijfel dat het een onlosmakelijk aspect was van haar karakter. Ze kreeg zelfs een soort woeste blik in haar ogen als ze van plan was Te Ver Te Gaan, en die blik zag hij nu. Hij had geen idee welke vorm het zou aannemen, maar hij wist dat het eraan kwam.

'Denk je dat hij hetzelfde betaalplan heeft bedacht voor de patriarch?'

In diezelfde twintig jaar had hij ook geleerd dat het enige wat hij kon doen was het volledig te negeren. 'Zoals ik al zei,' ging Brunetti verder, 'het feit dat hij in dat appartement was bewijst niets.'

'Ik hoop dat je gelijk hebt, anders zou ik me elke keer dat ik hem uit het patriarchaal paleis of de basiliek zag komen, zorgen moeten maken, of niet?'

Hij wierp alleen maar een blik haar kant op.

'Goed, Guido, hij was er voor zaken, juridische zaken.' Ze was even stil, en om hem te laten merken dat ze zich nu zou gedragen en het serieus zou nemen, voegde ze er op totaal andere toon aan toe: 'Maar je zei dat Crespo de man op de foto herkende.'

'Volgens mij wel, de eerste keer, maar toen hij naar me op-keek, had hij een seconde de tijd gehad om zich te herstellen, dus zijn uitdrukking was volstrekt neutraal.'

'Dan kan die man op de foto wel iedereen zijn geweest, toch? Een andere hoer, misschien zelfs een klant? Heb je daaraan gedacht, Guido, dat het misschien een klant was die zich graag als vrouw verkleedde als hij, nou ja, als hij die andere mannen ging bezoeken?'

Brunetti wist dat het in de seksuele supermarkt van de moderne maatschappij gezien de leeftijd van de man veel aannemelijker was dat hij een koper dan een verkoper was. 'Dat zou betekenen dat we op zoek zijn naar een man die mannelijke hoeren bezoekt, in plaats van dat hij er zelf een is,' zei hij.

Paola pakte haar glas, draaide het een paar keer rond en dronk het leeg. 'Dat zou zeker een langere lijst zijn. En afgaand op wat je me net hebt verteld over l'Avvocato del Patriarchato, een veel interessantere.'

'Is dit ook weer zo'n complottheorie van je, Paola, dat de stad vol zit met ogenschijnlijk gelukkig getrouwde mannen die staan te popelen om de bosjes in te duiken met zo'n travestiet?'

'Guido, waar hebben jullie mannen het in vredesnaam over als je bij elkaar bent? Voetbal? Politiek? Steken jullie nooit eens de koppen bij elkaar om eens lekker te roddelen?'

'Waarover? De jongens op de Via Cappuccina?' Hij zette zijn glas onnodig hard neer en krabde aan zijn enkel, waar een van de eerste muggen van die avond hem net had gebeten.

'Dat komt vast omdat je geen homovrienden hebt,' zei ze op vlakke toon.

'We hebben heel veel homovrienden,' zei hij, zich bewust van het feit dat hij dat alleen in een discussie met Paola met trots kon zeggen.

'Natuurlijk hebben we die, maar jij praat niet mét ze, Guido, eigenlijk praat je alleen maar tégen ze.'

'Wat moet ik dan, recepten uitwisselen of mijn schoonheidsgeheimen onthullen?'

Ze wilde iets zeggen, hield toen haar mond, keek hem lange tijd aan en zei toen op volstrekt neutrale toon: 'Ik weet niet of dat een beledigende of juist oerdomme opmerking is.'

Hij krabde aan zijn enkel en dacht na over wat ze allebei

zojuist hadden gezegd. 'Het was vooral dom, maar ook behoorlijk beledigend.' Ze keek hem argwanend aan. 'Het spijt me,' zei hij. Ze glimlachte.

'Goed, vertel me dan eens wat ik hierover moet weten,' zei hij, terwijl hij nog eens aan zijn enkel krabde.

'Wat ik je probeerde te vertellen was dat volgens sommige homo's die ik ken veel mannen van hier maar al te graag seks met ze willen hebben: huisvaders, getrouwde mannen, artsen, advocaten, priesters. Het is vast heel overdreven wat ze me vertellen, en behoorlijk ijdel, maar ik kan me ook voorstellen dat er veel van waar is.' Hij dacht dat ze klaar was, maar ze ging verder: 'Als politieman heb je daar vast iets over gehoord, maar ik denk dat de meeste mannen er liever niets over horen. En als ze het horen, willen ze het niet geloven.' Het leek er niet op dat ze hem tot die mannen rekende, maar natuurlijk wist je dat nooit zeker.

'Waar haal je dit soort informatie toch vandaan?' vroeg hij.

'Ettore en Basilio,' zei ze; twee van haar collega's op de universiteit. 'En een paar van Raffi's vrienden hebben hetzelfde gezegd.'

'Wat?'

'Twee van Raffi's vrienden op het *liceo*. Kijk maar niet zo verbaasd, Guido. Ze zijn allebei zeventien.'

'Ze zijn allebei zeventien en wát?'

'En homo, Guido. Homo.'

'Zijn het goede vrienden?' vroeg hij voor hij zich kon inhouden.

Plotseling stond Paola op. 'Ik ga water opzetten voor de pasta. Misschien ga ik pas na het eten verder met dit gesprek. Dan heb jij wat tijd om na te denken over de dingen die je hebt gezegd en over bepaalde vooronderstellingen die je eropna houdt.' Ze pakte haar glas, nam het zijne uit zijn hand en liep naar binnen, zodat hij kon nadenken over zijn vooronderstellingen.

Het avondeten verliep veel vreedzamer dan hij had verwacht, gezien de abruptheid waarmee Paola was vertrokken om het klaar te maken. Ze had een saus gemaakt met verse tonijn, tomaat en paprika, iets waarvan hij zeker wist dat ze het nog nooit eerder had klaargemaakt, met de dikke Martelli-spaghetti die hij zo lekker vond. Daarna was er salade, een stuk pecorino dat de ouders van Raffi's vriendinnetje hadden meegenomen van Sardinië, en als toetje verse perziken. De kinderen gaven gehoor aan zijn fantasie en boden aan om de afwas te doen, ongetwijfeld ter voorbereiding op hun voorgenomen plundering van zijn portemonnee voor hun vertrek naar de bergen.

Hij trok zich terug op het terras met een glaasje koude wodka in zijn hand, en ging weer zitten. In de lucht boven hem en overal om hem heen cirkelden vleermuizen, die de hemel doorkliefden met hun grillige vlucht. Brunetti hield wel van vleermuizen; ze vraten de muggen op. Een paar minuten later kwam Paola bij hem zitten. Hij bood haar het glas aan en ze nam een slokje. 'Komt dat uit die fles in de vriezer?' vroeg ze.

Hij knikte.

'Hoe kom je eraan?'

'Je zou het omkoping kunnen noemen.'

'Door wie?'

'Donzelli. Hij vroeg me of ik het vakantieschema zo kon draaien dat hij met verlof naar Rusland – ex-Rusland – kon.

Hij heeft een fles wodka voor me mee teruggenomen.'

'Het is nog steeds Rusland.'

'Hè?'

'Het is de ex-Sovjet-Unie, maar het is nog steeds het ouderwetse Rusland.'

'O. Dank je.'

Ze knikte waarderend.

'Denk je dat ze weleens iets anders eten?' vroeg hij.

'Wie?' vroeg Paola, die hem bij uitzondering niet kon volgen.

'De vleermuizen.'

'Geen idee. Vraag maar aan Chiara. Die weet dat soort dingen meestal.'

'Ik heb nog eens nagedacht over wat ik voor het eten zei,' zei hij, terwijl hij weer een slokje nam.

Hij verwachtte een scherpe opmerking van haar, maar ze zei alleen maar: 'Ja?'

'Ik denk dat je gelijk hebt.'

'Waarover?'

'Dat het misschien een klant is in plaats van een van de hoeren. Ik heb zijn lichaam gezien. Ik geloof niet dat mannen ervoor zouden betalen om het te gebruiken.'

'Wat had hij dan voor lichaam?'

Hij nam weer een slok. 'Het klinkt vast heel vreemd, maar toen ik hem zag, bedacht ik hoeveel hij op mij leek. We zijn ongeveer even lang, hebben dezelfde bouw, zijn waarschijnlijk even oud. Het was heel gek om hem daar dood te zien liggen, Paola.'

'Ja, dat lijkt me ook,' zei ze, maar verder zei ze niets.

'Zijn die jongens goede vrienden van Raffi?'

'Een van de twee wel. Hij helpt hem met zijn Italiaans.'

'Mooi.'

'Hoe bedoel je, mooi, dat hij hem helpt met zijn huiswerk?'

'Nee, mooi dat hij een vriend van Raffi is, of dat Raffi een vriend van hem is.'

Ze lachte hardop en schudde haar hoofd. 'Ik zal nooit iets van jou begrijpen, Guido. Nooit.' Ze legde haar hand in zijn nek, boog voorover en pakte het glas uit zijn hand. Ze nam nog een slokje en gaf het hem toen terug. 'Denk je dat ik, als je dit op hebt, tegen betaling jouw lichaam mag gebruiken?'

# 10

De volgende twee dagen waren ongeveer hetzelfde, alleen nog warmer. Vier van de mannen op Brunetti's lijst waren nog steeds niet op het adres waarop ze stonden ingeschreven, en de buren hadden ook geen idee waar ze waren of wanneer ze terugkwamen. Twee mannen wisten niets. Gallo en Scarpa hadden al net zo veel pech, al zei een van de mannen op Scarpa's lijst dat de man op de tekening hem vaag bekend voorkwam, al wist hij niet waarom of waar hij hem had gezien.

De drie mannen gingen samen in een trattoria bij de Questura lunchen om te bespreken wat ze wel en niet wisten.

'Nou, hij wist in elk geval niet hoe hij zijn benen moest scheren,' zei Gallo, toen ze niets meer aan hun lijst konden toevoegen. Brunetti vroeg zich af of de brigadier grappig probeerde te zijn of dat hij zich aan een laatste strohalm vastklampte.

'Waarom zegt u dat?' vroeg Brunetti, terwijl hij zijn wijn opdronk en om zich heen keek, op zoek naar een ober om de rekening aan te vragen.

'Zijn lijk. Zijn benen zaten onder de sneetjes, alsof hij niet gewend was om ze te scheren.'

'Wie van ons zou dat wel zijn?' vroeg Brunetti, en toen verduidelijkte hij het voornaamwoord: 'Ons mannen, bedoel ik.'

Scarpa keek glimlachend in zijn glas. 'Ik zou waarschijnlijk mijn knieschijf eraf scheren. Ik begrijp niet hoe ze het voor elkaar krijgen,' zei hij, hoofdschuddend om het zoveelste wonder dat vrouwen omgaf.

Toen de ober aan kwam lopen met de rekening, nam brigadier Gallo die aan voordat Brunetti de kans kreeg. Hij haalde zijn portefeuille te voorschijn en legde wat geld boven op de rekening. Voor Brunetti bezwaar kon maken, verklaarde hij: 'We hebben opdracht gekregen u als een gast van de stad te behandelen.' Brunetti vroeg zich af wat Patta van zoiets zou vinden, behalve dan dat hij het niet verdiende.

'We hebben alle namen op de lijst gehad,' zei Brunetti. 'Ik denk dat dat betekent dat we met degenen moeten gaan praten die niet op de lijst staan.'

'Wilt u dat ik er een paar naar het bureau laat komen, meneer?' vroeg Gallo.

Brunetti schudde zijn hoofd; dat was niet de beste manier om hun medewerking te krijgen. 'Nee, ik denk dat we het best zelf met ze kunnen gaan praten...'

Scarpa viel hem in de rede: 'Maar van de meesten hebben we geen naam en adres.'

'Dan zullen we ze op hun werkplek moeten opzoeken,' verklaarde Brunetti.


De Via Cappuccina is een brede straat met bomen erlangs die een paar blokken bij het treinstation van Mestre vandaan begint en tot in het commerciële hart van de stad loopt. Er zijn grote en kleinere winkels, kantoren en een paar flatgebouwen; overdag is het een gewone straat in een doodgewone kleine Italiaanse stad. Er spelen kinderen onder de bomen en in de plantsoentjes die langs de hele straat te vinden zijn. Meestal zijn hun moeders bij ze, om ze te waarschuwen voor de auto's en het andere verkeer, maar ook om ze te waarschuwen en te behoeden voor bepaalde types die door de Via Cappuccina worden aangetrokken. De winkels gaan om halfeen dicht, en in de voormiddag rust de Via Cappuccina een paar uur. Het verkeer neemt af, de kinderen gaan naar huis voor de lunch en een dutje; bedrijven gaan dicht en de volwassenen gaan naar huis om te eten en te rusten. 's Middags zijn er minder kinderen aan het spelen, hoewel het verkeer terugkomt en de Via Cappuccina opnieuw tot leven komt als de winkels en kantoren weer opengaan.

Tussen halfacht en acht uur 's avonds gaan de winkels en kantoren dicht; de winkeliers en eigenaars trekken metalen rolluiken naar beneden, draaien ze stevig op slot, gaan naar huis voor het avondeten en laten de Via Cappuccina over aan degenen van wie het na hun vertrek de werkplek wordt.

's Avonds is er nog steeds verkeer op de Via Cappuccina, maar niemand lijkt er nog haast te hebben. De auto's rijden langzaam voorbij, maar parkeren is geen probleem meer, want het zijn geen parkeerplaatsen waar de chauffeurs naar op zoek zijn. Omdat Italië een rijk land is, hebben de meeste auto's airconditioning. Het verkeer gaat daarom nog trager, want nu moeten de raampjes naar beneden worden gedaan voordat er een prijs kan worden geroepen of verstaan, zodat alles meer tijd kost.

Sommige auto's zijn nieuw en duur: BMW's, Mercedessen, af en toe een Ferrari, al zie je die niet vaak op de Via Cappuccina. De meeste auto's zijn keurige, ruime personenwagens, gezinsauto's, de auto waarmee de kinderen 's ochtends naar school worden gebracht, waarmee het gezin op zondag naar de kerk gaat en daarna naar het huis van opa en oma voor het avondeten. Meestal zitten er mannen achter het stuur die zich het meest op hun gemak voelen in een pak met stropdas, mannen die goed hebben geboerd dankzij de economische groei die de laatste paar decennia zo gul is geweest voor Italië.

Steeds vaker moeten artsen die kinderen op de wereld helpen in de privéklinieken van Italië, waar mensen komen die rijk genoeg zijn voor privézorg, de kersverse moeder vertellen dat zowel zij als de baby besmet is met het aidsvirus. De meeste vrouwen reageren geschokt, want het zijn vrouwen die zich houden aan hun trouwgeloften. Ze denken dat het komt door een vreselijke fout bij de medische behandeling die ze hebben gekregen. Maar misschien is de oorzaak eerder te vinden op de Via Cappuccina en de transacties die daar plaatsvinden tussen de bestuurders van die keurige auto's en de vele mannen en vrouwen die er over de stoep lopen.

Die avond liep Brunetti om halftwaalf de Via Cappuccina in vanaf het treinstation, waar hij een paar minuten eerder was aangekomen. Hij was naar huis gegaan om te eten, had een uur geslapen en toen iets aangetrokken waarvan hij dacht dat hij er niet in uitzag als een politieagent. Scarpa had kleinere afdrukken laten maken van zowel de tekening als de foto's van de dode man, en Brunetti had er een paar in de binnenzak van zijn blauwlinnen jasje.

Achter en rechts van zich hoorde hij het zachte verkeersgeraas van auto's die voorbijstroomden op de *tangenziale* van de *autostrada*. Hoewel hij wist dat het onwaarschijnlijk was, had Brunetti het gevoel dat de uitlaatgassen allemaal hierheen werden geblazen, zo compact en benauwd was de roerloze lucht hier. Hij stak een straat over, toen nog een en nog een, en toen begon het verkeer hem op te vallen. Daar kwamen de auto's langzaam voorbijrijden, de raampjes dicht, het gezicht naar de stoep gewend omdat de bestuurders het andersoortige verkeer inspecteerden.

Brunetti zag dat hij hier niet de enige voetganger was, maar hij was een van de zeer weinigen die een das en overhemd droegen, en hij leek de enige te zijn die niet stilstond.

'*Ciao, bello.*'

'*Cosa vuoi, amore?*'

'*Ti faccio tutto che vuoi, caro.*'

De lokroep kwam van bijna elke persoon waar hij langsliep, de lokroep tot genot, geluk, opwinding. De stemmen repten van onvermoede genoegens, beloofden hem elke fantasie te bevredigen. Hij bleef staan onder een lantaarnpaal en werd onmiddellijk aangesproken door een lange blondine in een wit minirokje en niet veel meer.

'Vijftigduizend,' zei ze. Ze glimlachte, alsof dat een extra grote verleiding was. Door de glimlach waren haar tanden te zien.

'Ik zoek een man,' zei Brunetti.

Zonder een woord te zeggen draaide ze zich om en liep naar de stoeprand. Ze boog zich naar een passerende Audi en riep dezelfde prijs. De auto reed door. Brunetti bleef staan waar hij stond, en ze draaide zich weer naar hem om. 'Veertig,' zei ze.

'Ik zoek een man.'

'Die zijn veel duurder, en ze doen niets voor je wat ik niet ook kan, *bello.*' Ze liet hem haar tanden weer zien.

'Ik wil ze een foto laten zien,' zei Brunetti.

'*Gesú Bambino,*' mompelde ze bijna onhoorbaar, 'niet zo eentje.' Toen, harder: 'Dat kost je extra. Bij hen. Ik doe alles voor één prijs.'

'Ik wil ze een afbeelding van een man laten zien en vragen of ze hem herkennen.'

'Politie?' vroeg ze.

Hij knikte.

'Dat dacht ik al,' zei ze. 'Ze staan verderop, de jongens, aan de overkant van het Piazzale Leonardo da Vinci.'

'Bedankt,' zei Brunetti en hij liep verder de straat in. Toen hij bij de volgende hoek achteromkeek, zag hij de blondine in een donkerblauwe Volvo stappen.

Een paar minuten later kwam hij uit op het open Piazzale. Hij stak het over, laveerde zonder problemen tussen de voortkruipende auto's door en zag aan de overkant een groepje mensen tegen een laag muurtje leunen.

Toen hij dichterbij kwam, hoorde hij weer stemmen, tenorstemmen, die dezelfde verlokkingen riepen en dezelfde beloftes deden. Er was hier veel genot te vinden.

Hij liep naar het groepje toe en zag veel van wat hij al had gezien toen hij van het station hierheen was komen lopen: monden die groter waren gemaakt door rode lippenstift en allemaal omhoogkrulden in een glimlach die uitnodigend moest overkomen; wolken gebleekt haar; benen, dijen en boezems die er net zo echt uitzagen als die hij eerder had gezien.

Er kwamen er twee op hem af en ze draaiden om hem heen, als motten om de kaars van zijn vermogen tot betalen.

'Wat je maar wilt, liefje. Zonder condoom. Het echte werk.'

'Mijn auto staat om de hoek, *caro*. Wat je maar wilt, je zegt het maar.'

Uit de groep die tegen het lage muurtje leunde dat langs één kant van het Piazzale liep, riep een stem tegen de tweede man: 'Vraag of hij jullie allebei wil, Paolina.' En toen, direct tegen Brunetti: 'Ze zijn fantastisch als je ze allebei neemt, *amore*, die maken een sandwich voor je om nooit te vergeten.' Dat was genoeg om de anderen in lachen te doen uitbarsten, lachsalvo's die laag klonken en niets met vrouwelijkheid te maken hadden.

Brunetti sprak degene aan die Paolina werd genoemd. 'Ik wil u graag een afbeelding van een man laten zien en vragen of u hem herkent.'

Paolina draaide zich om naar de groep en riep: 'Het is een agent, meisjes. En hij wil me wat plaatjes laten zien.'

Er kwam een hoop geschreeuw terug: 'Zeg maar dat het echte werk beter is dan vieze plaatjes, Paolina.' 'Agenten merken het verschil niet eens.' 'Een agent? Laat hem dubbel betalen.'

Brunetti wachtte tot ze niets meer te zeggen hadden en vroeg: 'Wilt u de afbeelding bekijken?'

'Wat schuift het?' vroeg Paolina, en zijn metgezel moest lachen toen hij zijn vriend zo stoer zag doen tegen iemand van de politie.

'Het is een afbeelding van de man die we maandag in het veld hebben gevonden.' Voordat Paolina kon doen of hij nergens van wist, ging Brunetti verder: 'Jullie hebben vast over hem gehoord, en over wat er met hem is gebeurd. We willen hem graag identificeren, zodat we degene kunnen vinden die hem heeft vermoord. Jullie mannen snappen vast wel waarom dat belangrijk is.'

Hij zag dat Paolina en diens vriend bijna identiek gekleed waren, elk in een strak, strapless topje met een kort rokje dat gladde, gespierde benen bloot liet. Allebei hadden ze pumps met hoge hakken aan; geen van beiden zou ooit aan een belager kunnen ontkomen.

Paolina's vriend, wiens kanariegele pruik tot op zijn schouders viel, zei: 'Goed, laat maar eens zien,' en stak zijn hand uit. Hoewel de voeten van de man verstopt waren in schoenen, kon niets de breedte en stevigheid van zijn hand verbergen.

Brunetti haalde de tekening uit zijn zak en gaf die aan hem. 'Dank u wel, signore,' zei hij. De man keek hem niet-begrijpend aan, alsof Brunetti nu in tongen sprak. De twee mannen bogen zich over de tekening, spraken onderling in wat volgens Brunetti misschien een Sardijns dialect was.

De blonde gaf de tekening terug aan Brunetti. 'Nee, die herken ik niet. Is dit de enige tekening die u van hem hebt?'

'Ja,' antwoordde Brunetti, en toen vroeg hij: 'Wilt u alstublieft uw vrienden vragen of zij hem herkennen?' Hij knikte naar de groep die nog steeds tegen het muurtje leunde en af en toe een opmerking naar passerende auto's slingerde, maar ook Brunetti en de twee mannen in de gaten hield.

'Natuurlijk. Waarom niet?' Paolina's vriend wendde zich weer tot de groep. Paolina liep achter hem aan, misschien nerveus bij het idee alleen te blijven met een politieagent.

De groep weekte zich los van het muurtje en liep naar hen toe. Degene met de tekening struikelde en voorkwam dat hij viel door Paolina's schouder vast te grijpen. Hij vloekte hartgrondig. De groep bontgekleurde mannen dromde om ze heen, en Brunetti keek hoe de tekening van hand tot hand ging. Een van hen, een lange, slungelige jongen met een rode pruik, liet de tekening voorbijgaan en graaide hem toen plotseling terug om hem nog eens te bekijken. Hij trok een andere man aan zijn arm, wees naar de tekening en zei iets tegen hem. De tweede schudde zijn hoofd, en de roodharige wees opnieuw nadrukkelijk naar de tekening. De ander was het nog steeds niet met hem eens, en de roodharige legde hem met een driftig handgebaar het zwijgen op. De tekening werd aan een paar anderen doorgegeven, en toen kwam Paolina's vriend terug naar Brunetti met de roodharige aan zijn zijde.

'*Buona sera,*' zei Brunetti toen de roodharige aan kwam lopen. Hij stak zijn hand uit en zei: 'Guido Brunetti.'

De twee mannen stonden als aan de grond genageld door hun hoge hakken. Paolina's vriend keek naar zijn rokje en veegde zijn hand nerveus af aan de voorkant. De roodharige legde even zijn hand tegen zijn mond en stak hem toen uit naar Brunetti. 'Roberto Canale,' zei hij. 'Aangenaam.' Zijn grip was stevig, zijn hand warm.

Brunetti stak zijn hand uit naar de ander, die nerveus achteromkeek naar de groep, en toen hij niets hoorde, Brunetti's hand pakte en die schudde. 'Paolo Mazza.'

Brunetti wendde zich weer tot de roodharige. 'Herkent u de man op de tekening, signor Canale?' vroeg Brunetti.

De roodharige keek opzij totdat Mazza zei: 'Hij vraagt je wat, Roberta, ben je je eigen naam soms vergeten?'

'Natuurlijk ben ik mijn naam niet vergeten,' zei de roodharige, terwijl hij zich kwaad tot Mazza wendde. Toen zei hij tegen Brunetti: 'Ja, ik herken die man, maar ik kan u niet vertellen wie hij is. Ik kan u niet eens zeggen waarom ik hem herken. Hij lijkt gewoon op iemand die ik ken.'

Toen Canale zich realiseerde hoe onhandig dit moest klinken, legde hij uit: 'U weet hoe dat gaat als je de kaasboer op straat tegenkomt en hij zijn schort niet voor heeft; je kent hem, maar je weet niet waarvan, en je kunt je niet meer herinneren wie hij is. Je weet dat je hem kent, maar hij is niet in zijn eigen omgeving, dus je weet niet wie hij is. Zo is dat met die man op de tekening. Ik ken hem, of ik heb hem gezien, zoals je de man van de kaaswinkel ziet, maar ik weet niet meer waar hij bij hoort.'

'Hoort hij hier in de buurt?' vroeg Brunetti. Toen Canale hem schaapachtig aankeek, legde hij uit: 'Hier op de Via Cappuccina? Zou u hem hier verwachten?'

'Nee, nee. Totaal niet. Dat is nou juist zo gek. Waar ik hem ook gezien heb, het had helemaal niets te maken met dit alles.' Hij wapperde met zijn hand door de lucht, alsof hij het antwoord daar hoopte te vinden. 'Net alsof ik een van mijn leraren hier zou tegenkomen. Of de dokter. Hij hoort hier niet. Het is maar een gevoel, maar het is heel sterk.' Toen vroeg hij Brunetti, als om bevestiging: 'Begrijpt u wat ik bedoel?'

'Ja, zeker. Absoluut. Ik werd in Rome een keer op straat aangehouden door een man die me groette. Ik wist dat ik hem kende, maar niet waarvan.' Brunetti glimlachte en waagde de gok. 'Ik had hem twee jaar eerder gearresteerd. In Napels.'

Gelukkig moesten allebei de mannen lachen. Canale zei: 'Mag ik de tekening houden? Misschien schiet het me weer te binnen als ik er, nou ja, af en toe naar kan kijken. Misschien weet ik het dan ineens weer.'

'Zeker. Fijn dat u ons wilt helpen,' zei Brunetti.

Nu was het Mazza's beurt om een gok te wagen. 'Was het heel erg? Toen jullie hem vonden?' Hij bracht zijn handen voor zich bij elkaar, kneep met de ene in de andere.

Brunetti knikte.

'Is het nog niet genoeg dat ze ons willen neuken?' viel Canale hem bij. 'Waarom willen ze ons ook nog eens vermoorden?'

Hoewel de vraag was gericht aan machten die veel hoger waren dan die waarvoor Brunetti werkte, gaf hij toch antwoord. 'Ik heb geen idee.'

# 11

De volgende dag, op vrijdag, leek het Brunetti beter om zijn opwachting te maken op de Questura in Venetië om te zien wat voor paperassen en post voor hem waren binnengekomen. Verder bekende hij Paola die ochtend bij de koffie dat hij wilde weten of er nog nieuws was over *Il Caso Patta*.

'Niets in de *Gente* of *Oggi*,' zei Paola uit eigen beweging over de twee bekendste roddelbladen, en hij voegde er toen aan toe: 'Al weet ik niet of signora Patta uit is op de aandacht van een van beide.'

'Laat ze 't je niet horen zeggen,' waarschuwde Brunetti lachend.

'Als ik een beetje geluk heb, hoort signora Patta me nooit meer iets zeggen.' Op vriendelijker toon vroeg ze: 'Wat denk je dat Patta gaat doen?'

Brunetti dronk zijn koffie op en zette zijn kopje neer voor hij antwoord gaf. 'Ik denk niet dat hij zoveel kán doen, behalve dan wachten tot Burrasca haar zat is of tot zij Burrasca zat is en ze terugkomt.'

'Wat is hij voor iemand, die Burrasca?' Paola verspilde geen tijd aan de vraag of de politie een dossier over Burrasca had. Zodra iemand in Italië genoeg geld verdiende, had hij een dossier.

'Voorzover ik heb gehoord, is het een patser. Hij zit in dat Milanese wereldje van cocaïne, auto's met snelle motoren en meisjes met trage hersenen.'

'Nou, dan heeft hij daar in dit geval de helft van,' zei Paola.

'Hoe bedoel je?'

'Signora Patta. Dat is geen meisje, maar trage hersenen heeft ze zeker.'

'Ken je haar zo goed dan?' Brunetti wist nooit precies wie Paola kende. Of wat.

'Nee. Ik leid het alleen maar af uit het feit dat ze met Patta is getrouwd en getrouwd is gebleven. Het lijkt me heel moeilijk om samen te leven met zo'n arrogante zak.'

'Maar jij houdt het wel met mij uit,' zei Brunetti met een glimlach, uit op een compliment.

Ze keek onbewogen. 'Jij bent niet arrogant, Guido. Je kunt lastig zijn, en soms onmogelijk, maar arrogant ben je niet.' Dat was geen compliment.

Hij schoof zijn stoel achteruit, omdat hij voelde dat het tijd was om naar de Questura te gaan.

Toen hij op zijn kantoor was, keek hij de papieren door die op zijn bureau lagen te wachten, teleurgesteld dat er niets bij zat over de dode man in Mestre. Hij werd onderbroken door een klop op de deur. '*Avanti*,' riep hij, denkend dat het misschien Vianello was met iets uit Mestre. In plaats van de brigadier kwam er een jonge vrouw met donker haar binnen, met een stapel dossiers in haar rechterhand. Ze glimlachte naar hem vanaf de deur, liep naar zijn bureau en keek intussen naar de paperassen in haar hand, bladerde ze door.

'Commissario Brunetti?' vroeg ze.

'Ja.'

Ze haalde wat papieren uit een van de dossiers en legde ze voor hem op zijn bureau. 'De mannen beneden zeiden dat u deze wel zou willen zien, dottore.'

'Dank u, signorina,' zei hij, terwijl hij de papieren over het bureau naar zich toe trok.

Ze bleef voor zijn bureau staan, duidelijk wachtend tot hij vroeg wie ze was, misschien te verlegen om zichzelf voor te stellen. Toen hij opkeek, zag hij grote bruine ogen in een aantrekkelijk, rond gezicht en een explosie van glanzende lipstick. 'En u bent?' vroeg hij met een glimlach.

'Elettra Zorzi, meneer. Vorige week ben ik begonnen als secretaresse van vice-questore Patta.' Dat verklaarde het nieuwe bureau buiten Patta's kantoor. Patta had maanden lopen zeuren dat hij te veel papierwerk had om zelf af te handelen. En dus was hij er, als een wel heel ijverig truffel-varken, in geslaagd lang genoeg in het budget te wroeten om geld te vinden voor een secretaresse.

'Heel aangenaam kennis te maken, signorina Zorzi,' zei Brunetti. De naam kwam hem bekend voor.

'Ik geloof dat ik ook voor u ga werken, commissario,' zei ze met een glimlach.

Niet als hij Patta kende. Maar toch zei hij: 'Dat zou bij-zonder fijn zijn,' en hij keek naar de papieren die ze op zijn bureau had gelegd.

Hij hoorde haar weglopen en keek even op om haar de deur uit te zien gaan. Een rok, niet te kort en niet te lang, en heel, heel mooie benen. Bij de deur draaide ze zich om, zag dat hij haar nakeek en glimlachte nog eens. Hij keek naar zijn papieren. Wie noemde zijn dochter nou Elettra? Hoe lang geleden? Vijfentwintig jaar? En Zorzi; hij kende massa's Zorzi's, maar geen van allen waren ze in staat een dochter Elettra te noemen. De deur ging achter haar dicht, en hij richtte zijn aandacht weer op de papieren, maar er stond weinig interessants voor hem in; de misdaad leek op vakan-tie te zijn in Venetië.

Hij ging naar beneden, naar Patta's kantoor, maar bleef

verbaasd staan toen hij het voorvertrek binnen kwam. Jarenlang had er alleen een gehavende porseleinen paraplustandaard gestaan en een bureau vol oude bladen van het soort dat je meestal bij de tandarts vindt. Nu waren de tijdschriften verdwenen en vervangen door een tafel met een computer waaraan een printer was bevestigd, die links ervan op een laag metalen tafeltje stond. In plaats van de paraplustandaard stond er nu een klein tafeltje voor het raam, ditmaal van hout, met daarop een glazen vaas met een enorme bos oranje en gele gladiolen.

Óf Patta had besloten een interview te geven aan *Architectural Digest*, óf de nieuwe secretaresse had besloten dat de overdaad die Patta gepast vond voor zijn eigen kantoor moest doordringen tot de werkplek van de lagere rangen. Als opgeroepen door Brunetti's gedachten kwam ze het kantoor binnen.

'Het ziet er heel mooi uit,' zei hij glimlachend, terwijl hij met zijn hand gebaarde naar de kleine ruimte.

Ze liep door de kamer en legde een arm vol dossiers op haar bureau, draaide zich toen naar hem om. 'Ik ben blij dat u het mooi vindt, commissario. Het was onmogelijk geweest om hier te werken zoals het was. Die tijdschriften,' voegde ze er met een subtiele rilling aan toe.

'Wat een prachtige bloemen. Zijn die ter ere van uw komst?'

'O, nee,' antwoordde ze nuchter. 'Ik heb een lopende order gegeven aan Fantin; die leveren voortaan elke maandag en donderdag verse bloemen.' Fantin: de duurste bloemist van de stad. Tweemaal per week. Honderd keer per jaar? Ze onderbrak zijn berekeningen door uit te leggen: 'Omdat ik ook de onkostenrekening van de vice-questore moet voorbereiden, dacht ik dat ik ze wel als noodzakelijke uitgaven kon opvoeren.'

'En brengt Fantin ook bloemen voor het kantoor van de vice-questore?'

Haar verrassing leek oprecht. 'God, nee. Ik weet zeker dat de vice-questore die zelf wel kan betalen. Het zou niet goed zijn om het geld van de belastingbetaler op die manier uit te geven.' Ze liep om het bureau heen en zette de computer aan. 'Kan ik nog iets voor u doen, commissario?' vroeg ze; de kwestie van de bloemen was blijkbaar afgedaan.

'Op dit moment niet, signorina,' zei hij, terwijl zij zich over het toetsenbord boog.

Hij klopte op Patta's deur en kreeg bevel binnen te komen. Hoewel Patta op zijn gebruikelijke plek zat, achter zijn bureau, was er verder weinig hetzelfde. Het blad van zijn bureau, waar meestal niets te bespeuren was wat ook maar enigszins duidde op werk, was bezaaid met dossiers en rapporten; opzij lag zelfs een kreukelig dagblad. Brunetti zag dat het niet Patta's gebruikelijke *L'Osservatore Romano* was, maar de nog-net-niet-ranzige *La Nuova*, een krant die een groot aantal lezers trok omdat ze uitging van de gecombineerde stelling dat mensen niet alleen lage en verachtelijke dingen deden, maar er ook nog eens over wilden lezen. Zelfs de airconditioning, waarvan dit kantoor als een van de weinige was voorzien, leek niet te werken.

'Ga zitten, Brunetti,' beval de vice-questore.

Patta keek naar de paperassen op zijn bureau alsof Brunetti's blik besmettelijk was, en begon ze bij elkaar te harken. Hij stapelde ze schots en scheef op elkaar, schoof ze opzij en liet zijn hand er afwezig bovenop liggen.

'Hoe staat het ervoor in Mestre?' vroeg hij eindelijk aan Brunetti.

'We hebben het slachtoffer nog niet geïdentificeerd, meneer. We hebben zijn portret laten zien aan veel van de travestieten die daar werken, maar niemand kon hem thuisbrengen.' Patta zei niets. 'Een van de mannen die ik heb ondervraagd zei dat de man hem bekend voorkwam, maar hij kon hem niet definitief identificeren, dus dat kan van alles betekenen. Of niets. Volgens mij heeft een andere man die ik heb ondervraagd, ene Crespo, hem wel herkend, maar die bleef beweren dat hij hem niet kende. Ik wil hem graag nog eens spreken, maar dat kan problemen opleveren.'

'Santomauro?' vroeg Patta, en daarmee slaagde hij erin, voor het eerst in al die jaren dat ze samenwerkten, Brunetti te verrassen.

'Hoe weet u dat van Santomauro?' flapte Brunetti er uit, en hij voegde er toen aan toe, als om zijn scherpe toon te corrigeren: 'meneer.'

'Hij heeft me drie keer gebeld,' zei Patta, en toen, op zachtere toon maar zeker met de bedoeling dat Brunetti het verstond: 'de hufter.'

Brunetti was onmiddellijk op zijn hoede voor Patta's onmiskenbare en zorgvuldig geplande indiscretie, en begon, als een spin in zijn web, in gedachten na te gaan op welke manier deze twee mannen met elkaar verbonden waren. Santomauro was een bekend advocaat, zijn cliënten waren zakenlieden en politici uit de hele Veneto-streek. Voor hem zou Patta onder normale omstandigheden door het stof gaan. Maar toen herinnerde hij het zich: de Heilige Moederkerk en Santomauro's Lega della Moralità, waarvan de vrouwenafdeling onder de bescherming en leiding stond van niemand minder dan de afwezige Maria Lucrezia Patta. Met wat voor preek over het huwelijk, de onschendbaarheid en verplichtingen ervan had Santomauro zijn telefoontjes naar de vice-questore begeleid?

'Dat is waar ook,' zei Brunetti, die besloot de helft te laten doorschemeren van wat hij wist, 'hij is Crespo's advocaat.' Als Patta wilde geloven dat het een commissario totaal niet verbaasde dat een advocaat van Giancarlo Santomauro's formaat een travestie-hoer juridisch bijstond, dan was het 't beste hem ook in die waan te laten. 'Wat heeft hij u verteld, meneer?'

'Hij zei dat je zijn cliënt hebt lastiggevallen en bang hebt gemaakt, dat je, om zijn woorden te gebruiken, "onnodig grof" was in je poging hem informatie te ontfutselen.' Patta liet een hand over zijn kaak gaan, en het drong tot Brunetti door dat de vice-questore zich die dag waarschijnlijk niet had geschoren.

'Ik heb natuurlijk tegen hem gezegd dat ik dergelijke kritiek niet wens te horen over een commissario, dat hij langs kan komen om een officiële klacht in te dienen als hij dat wil.' Normaal gesproken zou Patta bij zo'n klacht van een man als Santomauro beloven disciplinaire maatregelen te nemen tegen de desbetreffende agent, als hij hem al niet had gedegradeerd en voor drie jaar naar Palermo had overgeplaatst. En meestal zou Patta dat doen zonder zelfs maar naar de details te vragen. Patta bleef in zijn rol als verdediger van het principe dat alle mensen voor de wet gelijk zijn: 'Ik duld geen burgerbemoeienissen met de werkzaamheden van overheidsinstanties.' Brunetti wist zeker dat het er ongeveer op neerkwam dat Patta persoonlijk nog een appeltje te schillen had met Santomauro, en grif zou meewerken aan elke poging de ander te laten afgaan.

'Vindt u dan dat ik Crespo nog eens moet ondervragen, meneer?'

Hoe groot zijn directe woede jegens Santomauro ook was, het ging te ver om te verwachten dat Patta zijn decennialange gewoontes zou overwinnen en een ondergeschikte opdracht zou geven tot een actie die de wil van een man met belangrijke politieke connecties tegenwerkte. 'Doe maar wat je nodig lijkt, Brunetti.'

'Verder nog iets, meneer?'

Omdat Patta geen antwoord gaf, stond Brunetti op. 'Nog één ding, commissario,' zei Patta voordat Brunetti zich had omgedraaid om weg te lopen.

'Ja, meneer?'

'Hebt u geen vrienden in de uitgeverswereld?' O, god, ging Patta hem vragen of hij hem kon helpen? Brunetti keek langs het hoofd van zijn chef en knikte vaag. 'Ik vroeg me af of u contact met ze wilt opnemen.' Brunetti schraapte zijn keel en keek naar zijn schoenen. 'Ik bevind me momenteel in een zeer precaire situatie, Brunetti, en ik zou het fijn vinden als het niet nog verder gaat dan het al gekomen is.' Meer dan dat zei Patta niet.

'Ik zal doen wat ik kan, meneer,' zei Brunetti zwakjes, denkend aan zijn 'vrienden in de uitgeverswereld': twee financieel verslaggevers en één politiek columnist.

'Mooi,' zei Patta en hij zweeg even. 'Ik heb die nieuwe secretaresse gevraagd om wat gegevens te verzamelen over zijn belastingen.' Patta hoefde niet uit te leggen over wiens belasting hij het had. 'Ik heb gevraagd of ze alles wat ze kan vinden aan u wil geven.' Dat verbaasde Brunetti zó, dat hij niets anders kon doen dan knikken.

Patta boog zich weer over de papieren en Brunetti, die hieruit opmaakte dat hij kon gaan, verliet het kantoor. Signorina Elettra zat niet meer achter haar bureau, dus schreef

Brunetti een briefje, dat hij op haar bureau legde: 'Kunt u kijken wat er over avvocato Giancarlo Santomauro in uw computer staat?'

Hij ging terug naar boven, naar zijn kamer. Hij was zich bewust van de warmte, waarvan hij voelde dat die zich uitbreidde, elk hoekje en gaatje van het gebouw opzocht, zich niets aantrok van de dikke muren en marmeren vloeren en een zware vochtigheid met zich meebracht, van het soort waarvan vellen papier in de hoeken opkrullen en aan elke hand blijven plakken die ze aanraakt. Zijn ramen stonden open en hij ging ervoor staan, maar ze brachten alleen maar nog meer warmte en vochtigheid de kamer binnen, en, nu het laagtij was, ook de penetrante stank van bederf die altijd onder het wateroppervlak school, zelfs hier, dicht bij het uitgestrekte open water voor San Marco. Hij stond bij het raam, het zweet drong door zijn overhemd en pantalon heen naar zijn riem, en hij dacht aan de bergen boven Bolzano en aan de dikke donzen dekbedden waaronder ze daar in augustusnachten sliepen.

Hij liep naar zijn bureau en belde naar beneden, naar het hoofdkantoor, waar hij de agent die opnam vroeg om Vianello naar boven te sturen. Een paar minuten later kwam de oudere man het kantoor binnen. In deze tijd van het jaar had zijn gezicht altijd de roodbruine tint van *bresaola*, het luchtgedroogde rundvlees waar Chiara zo dol op was. Nu had Vianello nog steeds zijn bleke winterkleur. Net als de meeste Italianen van zijn leeftijd en achtergrond had Vianello altijd gedacht dat hij immuun was voor statistieke kansberekening. Andere mensen gingen dood aan roken, andere mensen hadden een hoog cholesterol door vet voedsel en alleen zij stierven daardoor aan een hartaanval. Jarenlang had hij elke maandag de gezondheidsrubriek van de *Corriere della Sera* gelezen, zelfs al wist hij dat alleen anderen die ellende overkwam door hun manier van leven.

Deze lente waren er echter vijf onrustige moedervlekken uit zijn rug en schouders weggesneden en had hij te horen gekregen dat hij uit de zon moest blijven. Net als Paulus op weg naar Damascus was Vianello bekeerd, en net als Paulus had hij geprobeerd zijn eigen evangelie te verkondigen. Vianello had echter geen rekening gehouden met een van de eigenschappen die deel uitmaken van het Italiaanse karakter: alwetendheid. Iedereen die hij sprak wist meer over het onderwerp dan hij, wist meer over de ozonlaag, over chloorfluorwaterstof en de effecten ervan op de atmosfeer. Sterker nog: iedereen, werkelijk iedereen, wist dat al dat geklets over het gevaar van de zon de zoveelste *bidonata* was, de zoveelste oplichterij, de zoveelste truc, al wist niemand precies wat die oplichterij voor nut had.

Toen Vianello, nog steeds vervuld van de geestdrift van Paulus, had geprobeerd hen te overtuigen door middel van de littekens op zijn rug, kreeg hij te horen dat zijn specifieke geval helemaal niets bewees, dat alle statistieken het mis hadden, en bovendien zou het hun niet overkomen. Toen was tot hem doorgedrongen wat de opvallendste waarheid over Italianen is: er bestaat geen andere waarheid dan de persoonlijke ervaring, en al het bewijs dat die persoonlijke overtuiging weerspreekt dient te worden verworpen. Dus had Vianello, in tegenstelling tot Paulus, zijn missie gestaakt en in plaats daarvan een tube zonnebrandcrème factor 30 aangeschaft, die hij het hele jaar door op zijn gezicht smeerde.

'Ja, dottore?' vroeg hij toen hij het kantoor binnen kwam.

Vianello had zijn jasje en stropdas beneden gelaten en droeg een wit overhemd met korte mouwen en zijn donkerblauwe uniformbroek. Sinds zijn derde kind vorig jaar was geboren was hij afgevallen, en hij had tegen Brunetti gezegd dat hij nog meer wilde afvallen en een betere conditie wilde krijgen. Hij legde uit dat een man van eind veertig met een kleine baby moest oppassen, beter voor zichzelf moest zorgen. In deze hitte en deze vochtigheid, met de herinnering aan de donsbedden vers in zijn geheugen, wilde Brunetti op geen enkele manier aan gezondheid denken, niet aan die van zichzelf, noch aan die van Vianello.

'Ga zitten, Vianello.' De brigadier ging op zijn gebruikelijke stoel zitten en Brunetti nam plaats achter zijn bureau.

'Wat weet je over de Lega della Moralità?' vroeg Brunetti.

Vianello keek naar Brunetti, kneep zijn ogen toe tot een onderzoekende blik, maar toen hij verder geen informatie kreeg, dacht hij eens goed na over die vraag en gaf toen antwoord.

'Zoveel weet ik niet van ze af. Volgens mij komen ze bij elkaar in een van de kerken: Santi Apostoli? Nee, dat zijn de *catecumeni*, die lui met gitaren en te veel baby's. De leden van La Lega komen volgens mij bij elkaar bij particulieren thuis, en in sommige parochiehuizen en vergaderzalen. Voorzover ik heb gehoord zijn ze niet politiek. Ik weet niet precies wat ze doen, maar als je op hun naam moet afgaan zitten ze meestal te praten over hoe goed zij zijn en hoe slecht alle andere mensen zijn.' Zijn toon was laatdunkend, liet blijken hoe erg hij neerkeek op zo veel domheid.

'Ken je iemand die er lid van is, Vianello?'

'Ik, meneer? Ik mag hopen van niet.' Daarop glimlachte hij, en toen zag hij Brunetti's gezicht. 'O, u meent het echt, hè? Nou, laat me eens even denken.' Dat deed hij, een minuut lang, met zijn handen om één knie geklemd en zijn gezicht naar het plafond.

'Er is één iemand, meneer, een vrouw bij de bank. Nadia kent haar beter dan ik. Tenminste, zij heeft meer met haar te maken dan ik omdat zij over de bankzaken gaat. Maar ik kan me herinneren dat Nadia een keer zei dat ze het zo vreemd vond dat zo'n aardige vrouw iets met die organisatie te maken had.'

'Waarom zei ze dat, denk je?' vroeg Brunetti.

'Wat?'

'Ervan uitgaan dat het geen goede mensen zijn?'

'Nou, alleen die naam al, meneer. Lega della Moralità, alsof zij het hele idee hebben uitgevonden. Volgens mij is het een stelletje *basibanchi*.' Met dat woord, Venetiaans in zijn puurste vorm, dat mensen beschimpt die knielen in de kerk en zo diep buigen dat ze de bank voor zich kunnen kussen, gaf Vianello opnieuw blijk van de genialiteit van hun dialect en zijn eigen nuchtere verstand.

'Heb je enig idee hoe lang ze er al bij zit of waarom ze lid is geworden?'

'Nee, meneer, maar ik kan Nadia vragen of ze daar achter kan komen. Waarom?'

Brunetti vertelde vlug over Santomauro's aanwezigheid in Crespo's appartement en zijn daaropvolgende telefoontjes naar Patta.

'Interessant, vindt u ook niet, meneer?' zei Vianello.

'Ken je hem?'

'Santomauro?' vroeg Vianello overbodig. De kans was klein dat hij Crespo kende.

Brunetti knikte.

'Hij was de advocaat van mijn neef, voordat hij beroemd werd. En duur.'

'Wat zei je neef over hem?'

'Niet zoveel. Hij was een goede advocaat, maar hij was altijd bereid de grenzen van de wet op te zoeken, ze zo te draaien dat hij er iets mee opschoot.' Een veelvoorkomend type in Italië, dacht Brunetti, waar de wet vaak vastgelegd, maar zelden duidelijk was.

'Verder nog iets?' vroeg Brunetti.

Vianello schudde zijn hoofd. 'Niets wat ik me kan herinneren. Dat was jaren geleden.' Voordat Brunetti het hem kon vragen, zei Vianello: 'Ik zal mijn neef bellen om het te vragen. Misschien kent hij andere mensen voor wie Santomauro heeft gewerkt.'

Brunetti knikte waarderend. 'Ik ben ook benieuwd wat we over die Lega te weten kunnen komen: waar ze bij elkaar komen, met hoeveel ze zijn, wie het zijn en wat ze precies doen.' Toen hij er even over nadacht, vond Brunetti het vreemd dat een organisatie die zo bekend was dat iedereen er grappen over maakte, er in werkelijkheid in was geslaagd om zo weinig over zichzelf te onthullen. Iedereen kende de Lega, maar als Brunetti's ervaring tot maatstaf kon dienen, dan had niemand een duidelijk idee van wat de Lega deed.

Vianello had nu zijn notitieboekje in zijn hand en schreef het allemaal op. 'Zal ik ook eens wat rondvragen over signora Santomauro?'

'Ja, alles wat je te weten kunt komen.'

'Volgens mij komt ze oorspronkelijk uit Verona. Een bankiersfamilie.' Hij keek naar Brunetti. 'Verder nog iets, meneer?'

'Ja, die travestiet in Mestre, Francesco Crespo. Ik wil zijn naam hier eens laten vallen en kijken of die naam iemand iets zegt.'

'Wat weet Mestre over hem, meneer?'

'Alleen maar dat hij twee keer is gearresteerd voor drugs, die probeerde hij te verkopen. De jongens van de zedenpolitie hebben hem op de lijst staan, maar hij woont nu in een appartement aan de Viale Ronconi, een heel mooi appartement, en dat zal wel betekenen dat hij de Via Cappuccina en de openbare plantsoenen is ontstegen. En kijk of Gallo namen heeft van de fabrikanten van de schoenen en de jurk.'

'Ik zal kijken wat ik te weten kan komen, meneer,' zei Vianello, die aantekeningen voor zichzelf maakte. 'Verder nog iets, meneer?'

'Ja. Ik wil dat je de lijst met vermiste personen in de gaten houdt, of er een melding binnenkomt voor een man van begin veertig, hetzelfde signalement als de dode man. Het zit in het dossier. Misschien kan de nieuwe secretaresse er iets mee op haar computer.'

'Uit welke streek, meneer?' vroeg Vianello, met zijn pen boven het papier. Uit het feit dat hij niets vroeg over de secretaresse kon Brunetti opmaken dat het nieuws over haar komst zich al had verspreid.

'Als het haar lukt voor het hele land. Ook vermiste toeristen.'

'Bevalt het idee van een prostitué u niet, meneer?'

Brunetti moest denken aan dat naakte lichaam, dat zo verschrikkelijk veel op dat van hem leek. 'Nee, het is geen lichaam dat iemand tegen betaling zou gebruiken.'

# 12

Op zaterdagochtend bracht Brunetti zijn gezin naar het treinstation, maar het was een bedrukt gezelschap dat bij de halte San Silvestro op vaporetto 1 stapte: Paola was kwaad dat Brunetti wat zij 'de travestiet' noemde niet wilde achterlaten om ten minste het eerste weekend van de vakantie mee naar Bolzano te komen; Brunetti was kwaad dat zij dat niet begreep; Raffaele vond het erg dat hij de maagdelijke charmes van Sara Paganuzzi moest achterlaten, al putte hij troost uit het feit dat ze over een week weer zouden worden herenigd – trouwens, tot die tijd kon hij in het bos op zoek gaan naar verse paddenstoelen; Chiara was, zoals zo vaak, volstrekt onbaatzuchtig in wat ze erg vond, want zij wilde dat haar vader, die altijd te hard werkte, nu eens echt op vakantie kon.

De familie-etiquette wilde dat iedereen zijn eigen bagage droeg, maar Paola profiteerde van het feit dat Brunetti maar tot Mestre meeging, en dus geen bagage had. Ze liet hem haar grote koffer dragen, terwijl zij alleen maar haar handtas en *The Collected Letters of Henry James* droeg, een boek dat zo enorm was dat Brunetti zeker wist dat ze toch geen tijd voor hem zou hebben gehad. Nu Brunetti Paola's koffer droeg, trad er prompt een domino-effect in werking en propte Chiara een paar van haar boeken in haar moeders koffer, zodat er in haar eigen koffer nog wat plaats was voor Raffi's extra paar bergschoenen. Waarop zijn moeder vond dat hij die ruimte moest gebruiken om haar exemplaar van *The Sacred Fount* mee te nemen, omdat ze had besloten dat ze dit jaar eindelijk genoeg tijd zou hebben om het te lezen.

Ze stapten allemaal in dezelfde coupé van de trein van 8.35 uur, waarmee Brunetti in tien minuten in Mestre zou zijn en zijzelf op tijd voor de lunch in Bolzano zouden aankomen. Niemand had veel te zeggen tijdens het korte ritje over de lagune; Paola vergewiste zich ervan dat hij het telefoonnummer van het hotel in zijn portefeuille had zitten en Raffaele herinnerde hem eraan dat dit dezelfde trein was waarmee Sara volgende week zaterdag zou komen, waarop Brunetti zich afvroeg of hij dan ook haar bagage moest dragen.

In Mestre kuste hij de kinderen gedag, en Paola liep met hem door het gangpad naar de deur. 'Ik hoop dat je volgend weekend kunt komen, Guido. Of nog liever: dat je dit oplost en eerder komt.'

Hij glimlachte, maar wilde niet tegen haar zeggen hoe onwaarschijnlijk dat was; ze wisten tenslotte nog niet eens wie de dode man was. Hij kuste haar op beide wangen, stapte uit de trein en liep terug naar de coupé waar de kinderen zaten. Chiara zat al een perzik te eten. Terwijl hij op het perron door het raam naar ze stond te kijken, zag hij Paola weer de coupé in komen en bijna zonder te kijken een zakdoek pakken en aan Chiara geven. Net toen de trein begon te rijden en Chiara zich omdraaide om haar mond af te vegen, zag ze hem op het perron staan. Haar gezicht, waarvan de helft nog glom van het perzikensap, lichtte van pure vreugde op en ze sprong naar het raam. '*Ciao, papà, ciao, ciao,*' riep ze boven het lawaai van de locomotief uit. Ze ging op de bank staan en leunde naar buiten, wuifde als een bezetene naar hem met Paola's zakdoek. Hij stond op het perron te wuiven totdat het piepkleine witte vlaggetje van liefde in de verte verdween.

Toen hij op de Questura van Mestre Gallo's kantoor binnenkwam, trof hij de brigadier bij de deur. 'Er is iemand op weg hiernaartoe om het lichaam te bekijken,' zei hij zonder inleiding.

'Wie? Waarom?'

'Jullie mensen zijn vanochtend gebeld. Door ene,' en hier keek hij op een briefje in zijn hand, 'ene signora Mascari. Haar man is de directeur van het Venetiaanse filiaal van de Banca di Verona. Hij wordt sinds zaterdag vermist.'

'Dat is een week geleden,' zei Brunetti. 'Waarom komt ze er nu pas achter dat hij weg is?'

'Hij zou op zakenreis zijn gegaan. Naar Messina. Hij is op zondagmiddag vertrokken, en daarna heeft ze niets meer van hem gehoord.'

'Een week? Ze laat een week voorbijgaan voor ze ons belt?'

'Ik heb haar niet gesproken,' zei Gallo, bijna alsof Brunetti hem van nalatigheid had beticht.

'Wie dan wel?'

'Dat weet ik niet. Ik vond alleen maar dit briefje op mijn bureau, dat ze vanochtend naar Umberto Primo komt om hem te bekijken en dat ze hoopt er om negen uur te zijn.'

De mannen wisselden een blik; Gallo schoof zijn mouw omhoog en keek op zijn horloge.

'Ja,' zei Brunetti. 'Kom, we gaan.'

Er volgde zo'n krankzinnige chaos dat het bijna een film leek. Hun auto kwam in de zware ochtendspits terecht; de chauffeur besloot die te ontwijken en naar de achterkant van het ziekenhuis te gaan, waar hij echter in nog drukker verkeer vast kwam te zitten. Ze waren pas in het ziekenhuis toen signora Mascari niet alleen het lichaam al had geïdentificeerd als dat van haar echtgenoot Leonardo, maar ook al met dezelfde taxi waarmee ze uit Venetië was gekomen op weg was naar de Questura van Mestre, waar de politie haar vragen zou beantwoorden, zo was haar gezegd.

Dit betekende dat toen Brunetti en Gallo terugkwamen op de Questura, ze tot de ontdekking kwamen dat signora Mascari meer dan een kwartier op hen had zitten wachten. Ze zat rechtop en helemaal alleen op de houten bank op de gang voor Gallo's kantoor. Het was een vrouw van wie de kleding en de houding de suggestie wekten dat haar jeugd niet alleen was vervlogen, maar dat ze die zelfs nooit had gekend. Haar mantelpak van donkerblauwe ruwe zijde was ouderwets van snit, de rok iets langer dan nu mode was. De kleur van de stof contrasteerde sterk met haar fletse huid.

Ze keek op toen de twee mannen aan kwamen lopen, en Brunetti zag dat haar haar de standaard rode kleur had die zo populair was onder vrouwen van Paola's leeftijd. Ze had weinig make-up op, zodat hij de rimpeltjes bij haar mond- en ooghoeken kon zien, rimpels door zorgen of ouderdom, Brunetti wist niet welke van de twee. Ze stond op en liep naar hen toe. Brunetti bleef voor haar staan en stak zijn hand uit. 'Signora Mascari, ik ben commissario Brunetti van de Venetiaanse politie.'

Ze nam zijn hand en raakte die slechts heel even licht aan. Het viel hem op dat ze heel heldere ogen had, maar hij wist niet of dat kwam door ongeplengde tranen of door de weerspiegeling van de bril die ze op had.

'Mijn oprechte deelneming, signora Mascari,' zei hij. 'Ik begrijp hoe moeilijk en verdrietig dit voor u moet zijn.' Ze reageerde nog steeds niet op het feit dat hij had gesproken.

'Is er iemand die we voor u kunnen bellen om u hier bij te staan?'

Ze schudde haar hoofd. 'Vertel maar wat er is gebeurd,' zei ze.

'Misschien kunnen we beter in het kantoor van brigadier Gallo gaan zitten,' zei Brunetti terwijl hij de deur opendeed. Hij liet de vrouw voor zich naar binnen gaan. Hij keek achterom naar Gallo, die zijn wenkbrauwen vragend optrok; toen Brunetti knikte, kwam de brigadier met hen mee het kantoor binnen. Brunetti bood signora Mascari een stoel aan, en ze ging zitten en keek naar hem op.

'Kunnen we iets voor u halen, signora? Een glaasje water? Thee?'

'Nee. Niets. Vertel maar wat er is gebeurd.'

Brigadier Gallo ging stil achter zijn bureau zitten; Brunetti nam plaats in een stoel niet ver van signora Mascari.

'Het lichaam van uw man is op maandagochtend in Mestre gevonden. Als u de mensen in het ziekenhuis hebt gesproken, zult u weten dat de doodsoorzaak een klap op het hoofd was.'

Ze onderbrak hem. 'Er waren ook klappen in het gezicht.' Toen ze dat had gezegd, keek ze omlaag naar haar handen.

'Kent u iemand die het slecht met uw man voorhad, signora? Kunt u iemand bedenken die hem ooit heeft bedreigd of met wie hij serieus ruzie had?'

Ze schudde direct ontkennend haar hoofd. 'Leonardo had geen vijanden,' zei ze.

Brunetti's ervaring leerde dat een man geen directeur van een bank werd zonder vijanden te maken, maar hij zei niets.

'Heeft uw man het ooit over problemen op zijn werk gehad? Misschien een werknemer die hij moest ontslaan? Ie-

mand die een lening werd geweigerd en hem daarvoor verantwoordelijk hield?'

Opnieuw schudde ze haar hoofd. 'Nee, niets van dat alles.
Er zijn nooit problemen geweest.'

'En uw familie, signora? Heeft uw man ooit problemen
gehad met iemand in uw familie?'

'Wat moet dit voorstellen?' wilde ze weten. 'Waarom stelt
u me al die vragen?'

'Signora,' begon Brunetti, met naar hij hoopte een kalme-
rend handgebaar. 'De manier waarop uw man om het leven
is gekomen, is zo vreselijk gewelddadig dat die het vermoeden wekt dat degene die het gedaan heeft reden had om
uw man enorm te haten, dus voordat we naar hem op zoek
kunnen gaan, moeten we een idee krijgen waarom hij heeft
gedaan wat hij heeft gedaan. Dus is het noodzakelijk om
deze vragen te stellen, hoe pijnlijk ik ook weet dat ze zijn.'

'Maar ik kan u niets vertellen. Leonardo had geen vijanden.' Toen ze dit nog eens had gezegd, keek ze naar Gallo,
alsof ze hem wilde vragen te beamen wat ze zei of om haar
te helpen Brunetti over te halen haar te geloven.

'Toen uw man afgelopen zondag van huis vertrok, ging hij
toen naar Messina?' vroeg Brunetti. Ze knikte. 'Weet u het
doel van zijn reis, signora?'

'Hij zei tegen me dat het voor de bank was en dat hij op
vrijdag terug zou zijn. Gisteren.'

'Maar hij vertelde niet waarom hij op reis ging?'

'Nee, dat deed hij nooit. Hij zei altijd dat zijn werk niet zo
interessant was, en hij sprak er bijna nooit over met me.'

'Hebt u na zijn vertrek nog iets van hem gehoord, signora?'

'Nee. Op zondagmiddag is hij naar het vliegveld gegaan.

Hij had een vlucht naar Rome, en daar moest hij overstappen op een andere vlucht.'

'Was dat gebruikelijk, signora?'

'Was wat gebruikelijk?'

'Dat hij op zakenreis ging en geen contact met u had?'

'Ik heb het u net verteld,' zei ze, en haar stem klonk scherp: 'Hij moest op reis voor de bank, zes of zeven keer per jaar. Soms stuurde hij me een ansichtkaart of bracht een cadeautje voor me mee, maar hij belde nooit.'

'Wanneer begon u zich zorgen te maken, signora?'

'Gisteravond. Ik dacht dat hij 's middags naar de bank zou gaan, als hij terug was, en dan thuis zou komen. Maar toen hij er om zeven uur nog niet was, belde ik de bank, alleen was die dicht. Ik probeerde twee van de mannen te bellen met wie hij werkt, maar die waren niet thuis.' Hier wachtte ze even, haalde diep adem en ging toen verder: 'Ik maakte mezelf wijs dat ik me in de dag of de tijd had vergist, maar vanochtend kon ik mezelf niet langer voor de gek houden, dus belde ik een van de mannen die op de bank werken en die belde een collega in Messina, en toen belde hij terug.' Nu hield ze op met vertellen.

'Wat zei hij tegen u, signora?' vroeg Brunetti op zachte toon.

Ze drukte een knokkel tegen haar mond, misschien in de hoop dat ze daarmee de woorden tegen kon houden, maar omdat ze het lijk in het mortuarium had gezien, had dat geen zin. 'Hij vertelde dat Leonardo nooit in Messina was geweest. Dus belde ik de politie. Die vertelde me... toen ik een signalement van Leonardo gaf... vertelden ze me dat ik hiernaartoe moest komen. Dus dat heb ik gedaan.' Haar stem ging steeds vermoeider klinken terwijl ze dit alles vertelde, en toen ze klaar was, lagen haar handen wanhopig samengebald in haar schoot.

'Signora, weet u zeker dat u niemand wilt bellen of door ons wilt laten bellen om hier bij u te zijn? Dit lijkt me geen moment om alleen te zijn,' zei Brunetti.

'Nee. Nee, er is niemand die ik wil zien.' Plotseling stond ze op. 'Ik hoef hier toch niet te blijven, hè? Kan ik gaan?'

'Uiteraard, signora. U bent meer dan vriendelijk geweest om deze vragen te beantwoorden.'

Hier ging ze niet op in.

Brunetti maakte een klein gebaar naar Gallo terwijl hij opstond en signora Mascari volgde naar de deur. 'We zullen u met de auto terug laten brengen naar Venetië, signora.'

'Ik wil niet dat iemand me in een politieauto ziet aankomen,' zei ze.

'Het is geen herkenbare auto, signora, en de chauffeur is niet in uniform.'

Daarop zei ze niets, en het feit dat ze geen bezwaar maakte, betekende blijkbaar dat ze de rit naar het Piazzale Roma aannam.

Brunetti deed de deur open en begeleidde haar naar de trap aan het eind van de gang. Hij zag dat ze haar tas stijf omklemde met haar rechterhand, en dat ze de linker diep in haar jaszak had gestoken.

Beneden liep Brunetti met haar de trap voor de Questura af, de hitte in, die hij was vergeten. Een donkerblauwe stationair draaiende personenauto stond onder aan de trap op haar te wachten. Brunetti boog voorover en deed de deur voor haar open, nam haar bij de arm terwijl ze in de auto stapte. Toen ze eenmaal zat, wendde ze zich van hem af en keek uit het raampje aan de andere kant, al zag ze alleen maar verkeer en de sombere gevels van kantoorgebouwen. Brunetti deed de deur zachtjes dicht en gaf de chauffeur opdracht signora Mascari terug te brengen naar het Piazzale Roma.

Toen de auto opging in de verkeersstroom, liep Brunetti terug naar Gallo's kantoor. Hij liep naar binnen en vroeg aan de brigadier: 'En, wat denkt u?'

'Ik geloof niet in mensen die geen vijanden hebben.'

'Vooral bankdirecteuren van middelbare leeftijd,' vulde Brunetti aan.

'Dus?' vroeg Gallo.

'Ik ga terug naar Venetië om te kijken of ik daar iets kan ontdekken, bij mijn mensen. Nu we een naam hebben, kunnen we tenminste ergens beginnen met zoeken.'

'Waarnaar?' vroeg Gallo.

Brunetti antwoordde meteen. 'Om te beginnen moeten we doen wat we al van meet af aan hadden moeten doen: uitzoeken waar de kleren en schoenen vandaan komen die hij aanhad.'

Gallo vatte dit op als een verwijt en antwoordde net zo vlug: 'Nog niets over de jurk, maar we hebben de naam van de fabrikant van de schoenen, en vanmiddag hebben we een lijst met namen van winkels waar ze werden verkocht.'

Brunetti had zijn opmerking niet bedoeld als kritiek op het korps van Mestre, maar hij liet het zo. Het kon geen kwaad om Gallo en zijn mannen aan te sporen om uit te zoeken waar Mascari's kleren vandaan kwamen, want die schoenen en die jurk waren zeker niet de kleding die een bankier van middelbare leeftijd naar kantoor droeg.

# 13

Als Brunetti dacht dat hij op een zaterdagochtend in augustus mensen aan het werk zou treffen, dan dacht het personeel van de Questura daar anders over. Er stonden bewakers bij de deur, er was zelfs een schoonmaakster bezig op de trap, maar de kantoren waren leeg, en hij wist dat hij niet kon verwachten dat hij vóór maandagochtend iets gedaan kon krijgen. Even overwoog hij de trein naar Bolzano te nemen, maar hij wist dat hij er pas na het eten zou aankomen, en hij wist ook dat hij de hele volgende dag zou staan te popelen om terug te gaan naar de stad.

Hij ging zijn kamer binnen en zette de ramen open, hoewel hij zich ervan bewust was dat dat niet erg zou helpen. De kamer werd er alleen maar vochtiger, misschien zelfs nog iets warmer door. Er lagen geen nieuwe papieren op zijn bureau, geen rapport van signorina Elettra.

Hij trok de onderste bureaula open en haalde het telefoonboek te voorschijn. Hij sloeg het open en keek onder de L, maar er stond geen nummer in van de Lega della Moralità, al verbaasde hem dat niet. Onder de S vond hij Santomauro, Giancarlo, *avv.*, en een adres in San Marco. Via dezelfde weg kwam hij tot de ontdekking dat de overleden Leonardo Mascari in Castello woonde. Dat verbaasde hem: Castello was het minst prestigieuze *sestiere* van de stad, een buurt waar voornamelijk hechte families uit de arbeidersklasse woonden, een buurt waar kinderen nog konden opgroeien

zonder iets anders te spreken dan dialect, zich compleet onbewust van het Italiaans totdat ze naar de basisschool gingen. Misschien was het het familiehuis van de Mascari's, of
misschien had hij er voor een mooi prijsje een appartement
of huis kunnen kopen. In Venetië was het moeilijk om appartementen te vinden, en als er al een te vinden was, was
dat zo krankzinnig duur, zowel qua koop als qua huur, dat
zelfs Castello populair begon te worden. Genoeg geld uitge-
ven aan renovatie kon zorgen voor aanzien, misschien niet
voor het hele *quartiere*, maar dan toch op zijn minst voor
dat specifieke adres.

In de Gouden Gids zocht hij de banken op, en hij zag dat
de Banca di Verona gevestigd was op de Campo San Bartolomeo, de smalle campo onder aan Rialto waar veel banken
hun kantoor hadden; dat verbaasde hem, want hij kon zich
niet herinneren dat hij deze bank ooit had gezien. Eerder
uit nieuwsgierigheid dan om iets anders belde hij het nummer. Bij de derde keer overgaan werd er opgenomen, en een
mannenstem zei: 'Si?' alsof hij een telefoontje verwachtte.

'Spreek ik met de Banca di Verona?' vroeg Brunetti.

Het was even stil, en toen zei de man: 'Sorry, u bent verkeerd verbonden.'

'Het spijt me dat ik u heb lastiggevallen,' zei Brunetti.

Zonder verder nog iets te zeggen hing de andere man op.

De SIP, de nationale telefooncentrale, werkte zo merkwaar-
dig dat het niemand zou verbazen als hij verkeerd verbonden was, maar Brunetti wist zeker dat hij het juiste nummer
had gedraaid. Hij draaide het nog eens, maar ditmaal ging
de telefoon twaalf keer over zonder dat er werd opgenomen,
waarna Brunetti de hoorn op de haak legde. Hij keek weer
in de gids en schreef het adres op. Toen zocht hij Morelli's

apotheek op in het telefoonboek. De adressen waren maar een paar huisnummers bij elkaar vandaan. Hij gooide het telefoonboek weer in de la en schopte die dicht. Hij sloot de ramen, liep naar beneden en verliet de Questura.

Tien minuten later liep hij van onder de *sottoportico* van de Calle della Bissa de Campo San Bartolomeo op. Zijn blik gleed omhoog naar het bronzen standbeeld van Goldoni, misschien niet zijn favoriete toneelschrijver, maar toch zeker degene om wie hij het hardst moest lachen, vooral als de toneelstukken werden uitgevoerd in het oorspronkelijke Venetiaanse dialect zoals hier altijd gebeurde, in deze stad waar mensen in groten getale naar zijn toneelstukken kwamen en waar ze genoeg van hem hielden om dit standbeeld neer te zetten. Goldoni nam net een grote stap, zodat deze campo de perfecte plek voor hem was, omdat iedereen hier altijd haast had, altijd ergens naartoe op weg was: de Rialtobrug over op weg naar de groentemarkt, vanaf Rialto naar de wijken San Marco of Cannaregio. Als mensen ergens midden in de stad woonden, dan zorgde de geografische ligging van het plein ervoor dat ze minstens eenmaal per dag over de San Bartolomeo liepen.

Toen Brunetti er aankwam, was het voetgangersverkeer op zijn hoogtepunt: mensen repten zich naar de markt voordat die ten einde liep, of ze gingen vanuit hun werk snel naar huis nu de week eindelijk was afgelopen. Nonchalant liep hij langs de oostzijde van de campo en bekeek de nummers die boven de deuren waren geschilderd. Zoals hij had verwacht, stond het nummer twee deuren rechts van de apotheek boven een ingang. Even bleef hij voor het bellenpaneel naast de deur staan om de namen te bekijken. De Banca di Verona stond erop, evenals drie andere namen met bellen ernaast, waarschijnlijk van privéappartementen.

Brunetti drukte op de eerste bel boven de bank. Er werd niet gereageerd. Hetzelfde gebeurde bij de tweede bel. Hij stond op het punt op de bovenste bel te drukken toen hij een vrouwenstem achter zich hoorde, die in onvervalst Venetiaans vroeg: 'Kan ik u helpen? Zoekt u iemand die hier woont?'

Hij draaide zich met zijn rug naar de bel en toen hij naar beneden keek, zag hij een oud vrouwtje met een enorme boodschappenkar die tegen haar been leunde. Hij herinnerde zich de naam bij de eerste bel, en antwoordde in hetzelfde dialect: 'Ja, ik ben hier voor de Montini's. Het wordt tijd dat ze hun verzekering vernieuwen en ik kwam even langs om te zien of ze iets willen veranderen aan de dekking.'

'Ze zijn er niet,' zei ze, terwijl ze in een enorme handtas keek, op zoek naar haar sleutels. 'Ze zijn naar de bergen. De Gaspari's zijn er ook niet, maar die zitten in Jesolo.' Ze liet de hoop varen de sleutels te voelen of te zien en schudde met haar tas, zodat ze ze op geluid kon lokaliseren. Het werkte, en ze haalde een sleutelbos ter grootte van haar hand te voorschijn.

'Daar zijn deze allemaal voor,' zei ze, terwijl ze de sleutels omhooghield naar Brunetti. 'Ze hebben hun sleutels bij me achtergelaten zodat ik de planten water kan geven, kan zorgen dat de boel niet in elkaar stort.' Ze keek van de sleutels omhoog naar Brunetti. Haar ogen waren van een verbleekt lichtblauw, in een rond gezicht dat was bedekt met een netwerk van fijne rimpeltjes. 'Hebt u kinderen, signore?'

'Ja, die heb ik,' antwoordde hij meteen.

'Naam, leeftijd?'

'Raffaele is zestien, en Chiara is dertien, signora.'

'Mooi,' zei ze, alsof hij een of andere proef had doorstaan.

'U bent een sterk jongmens. Denkt u dat u die kar voor me naar drie hoog kunt tillen? Anders moet ik minstens drie keer heen en weer om het allemaal boven te krijgen. Morgen komt mijn zoon lunchen met zijn gezin, dus ik heb heel veel boodschappen moeten halen.'

'Met alle plezier, signora,' zei hij, terwijl hij bukte om de kar op te tillen, die zeker vijftien kilo woog. 'Is het een groot gezin?'

'Mijn zoon en zijn vrouw met hun kinderen. Twee klein-kinderen nemen de achterkleinkinderen mee, dus zijn we, even tellen, met tien in totaal.'

Ze maakte de deur open en hield die open terwijl Brunetti met de kar langs haar heen schoof. Ze drukte op de lamp met tijdklok en liep voor hem uit de trap op. 'Niet te gelo-ven wat ze me voor de perziken hebben laten betalen. Half augustus, en ze vragen nog steeds drieduizend lire de kilo. Maar ik heb ze toch gekocht; Marco vindt het lekker om die van hem vóór de lunch in de rode wijn te snijden en ze dan als dessert te eten. En vis. Ik wilde een tarbot hebben, maar die was te duur. Iedereen houdt van een lekkere gekookte harder, dus die heb ik gehaald, maar toch vroeg hij tiendui-zend lire de kilo. Drie vissen, en ik heb er bijna veertigdui-zend lire voor betaald.' Op de eerste overloop bleef ze staan, vlak voor de deur van de Banca di Verona, en keek neer op Brunetti. 'Toen ik klein was, gaven we harder aan de kat, en nu betaal ik er tienduizend lire de kilo voor.'

Ze draaide zich om en begon aan de volgende trap. 'U draagt hem toch wel aan de hengsels, hè?'

'Ja, signora.'

'Mooi, want ik heb een kilo verse vijgen bovenop liggen en ik wil niet dat ze pletten.'

'Nee, dat gaat wel goed, signora.'

'Ik ben bij Casa del Parmigiana geweest om wat *prosciutto* voor bij de vijgen te halen. Ik ken Giuliano al sinds hij een jochie was. Hij heeft de beste prosciutto van Venetië, vindt u niet?'

'Mijn vrouw gaat er altijd naartoe, signora.'

'Het kost *l'ira di dio*, maar het is het waard, vindt u ook niet?'

'Zeker, signora.'

Ze waren boven. Ze had nog steeds de sleutels in haar hand, zodat ze er niet weer naar hoefde te zoeken. Ze deed het enige slot op de deur open en duwde ertegen, liet Brunetti een ruim appartement binnen met vier hoge ramen die uitkeken op de campo, maar waar nu de luiken voor zaten.

Ze liep voor hem uit door de woonkamer, een soort kamer die Brunetti nog kende uit zijn jeugd: grote leunstoelen en een bank met een vulling van kriebelend paardenhaar; enorme donkerbruine dressoirs die vol stonden met verzilverde snoeppotten en foto's in zilveren lijstjes, op de grond een gegoten Venetiaanse terrazzovloer, die zelfs in het zwakke licht glinsterde. Voor hetzelfde geld stond hij nu in het huis van zijn grootouders.

De keuken was hetzelfde. De gootsteen was van natuursteen en in de hoek stond een immense cilindervormige boiler. De keukentafel had een marmeren tafelblad, en hij zag voor zich hoe ze er pasta op uitrolde en de strijk erop deed.

'Zet daar maar neer, bij de deur,' zei ze. 'Wilt u een glaasje van het een of ander?'

'Water zou lekker zijn, signora.'

Precies zoals hij had verwacht, haalde ze een zilveren dienblaadje van de glazenkast, legde er een ronde kanten onderlegger op en zette er toen een wijnglas van Murano op. Ze pakte een fles mineraalwater uit de ijskast en schonk het glas vol.

'*Grazie infinite*,' zei hij voordat hij het water opdronk. Hij zette het glas voorzichtig midden op het kleedje en sloeg haar aanbod om nog een glas in te schenken af. 'Zal ik het allemaal helpen uitpakken, signora?'

'Nee, ik weet waar alles is en waar het moet staan. U hebt me enorm geholpen, jongeman. Hoe heet u?'

'Brunetti, Guido.'

'En u verkoopt verzekeringen?'

'Ja, signora.'

'Nou, hartelijk dank,' zei ze, terwijl ze zijn glas in de gootsteen zette en een arm in de boodschappenkar stak.

Hij dacht weer aan zijn echte werk en vroeg: 'Signora, laat u altijd mensen binnen in uw appartement? Zonder te weten wie ze zijn?'

'Nee, ik ben niet gek. Ik laat niet iedereen binnen,' antwoordde ze. 'Ik kijk altijd of ze kinderen hebben. En ze moeten natuurlijk Veneziano zijn.'

Natuurlijk. Toen hij erover nadacht, was haar methode misschien beter dan een leugendetector of veiligheidscontrole. 'Bedankt voor het water, signora. Ik kom er zelf wel uit.'

'U bedankt,' zei ze en ze boog zich over haar kar, op zoek naar de vijgen.

Hij liep de eerste twee trappen af en bleef staan op de overloop boven de deur van de Banca di Verona. Hij hoorde helemaal niets, al steeg er af en toe plotseling een stem of een kreet omhoog vanaf de campo. In het beetje licht dat door de kleine raampjes van het trappenhuis naar binnen kwam, keek hij op zijn horloge. Iets na enen. Hij bleef nog tien minuten staan en hoorde nog steeds niets anders dan af en toe wat flarden geluid vanaf de campo.

Hij liep langzaam de trap af en bleef voor de deur van de bank staan. Hij voelde zich vrij belachelijk toen hij voor-overboog om door het horizontale sleutelgat van de *porta blindata* te kijken. Erachter zag hij een spoortje licht, alsof iemand was vergeten een lamp uit te doen toen hij de lui-ken op vrijdagmiddag dicht had gedaan. Of alsof iemand op deze zaterdagmiddag daarbinnen aan het werk was.

Hij liep de trap weer op en leunde tegen de muur. Na ongeveer tien minuten haalde hij zijn zakdoek uit zijn zak en legde die twee treden boven zich, trok zijn broek op en ging zitten. Hij leunde voorover, zette zijn ellebogen op zijn knieën en steunde met zijn kin op zijn vuisten. Na voor zijn gevoel lange tijd stond hij op, legde de zakdoek dichter bij de muur en ging weer zitten, nu leunend tegen de muur. Er circuleerde geen lucht, hij had de hele dag nog niets gegeten en werd geteisterd door de hitte. Hij keek op zijn horloge en zag dat het na tweeën was. Hij besloot tot drie uur te blijven, geen minuut langer.

Om tien over halfvier, nog steeds op de trap maar nu vast-besloten niet langer te blijven dan tot vier uur, hoorde hij een scherp geluid van beneden. Hij stond op en stapte ach-teruit de tweede tree op. Onder hem ging een deur open, maar hij bleef staan waar hij stond. De deur ging dicht, een sleutel draaide om in het slot en er klonken voetstappen op de trap. Brunetti rekte zijn hals en keek de persoon na die wegliep. In het schemerige licht kon hij alleen maar zien dat het een lange man in een donker pak was die een aktetas bij zich had. Kort donker haar, een gesteven witte boord net zichtbaar in zijn nek. De man draaide zich om en liep de volgende trap af, maar in het schemerige licht van het trappenhuis was er niet veel van hem te zien. Brunetti liep zachtjes achter hem aan naar beneden. Bij de deur naar de bank keek Brunetti door het sleutelgat, maar het was nu donker binnen.

Beneden hoorde hij het geluid van de voordeur die open en dicht werd gedaan, en bij dat geluid rende Brunetti de laatste treden af. Bij de deur wachtte hij even, deed hem toen vlug open en liep de campo op. Even werd hij verblind door het felle zonlicht, en hij bedekte zijn ogen met zijn hand. Toen hij die weghaalde, keek hij de campo over, maar hij zag alleen maar pastelkleurige sportkleding en witte T-shirts. Hij liep naar rechts en keek de Calle della Bissa in, maar daar liep geen man in een donker pak. Hij rende over de campo en keek de smalle calle in die naar de eerste brug leidde, maar de man zag hij niet. Er waren nog minstens vijf andere calli, en Brunetti realiseerde zich dat de man lang en breed verdwenen zou zijn voor hij ze allemaal had gecontroleerd. Hij besloot de embarcadero van Rialto te proberen: misschien had de man een boot genomen. Terwijl hij mensen ontweek en anderen uit de weg duwde, rende hij naar het water en toen door naar de embarcadero. Toen hij er was, vertrok er net een boot die zijn kant op kwam, in de richting van San Marcuola en het treinstation.

Hij worstelde zich door een groep Japanse toeristen heen naar de rand van het kanaal. De boot voer langs hem heen, en hij bekeek de passagiers die op het dek stonden en binnen zaten. Er waren veel mensen op de boot, en de meeste droegen vrijetijdskleding. Uiteindelijk zag Brunetti aan de andere kant van het dek een man in een donker pak met een wit overhemd. Hij stak net een sigaret op en wendde zich af om de lucifer in het kanaal te gooien. Van de achterkant zag zijn hoofd er hetzelfde uit, maar Brunetti wist dat hij er niet zeker van kon zijn. Toen de man zich weer omdraaide, nam Brunetti zijn profiel in zich op en probeerde het in zijn geheugen te prenten. Daarna gleed de boot onder de Rialto-brug door en de man verdween.

# 14


Brunetti deed wat elke verstandige man doet als hij een te-
genslag heeft moeten incasseren: hij ging naar huis en belde
zijn vrouw. Toen hij werd doorverbonden met Paola's kamer, nam Chiara de telefoon op.

'O, ciao, papà, je had in de trein moeten zitten. Na Vicenza stonden we ineens stil, en we moesten bijna twee uur
wachten. Niemand wist wat er aan de hand was, totdat de
conducteur vertelde dat er tussen Vicenza en Verona een
vrouw voor de trein was gesprongen, dus moesten we eindeloos wachten. Ze moesten het zeker opruimen, denk je niet?
Toen we eindelijk weer gingen rijden, heb ik de hele weg
naar Verona pal aan het raam gezeten, maar ik heb niets gezien. Denk je dat ze het zo snel hebben kunnen opruimen?'

'Vast, *cara*. Is je moeder daar?'

'Ja, papà. Maar misschien zat ik aan de verkeerde kant van
de trein te kijken en lag alle rommel aan de andere kant.
Denk je dat dat het was?'

'Misschien wel, Chiara. Mag ik je moeder even spreken?'

'O, natuurlijk, papà. Hier is ze. Waarom denk je dat iemand zoiets doet, voor de trein springen?'

'Vast omdat iemand haar niet met degene laat praten die
ze wil spreken, Chiara.'

'Hè, papà, doe toch niet altijd zo flauw. Hier is ze.'

Flauw? Flauw? Zelf vond hij dat hij bloedserieus had ge-
klonken.

'Ciao, Guido,' zei Paola. 'Heb je dat gehoord? Ons kind is een monster.'

'Wanneer ben je aangekomen?'

'Een halfuur geleden ongeveer. We moesten lunchen in de trein. Walgelijk. Wat heb jij gedaan? Heb je de *insalata di calamari* gevonden?'

'Nee, ik ben pas net thuis.'

'Uit Mestre? Heb je geluncht?'

'Nee, ik moest iets doen.'

'Nou, er staat insalata di calamari in de ijskast. Eet hem vandaag of morgen maar op; in deze warmte blijft hij niet zo lang goed.' Hij hoorde Chiara's stem op de achtergrond en toen vroeg Paola: 'Kom je morgen hiernaartoe?'

'Nee, dat kan niet. We hebben zijn lichaam geïdentificeerd.'

'Wie is het?'

'Mascari, Leonardo. Hij is de directeur van de Banca di Verona hier. Ken je hem?'

'Nee, nooit van gehoord. Is hij Venetiaan?'

'Ik neem aan van wel. Zijn vrouw komt hier in elk geval vandaan.'

Opnieuw hoorde hij Chiara's stem. Ze was een hele tijd aan het woord. Toen was Paola er weer. 'Sorry, Guido. Chiara gaat wandelen en ze kon haar trui niet vinden.' Dat woord maakte Brunetti nog bewuster van de hitte die in het appartement hing, zelfs met alle ramen open.

'Paola, heb jij Padovani's nummer? Ik heb hier in het telefoonboek gekeken, maar het staat er niet in.' Hij wist dat ze niet zou vragen waarom hij het nummer wilde hebben, dus legde hij uit: 'Hij is de enige die ik kan bedenken om vragen te stellen over de homowereld hier.'

'Hij woont al jaren in Rome, Guido.'

'Dat weet ik ook wel, Paola, maar hij heeft hier een huis waar hij eens in de zo veel maanden komt om tentoonstellingen te recenseren, en zijn familie woont hier nog.'

'Nou, misschien,' zei ze, en ze slaagde erin nog steeds totaal niet overtuigd te klinken. 'Wacht even, dan pak ik mijn adresboekje.' Ze legde de telefoon neer en was zo lang weg dat Brunetti begon te denken dat het adresboekje in een andere kamer, misschien zelfs in een ander gebouw lag. Eindelijk kwam ze weer aan de lijn. 'Guido, zijn nummer in Venetië is 5224404. Als je hem spreekt, doe hem dan de groeten van me.'

'Ja, dat zal ik doen. Waar is Raffi?'

'O, die was verdwenen zodra we de koffers hadden neergezet. Ik verwacht niet dat ik hem voor het avondeten terugzie.'

'Doe hem de groeten van me. Ik bel je van de week.' Met wederzijdse beloftes elkaar op te bellen en nog een herinnering aan de insalata di calamari hingen ze op, en Brunetti bedacht hoe vreemd het was dat een man een week lang wegging zonder zijn vrouw te bellen. Misschien was het anders als er geen kinderen waren, maar hij dacht van niet.

Hij belde Padovani's nummer en kreeg, zoals tegenwoordig steeds vaker in Italië, een antwoordapparaat waarop stond dat professore Padovani op dit moment niet aan de telefoon kon komen, maar zo snel mogelijk zou terugbellen. Brunetti liet een bericht achter waarin hij Padovani vroeg om hem terug te bellen, en hing op.

Hij liep naar de keuken en pakte de inmiddels veelbesproken insalata uit de ijskast. Hij haalde het plastic folie ervan af en pakte met zijn vingers een stukje inktvis. Terwijl hij daarop kauwde, pakte hij een fles Soave uit de ijskast en schonk zichzelf een glas in. Met de wijn in de ene hand en de salade in de andere ging hij op het terras zitten en hij zette ze allebei op de lage glazen tafel. Omdat hij het brood was vergeten, ging hij weer naar de keuken om een *panino* te pakken, en toen hij daar was, dacht hij ineens aan beschaving, dus haalde hij een vork uit de bovenste la.

Weer op het terras scheurde hij een stuk van het brood, legde er een stukje inktvis op en stopte het in zijn mond. Natuurlijk hadden banken dingen te doen op zaterdag – geld hield geen vakantie. En natuurlijk wilde degene die in het weekend aan het werk was niet gestoord worden door de telefoon, dus zou hij zeggen dat de beller verkeerd verbonden was en het volgende telefoontje niet beantwoorden. Om niet gestoord te worden.

Er zat wat meer selderij in de salade dan hij lekker vond, dus duwde hij de kleine blokjes met zijn vork naar de rand van de kom. Hij schonk zichzelf nog wat wijn in en dacht aan de Bijbel. Ergens, hij dacht in Marcus, stond een passage over Jezus' verdwijning toen hij terugging naar Nazareth nadat hij voor het eerst was meegenomen naar Jeruzalem. Maria dacht dat hij bij Jozef was, die met de mannen reisde, terwijl die heilige dacht dat de jongen bij zijn moeder en de vrouwen was. Pas toen hun karavaan stopte voor de nacht spraken ze elkaar en ontdekten ze dat Jezus nergens te vinden was: hij bleek nog in Jeruzalem te zijn, tussen de schriftgeleerden in de tempel. De Banca di Verona dacht dat Mascari in Messina was; daarom moest het kantoor in Messina hebben aangenomen dat hij ergens anders was, anders hadden ze vast gebeld om navraag te doen.

Hij ging naar de woonkamer en zag een van Chiara's

schriften op tafel liggen, tussen een aantal pennen en potloden. Hij bladerde het schrift door; toen hij zag dat het leeg was en omdat hij de afbeelding van Mickey Mouse op de kaft leuk vond, nam hij het met een van de pennen mee naar het terras.

Hij begon een lijstje te maken van dingen die hij op maandagochtend moest doen. De Banca di Verona bellen om te zien waar Mascari naartoe had moeten gaan, en die bank dan bellen om te zien wat voor reden er was gegeven waarom hij niet was komen opdagen. Uitzoeken waarom nog niet bekend was waar de schoenen en de jurk vandaan kwamen. Beginnen te graven in Mascari's verleden, zowel persoonlijk als financieel. En het sectierapport nog eens bekijken, of er iets in werd gezegd over die geschoren benen. Hij moest ook informeren naar wat Vianello te weten was gekomen over de Lega en over avvocato Santomauro.

Hij hoorde de telefoon gaan en, in de hoop dat het Paola was maar wetend dat dat niet kon, ging hij naar binnen om op te nemen.

'Ciao, Guido, met Damiano. Ik heb je bericht gehoord.'

'Waar ben je professor in?' vroeg Brunetti.

'O dat,' antwoordde de journalist luchtig. 'Ik vond het wel leuk klinken, dus probeer ik het deze week op mijn antwoordapparaat. Hoezo? Vind je het niet leuk?'

'Natuurlijk vind ik het leuk,' zei Brunetti automatisch. 'Het klinkt geweldig. Maar waar ben je nou professor in?'

Aan Padovani's kant van de lijn volgde een lange stilte. 'Ik heb ooit schilderles gegeven aan een meisjesschool, in de jaren zeventig. Telt dat, denk je?'

'Vast wel,' zei Brunetti toegeeflijk.

'Nou, misschien is het tijd om de boodschap te veranderen. Hoe vind je *commendatore* klinken? Commendatore Padovani? Ja, dat bevalt me geloof ik wel. Zal ik het bericht veranderen, en dat je me dan terugbelt?'

'Nee, liever niet, Damiano. Ik wil je graag over iets anders spreken.'

'Ook goed. Ik doe er eindeloos over om zo'n boodschap te vervangen. Je moet zo veel knopjes indrukken. De eerste keer dat ik het deed, heb ik mezelf opgenomen terwijl ik stond te schelden op het apparaat. Een week lang liet niemand een bericht achter, zodat ik dacht dat dat ding het niet deed en daarom heb ik mezelf gebeld vanuit een telefooncel. Schokkend, de taal die dat apparaat uitsloeg. Ik ben naar huis gevlogen en heb meteen de boodschap veranderd. Maar het is nog steeds heel ingewikkeld. Weet je zeker dat je me niet over twintig minuten wilt terugbellen?'

'Nee, liever niet, Damiano. Heb je nu tijd om te praten?'

'Voor jou, Guido, ben ik, zoals een Engelse dichter in een volstrekt andere context zegt: "... *as free as the road, as loose as the wind*".'

Brunetti wist dat hij moest vragen wat de ander bedoelde, maar dat deed hij niet. 'Het kan wel even duren. Zou je vanavond met me uit eten willen?'

'En Paola dan?'

'Die is met de kinderen naar de bergen.'

Het was even stil bij Padovani, een stilte die Brunetti alleen maar kon interpreteren als zeer speculatief. 'Ik ben hier bezig met een moordonderzoek, en het hotel is al maanden geleden gereserveerd, dus zijn Paola en de kinderen naar Bolzano gegaan. Als ik hier op tijd mee klaar ben, ga ik ook. Daarom heb ik jou gebeld. Ik dacht dat je me misschien zou kunnen helpen.'

'Bij een moordonderzoek? O, wat spannend. Sinds dat aidsgedoe heb ik zo weinig te maken gehad met criminele kringen.'

'Tsja,' zei Brunetti, die even niet wist hoe hij hier gepast op moest reageren. 'Zullen we samen uit eten gaan? Jij mag zeggen waar.'

Daar dacht Padovani even over na en toen zei hij: 'Guido, morgen vertrek ik naar Rome en ik heb een huis vol eten. Vind je het goed om hiernaartoe te komen om het te helpen opmaken? Het is niets bijzonders, alleen maar pasta en wat ik verder nog in huis heb.'

'Dat is prima. Vertel maar waar je woont.'

'In Dorsoduro. Ken je de Ramo ai Incurabili?'

Dat was een kleine campo met een spuitende fontein, vlak achter de Zattere. 'Ja, die ken ik wel.'

'Als je met je rug naar de fontein staat en naar het grachtje kijkt, is het de eerste deur rechts.' Deze omschrijving was veel duidelijker dan als hij een straatnaam of nummer had gegeven, en elke Venetiaan zou het huis zonder problemen kunnen vinden.

'Goed, hoe laat?'

'Om acht uur.'

'Zal ik iets meenemen?'

'Alsjeblieft niet. Alles wat je meeneemt, moeten we alleen maar opeten, en ik heb hier al genoeg voor een weeshuis. Niets. Alsjeblieft niet.'

'Goed. Dan zie ik je om acht uur. En bedankt, Damiano.'

'Graag gedaan. Waar wil je iets over weten? Of moet ik zeggen: over wie? Dan kan ik mijn geheugen afgrazen, of heb ik misschien zelfs tijd om wat telefoontjes te plegen.'

'Twee mannen. Leonardo Mascari...'

'Nooit van gehoord,' onderbrak Padovani hem.

'En Giancarlo Santomauro.'

Padovani floot. 'Ah, dus jullie zijn eindelijk de vrome avvocato op het spoor?'

'Ik zie je om acht uur,' zei Brunetti.

'Pestkop,' zei Padovani lachend en hij hing op.

Om acht uur die avond belde Brunetti, fris gedoucht en geschoren en met een fles Barbera in de hand, rechts van de kleine fontein op de Ramo ai Incurabili aan. De gevel van het gebouw, die maar één bel had en dan ook de grootst denkbare luxe was, een woonhuis met maar één eigenaar, was begroeid met jasmijn die uit twee terracotta potten aan weerszijden van de deur omhoogklom en de omgeving vervulde met een heerlijke geur. Padovani deed bijna meteen open en stak zijn hand uit naar Brunetti. Zijn grip was warm en stevig, en met Brunetti's hand nog steeds in de zijne trok hij hem naar binnen. 'Kom, weg uit die warmte. Ik lijk wel gek dat ik in deze hitte terugga naar Rome, maar mijn flat daar heeft tenminste airconditioning.'

Hij liet Brunetti's hand los en deed een stap achteruit. Onvermijdelijk, en zonder het al te duidelijk te doen, probeerden ze te zien wat er allemaal was veranderd, zoals iedereen die elkaar lange tijd niet heeft gezien. Was de ander dikker, dunner, grijzer, ouder geworden?

Brunetti, die zag dat Padovani nog steeds op de stevige schurk leek die hij heel duidelijk niet was, bekeek nu de kamer waarin ze stonden. Het centrale deel daarvan was twee verdiepingen hoog, tot aan een dak waarin dakramen waren gezet. Deze open ruimte werd aan drie kanten omringd door een open loggia die via een open houten trap te bereiken was. De vierde kant was dicht; daarachter moest de slaapkamer zich bevinden.

146

'Wat is dit geweest, een boothuis?' vroeg Brunetti, die aan het grachtje dacht dat vlak langs het huis liep. Boten die gerepareerd moesten worden, konden er makkelijk naar binnen worden getrokken.

'Heel goed. Inderdaad. Toen ik het kocht, werd hierbinnen nog steeds aan boten gewerkt, en in het dak zaten gaten zo groot als watermeloenen.'

'Hoe lang heb je het al?' vroeg Brunetti, terwijl hij rondkeek en een ruwe schatting maakte van de hoeveelheid werk en geld die erin moest zijn gaan zitten voor het huis eruitzag zoals het nu was.

'Acht jaar.'

'Je hebt een hoop gedaan. En wat een mazzel dat je geen buren hebt.' Brunetti gaf hem de fles, gewikkeld in wit vloeipapier.

'Ik zei dat je niets mee moest nemen.'

'Dit kan niet bederven,' zei Brunetti met een glimlach.

'Dank je, maar het had niet gehoeven,' zei Padovani, al wist hij dat het voor iemand die kwam eten net zo onmogelijk was om met lege handen aan te komen als het voor de gastheer was om kaf en brandnetels te serveren. 'Maak het je gemakkelijk en kijk maar wat rond, dan ga ik me aan het eten wijden,' zei Padovani, terwijl hij naar een deur met een glas-in-loodraam liep die naar de keuken leidde. 'Ik heb ijs in de emmer gedaan voor als je een borrel wilt.'

Hij verdween achter de deur en Brunetti hoorde de bekende geluiden van pannen en deksels en stromend water. Toen hij naar beneden keek, zag hij dat er donker eikenhouten parket op de vloer lag; de aanblik van een halve cirkel schroeivlekken op de vloer voor de open haard gaf Brunetti een vreemd gevoel, omdat hij niet kon besluiten of hij het verkiezen van comfort boven voorzichtigheid kon waarderen, of dat hij het verpesten van zo'n perfecte vloer verfoeide. In het stucwerk boven de haard was een lange houten balk geplaatst, en daarover dartelde een bonte stoet aardewerken poppetjes uit de *Commedia dell'Arte*. Twee muren hingen vol met schilderijen; er was geen poging gedaan om ze naar stijl of school te ordenen: ze hingen aan de muur en streden om de aandacht van de toeschouwer. Uit de hevigheid van de concurrentie bleek met hoeveel smaak ze waren uitgekozen. Hij zag een Guttoso, een schilder waar hij nooit zo van had gehouden, en een Morandi, waar hij wel van hield. Er hingen drie Ferruzzi's, die de schoonheid van de stad allemaal uitbundig weergaven. Dan hing er, iets links van de open haard, een madonna, duidelijk Florentijns en waarschijnlijk vijftiende-eeuws, die verrukt neerkeek op de zoveelste lelijke baby. Een van de geheimen die Paola en Brunetti nooit aan anderen verklapten was hun decennialange zoektocht naar het lelijkste Christuskind in de westerse kunst. Op dit moment was die titel in handen van een wel heel afstotelijke zuigeling in zaal 13 van de Pinacoteca di Siena. Hoewel de baby waar Brunetti voor stond duidelijk geen schoonheid was, liep de titel van Siena geen gevaar. Langs één muur liep een lange plank van bewerkt hout die ooit in een klerenkast of kabinet moest hebben gezeten. Erbovenop stond een rij bontgekleurde aardewerken kommen, waaraan door de strenge geometrische patronen en zwierige kalligrafie duidelijk te zien was dat ze islamitisch waren.

De deur ging open en Padovani kwam de kamer weer binnen. 'Wil je geen borrel?'

'Nee, een glas wijn zou lekker zijn. Ik houd er niet van om te drinken als het zo warm is.'

'Ik begrijp wat je bedoelt. Dit is de eerste zomer in drie jaar dat ik hier ben, en ik was vergeten hoe vreselijk het kan zijn. Sommige nachten, als ik aan de andere kant van het Canal Grande ben en het laagtij is, heb ik het gevoel dat ik moet kotsen van de stank.'

'Heb je dat hier dan niet?' vroeg Brunetti.

'Nee, het Canale della Giudecca is waarschijnlijk dieper of stroomt sneller of zoiets. Bij ons stinkt het niet. Nog niet, tenminste. God mag weten wat er met de lagune gebeurt als ze de kanalen blijven uitgraven voor die monstertankers, of hoe heten die dingen, supertankers?'

Nog steeds pratend liep Padovani naar de lange houten tafel, dekte die voor twee en schonk twee glazen in uit een fles Dolcetto die al open op tafel stond. 'Iedereen denkt dat de stad ten onder gaat aan een of andere grote overstroming of natuurramp. Volgens mij is het antwoord veel eenvoudiger,' zei hij, terwijl hij terugliep naar Brunetti en hem een glas gaf.

'En dat is?' vroeg Brunetti terwijl hij een slok wijn nam, die hij lekker vond.

'Volgens mij hebben we de zeeën de vernieling in geholpen, het is maar een kwestie van tijd voor ze beginnen te stinken. En omdat de lagune niet meer is dan een zeegat van de Adriatische Zee, die zelf een zeegat is van de Middellandse Zee, die… nou, je begrijpt wat ik bedoel. Ik denk dat het water gewoon doodgaat, en dan zullen wij óf de stad moeten verlaten, óf de kanalen moeten dempen, maar dan heeft het helemaal geen zin meer om hier te wonen.'

Het was een verfrissende theorie en niet minder grimmig dan de vele die hij eerder had gehoord, dan de vele die hij half geloofde. Iedereen had het voortdurend over de ophanden zijnde ondergang van de stad, en toch verdubbelden de prijzen van de appartementen elke paar jaar, en de huur van de appartementen die beschikbaar waren bleef maar stijgen, ver boven de prijs die de gemiddelde arbeider ervoor kon betalen. Venetianen hadden tijdens de kruistochten, de pest en allerlei bezettingen door buitenlandse legers onroerend goed gekocht en verkocht, dus je kon er eigenlijk wel van uitgaan dat ze dat zouden blijven doen, wat voor ecologische ramp hun ook te wachten stond.

'Alles is klaar,' zei Padovani terwijl hij in een van de diepe leunstoelen ging zitten. 'Ik hoef alleen nog maar de pasta in het water te gooien. Maar vertel eens wat je van me wilt, dan heb ik tijdens het roeren iets om over na te denken.'

Brunetti ging op de bank tegenover Padovani zitten. Hij nam nog een slok wijn en begon, waarbij hij zijn woorden zorgvuldig afwoog: 'Ik heb reden om aan te nemen dat Santomauro te maken heeft met een travestie-prostitué die in Mestre woont en waarschijnlijk ook werkt.'

'Wat bedoel je met "te maken met"?' vroeg Padovani op neutrale toon.

'Seksueel,' zei Brunetti simpelweg. 'Maar hij beweert dat hij zijn advocaat is.'

'Het een sluit het ander toch niet uit?'

'Nee. Niet echt. Maar sinds ik hem in het gezelschap van deze jongeman heb aangetroffen, probeert hij te voorkomen dat ik onderzoek naar hem doe.'

'Naar welke hem?'

'De jongeman.'

'Op die manier,' zei Padovani, terwijl hij een slok wijn nam. 'Verder nog iets?'

'De andere naam die ik je noemde, Leonardo Mascari, is

de man die maandag in het veld in Mestre is gevonden.'

'De travestiet?'

'Daar ziet het wel naar uit.'

'En wat is het verband tussen die twee?'

'De jongeman, Santomauro's cliënt, ontkende dat hij Mascari herkende. Maar hij kende hem wel.'

'Hoe weet je dat?'

'Dat zul je van me moeten aannemen, Damiano. Dat weet ik gewoon. Ik heb het te vaak gezien om het niet te weten. Hij herkende zijn foto en deed toen alsof het niet zo was.'

'Hoe heette die jongen?' vroeg Padovani.

'Dat mag ik niet zeggen.' Er viel een stilte.

'Guido,' zei Padovani uiteindelijk, terwijl hij zich voor-overboog, 'ik ken wat van die jongens in Mestre. In het verleden kende ik er een hele hoop. Als ik je homoadviezen moet geven in deze zaak,' zei hij zonder enige ironie of ran-cune, 'dan moet ik weten hoe hij heet. Ik verzeker je dat ik niets van wat je me vertelt, zal doorvertellen, maar ik kan pas verbanden leggen als ik weet hoe hij heet.' Brunetti zei nog steeds niets. 'Guido, jij hebt mij gebeld. Ik heb jou niet gebeld.' Padovani stond op. 'Ik ga de pasta in het water doen. Over een kwartiertje?'

Terwijl Brunetti wachtte tot Padovani terugkwam uit de keuken, bekeek hij de boeken die één wand vulden. Hij pakte er een over Chinese archeologie en nam het mee naar de bank, bladerde het door totdat hij de deur open hoorde gaan en Padovani de kamer weer in zag lopen.

'*A tavola, tutti a tavola. Mangiamo,*' riep Padovani. Bru-netti deed het boek dicht, legde het weg en liep naar de tafel om te gaan zitten. 'Ga jij daar maar zitten, aan de linker-kant,' zei Padovani. Hij zette de schaal neer en begon onmiddellijk een berg pasta op het bord van Brunetti te scheppen.

Brunetti keek, wachtte tot Padovani zichzelf had opgeschept en begon te eten. Tomaat, ui, blokjes *pancetta* en misschien een snufje *pepperoncino*, allemaal vermengd met *penne rigate*, zijn favoriete gedroogde pasta.

'Heerlijk,' zei hij oprecht. 'Die pepperoncino is lekker.'

'Ah, mooi. Ik weet nooit of mensen het te heet zullen vinden.'

'Nee, het is precies goed,' zei Brunetti terwijl hij doorat. Toen hij zijn portie op had en Padovani nog meer op zijn bord schepte, zei Brunetti: 'Hij heet Francesco Crespo.'

'Ik had het kunnen weten,' zei Padovani met een vermoeide zucht. Toen vroeg hij, op veel geïnteresseerder toon: 'Weet je zeker dat er niet te veel pepperoncino in zit?'

Brunetti schudde zijn hoofd en at zijn tweede portie op, hield zijn hand boven zijn bord toen Padovani naar de opscheplepel reikte.

'Ik zou nog maar wat nemen. Verder is er bijna niets,' drong Padovani aan.

'Nee, echt niet, Damiano.'

'Dan moet je het zelf weten, maar Paola moet mij de schuld niet geven als jij vergaat van de honger terwijl zij weg is.' Hij pakte hun twee borden, zette ze in de schaal en liep terug naar de keuken.

Hij zou nog twee keer terugkomen voor hij weer ging zitten. De eerste keer kwam hij met gebraden gehakt van kalkoenborst gewikkeld in pancetta en omringd door aardappelen, en de tweede keer met geroosterde paprika's overgoten met olijfolie en een grote schaal gemengde groene sla. 'Meer is er niet,' zei hij toen hij ging zitten, en Brunetti nam aan dat hij dat moest opvatten als een verontschuldiging.

Brunetti bediende zich van het kalkoengehakt en de aardappelen en begon te eten.

Padovani schonk hun glazen vol en nam zelf ook van de kalkoen en de aardappelen. 'Crespo komt oorspronkelijk uit Mantua, geloof ik. Hij is een jaar of vier geleden naar Padua verhuisd om farmacologie te studeren. Maar hij ontdekte al snel dat het veel interessanter was om zijn natuurlijke neigingen te volgen en zich te vestigen als hoer, en hij kwam er heel rap achter dat hij dat het best kon doen door een oudere man te zoeken die hem zou onderhouden. Je kent het wel: een appartement, een auto, een berg geld voor kleren, en in ruil hoefde hij er alleen maar te zijn als de man die de rekeningen betaalde weg kon van de bank of de gemeenteraadsvergadering of zijn vrouw. Volgens mij was hij toen nog maar een jaar of achttien. En knap, heel knap.' Padovani zweeg even, met zijn vork in de lucht. 'Hij deed me toen een beetje denken aan de Bacchus van Caravaggio: beeldschoon, maar te gewiekst en op het randje van corruptie.'

Padovani bood Brunetti wat paprika's aan en nam er zelf ook een paar. 'Het laatste wat ik uit de eerste hand over hem heb gehoord, is dat hij iets had met een accountant uit Treviso. Maar Franco heeft het nooit bij één persoon kunnen houden, dus heeft de accountant hem op straat gezet. Hem in elkaar geslagen, geloof ik, en toen op straat gezet. Ik weet niet wanneer hij met dat travestiegedoe is begonnen; dat soort dingen heeft me nooit echt geïnteresseerd. Eigenlijk denk ik dat ik er niets van begrijp. Als je een vrouw wilt, neem dan een vrouw.'

'Misschien is het een manier om jezelf voor de gek te houden dat het een vrouw is,' opperde Brunetti vanuit Paola's theorie, die hem nu wel plausibel voorkwam.

'Misschien. Maar wel triest, hè?' Padovani schoof zijn bord opzij en leunde achterover. 'Ik bedoel, we houden onszelf voortdurend voor de gek, over of we van iemand houden, of waarom we dat doen, of waarom we de leugens vertellen die we vertellen. Maar je zou toch denken dat we op zijn minst eerlijk kunnen zijn over met wie we naar bed willen. Dat lijkt me toch het minste.' Hij pakte de sla en strooide er zout over, schonk gul olijfolie over de bladeren en voegde er toen een flinke scheut azijn aan toe.

Brunetti gaf hem zijn bord en nam het schone slabord aan dat hij ervoor in de plaats kreeg. Padovani duwde de schaal naar hem toe. 'Tast toe. Er is geen dessert. Alleen maar fruit.'

'Ik ben blij dat je niet zo veel moeite hebt hoeven doen,' zei Brunetti, en Padovani moest lachen.

'Nou, ik had dit echt allemaal in huis. Behalve het fruit.'

Brunetti nam een kleine portie sla; Padovani nam nog minder.

'Wat weet je nog meer over Crespo?' vroeg Brunetti.

'Ik heb gehoord dat hij zich verkleedde, dat hij zichzelf Francesca noemde. Maar ik wist niet dat hij geëindigd was op de Via Cappuccina. Of waren het de openbare parken in Mestre?' vroeg hij.

'Allebei,' antwoordde Brunetti. 'En ik weet niet of hij daar is geëindigd. Het adres dat hij heeft opgegeven is heel chic, en zijn naam staat buiten op de deur.'

'Iedereen kan zijn naam op de deur zetten. Het hangt ervan af wie de huur betaalt,' zei Padovani, die blijkbaar meer ervaring had met dat soort dingen.

'Je zult wel gelijk hebben,' zei Brunetti.

'Verder weet ik niet zoveel over hem. Hij is geen kwade

jongen, tenminste niet toen ik hem kende. Maar achterbaks, en makkelijk te misleiden. Dat soort dingen verandert niet, dus hij kan makkelijk tegen je liegen als hij denkt dat hij daar zijn voordeel mee kan doen.'

'Zoals de meeste mensen met wie ik te maken heb,' zei Brunetti.

Met een glimlach voegde Padovani daaraan toe: 'Zoals de meeste mensen met wie we bijna altijd te maken hebben.'

Brunetti moest lachen om de wrange waarheid hiervan.

'Ik ga het fruit halen,' zei Padovani terwijl hij de slaborden opstapelde en ze van tafel haalde. Hij was al snel terug met een zachtblauwe aardewerken schaal waarin zes perfecte perziken lagen. Hij gaf Brunetti opnieuw een van de kleine borden en zette de schaal voor hem neer. Brunetti pakte een van de perziken en begon hem met zijn mes en vork te schillen.

'Wat kun je me over Santomauro vertellen?' vroeg hij, met zijn blik gericht op de perzik die hij zat te schillen.

'Je bedoelt de voorzitter, of hoe hij zichzelf ook noemt, van de Lega della Moralità?' vroeg Padovani, en hij sprak die laatste woorden op plechtige toon uit.

'Ja.'

'Ik weet genoeg over hem om je te verzekeren dat het noemen van de Lega en de doelstellingen ervan in bepaalde kringen met hetzelfde gegiechel werd ontvangen als waarmee we keken hoe Rock Hudson de preutsheid van Doris Day belaagde of waarmee we nu kijken naar de uitdagender filmrollen van bepaalde levende acteurs, zowel die van onszelf als die uit Amerika.'

'Je bedoelt dat het algemeen bekend is?'

'Nou, ja en nee. Bij de meesten van ons wel, maar anders

dan politici respecteren we de regels van het fatsoen nog, en we klappen niet over elkaar uit de school. Als we dat wel deden, zou niemand de regering nog kunnen leiden, laat staan het Vaticaan.'

Brunetti was blij om de echte Padovani weer te zien opduiken, dat wil zeggen de luchtige kletskous van wie hij aannam dat het de echte Padovani was.

'Maar iets als de Lega? Zou hij zoiets onbeschaamds wel kunnen maken?'

'Dat is een goede vraag. Maar als je de geschiedenis van de Lega bekijkt, dan denk ik dat je tot de conclusie komt dat Santomauro, toen de Lega nog in de kinderschoenen stond, niet meer was dan de éminence grise van de beweging. Ik geloof zelfs niet eens dat zijn naam ermee werd geassocieerd, niet in een officiële functie tenminste, tot twee jaar geleden, en hij is pas vorig jaar een prominente rol gaan spelen, toen hij tot gastheer of regent werd gekozen, of hoe ze hun leider ook noemen. *Gran priore*? Zoiets pretentieus.'

'Waarom heeft niemand er toen iets van gezegd?'

'Ik denk omdat de meesten de Lega het liefst beschouwen als een grap. Ik denk dat dat een heel ernstige vergissing is.' Er klonk een ongebruikelijke ernst door in zijn stem.

'Waarom zeg je dat?'

'Omdat ik geloof dat groepen zoals de Lega de politiek van de toekomst zullen bepalen, groepen die grotere groeperingen uiteen willen drijven, die grote eenheden kleiner willen maken. Kijk maar eens naar Oost-Europa en Joegoslavië. Kijk maar naar onze eigen politieke *leghe*, die Italië weer in een heleboel kleinere, onafhankelijke stukken willen hakken.'

'Zou het kunnen dat je het erger voorstelt dan het is, Damiano?'

'Natuurlijk kan dat. De Lega della Moralità kan net zo goed een stelletje onschuldige oude dames zijn die het leuk vinden om bij elkaar te komen en te babbelen over hoe goed het vroeger allemaal was. Maar heeft iemand enig idee hoeveel leden ze hebben? Wat hun echte doel is?'

In Italië worden complottheorieën met de paplepel ingegoten, en geen enkele Italiaan ontkomt ooit aan de impuls om overal een complot in te zien. Bijgevolg wordt elke groepering die niet op enigerlei wijze met zichzelf te koop loopt, onmiddellijk van van alles verdacht, zoals vroeger de jezuïeten, zoals nu de Jehova's getuigen. Zoals de jezuïeten nog steeds, verbeterde Brunetti zichzelf. Complotten werkten zeker geheimhouding in de hand, maar Brunetti was niet bereid de stelling te geloven dat ook het tegenovergestelde opging en geheimhouding automatisch duidde op een complot.

'Nou?' drong Padovani aan.

'Nou wat?'

'Hoeveel weet je over de Lega?'

'Heel weinig,' gaf Brunetti toe. 'Maar als ik ze ergens van zou moeten verdenken, dan zou ik niet kijken naar hun doelstellingen, maar naar hun financiën.' In de twintig jaar dat Brunetti bij de politie werkte, had hij maar weinig nieuwe principes gekregen, maar een daarvan was zonder twijfel dat mensen altijd meer gedreven worden door geldzucht dan door nobele principes of politieke idealen.

'Ik betwijfel of Santomauro geïnteresseerd is in zoiets prozaïsch als geld.'

'Dami, iedereen is geïnteresseerd in geld, de meeste mensen worden erdoor gemotiveerd.'

'Nog los van motieven of doelen kun je ervan uitgaan dat

als Giancarlo Santomauro het wil leiden, er een luchtje aan zit. Dat is niet veel, maar het staat wel vast.'

'Wat weet je over zijn privéleven?' vroeg Brunetti, bedenkend hoeveel subtieler 'privé' klonk dan 'seksueel', wat hij eigenlijk bedoelde.

'Het enige wat ik weet zijn vermoedens die zijn gebaseerd op opmerkingen en kletspraat. Je weet hoe dat gaat.' Brunetti knikte. Dat wist hij zeker. 'Dan weet ik, wat ik, nogmaals, niet zeker weet – al weet ik het best – dat hij van jonge jongens houdt, hoe jonger hoe beter. Als je zijn verleden natrekt, zul je zien dat hij minstens eenmaal per jaar naar Bangkok ging. Zonder de formidabele signora Santomauro, zeg ik er meteen bij. Maar de afgelopen jaren heeft hij dat niet gedaan. Daar heb ik geen verklaring voor, maar ik weet wel dat een voorkeur als de zijne niet verandert. Die verdwijnt niet en kan alleen worden bevredigd door wat hij begeert.'

'Hoeveel is daar hier van, eh, beschikbaar?' Waarom was het zo makkelijk om met Paola over bepaalde dingen te praten, en zo moeilijk om dat met andere mensen te doen?

'Heel wat, al vind je de echte concentraties in Rome en Milaan.'

Hierover had Brunetti gelezen in politierapporten. 'Films?'

'Films, dat zeker, maar ook het echte werk, voor wie bereid is te betalen. Ik wilde ook zeggen: voor wie bereid is het risico te nemen, maar je kunt niet echt zeggen dat er risico's aan vastzitten, niet meer.'

Brunetti keek naar zijn bord en zag zijn perzik daar liggen, geschild maar onaangeroerd. Hij had er geen zin in. 'Damiano, als je het hebt over "jonge jongens", heb je dan een leeftijd in gedachten?'

Ineens moest Padovani glimlachen. 'Weet je, Guido, ik heb het eigenaardige gevoel dat je dit alles vreselijk gênant vindt.' Brunetti zei niets. 'Jong kan twaalf betekenen, maar het kan ook tien zijn.'

'O.' Er volgde een lange stilte, en toen vroeg Brunetti: 'Weet je het zeker van Santomauro?'

'Ik weet zeker dat hij die reputatie heeft, en de kans is klein dat het niet klopt. Maar ik heb geen bewijs, geen getuigen, niemand die er ooit een eed op zou doen.'

Padovani stond op van tafel en liep door de kamer naar een laag dressoir waar aan één kant flessen op stonden. 'Grappa?' vroeg hij.

'Graag.'

'Ik heb een heerlijke met perensmaak. Wil je 'm proberen?'

'Ja.'

Brunetti liep ook naar die kant van de kamer, nam het glas aan dat Padovani hem aanbood en ging weer op de bank zitten. Padovani liep terug naar zijn stoel en nam de fles mee.

Brunetti proefde. Geen peren: nectar.

'Het is te slap,' zei Brunetti.

'De grappa?' vroeg Padovani verward.

'Nee, nee, het verband tussen Crespo en Santomauro. Als Santomauro van jonge jongens houdt, dan zou Crespo gewoon zijn cliënt kunnen zijn en verder niets.'

'Heel goed mogelijk,' zei Padovani met een stem waaraan je kon horen dat hij dat niet vond.

'Ken je iemand die je meer informatie over een van beiden kan geven?' vroeg Brunetti.

'Santomauro en Crespo?'

'Ja. En Leonardo Mascari ook, of er ergens een verband tussen hen is.'

Padovani keek op zijn horloge. 'Het is te laat om de mensen te bellen die ik ken.' Brunetti keek op zijn horloge en zag dat het nog maar kwart over tien was. Waren het soms nonnen?

Padovani had zijn blik gezien en moest lachen. 'Nee, Guido, ze zijn allemaal de deur uit voor een leuke avond, een leuke nacht. Maar ik bel ze morgen wel vanuit Rome om te kijken wat ze weten of wat ze kunnen uitvissen.'

'Ik zou het op prijs stellen als geen van die mannen weet dat er vragen over ze worden gesteld.' Het was beleefd, maar het klonk stijf en ongemakkelijk.

'Guido, het zal zijn alsof er een nevel in de lucht is verspreid. Iedereen die Santomauro kent zal ervan smullen om door te kunnen vertellen wat ze over hem weten of hebben gehoord, en je kunt er net zo zeker van zijn dat niets daarvan hem ter ore komt. De gedachte alleen al dat hij misschien betrokken is bij vuile zaakjes zal een bron van tintelende vreugde zijn voor de mensen aan wie ik denk.'

'Dat is het hem nou juist, Damiano. Ik wil niet dat er gekletst wordt, zeker niet dat hij misschien ergens bij betrokken is, vooral niet bij vuile zaakjes.' Hij wist dat hij streng klonk toen hij dat zei, dus glimlachte hij en hield zijn glas op voor nog een grappa.

De nicht verdween en de journalist nam zijn plaats in. 'Goed dan, Guido. Ik zal niet dollen, en misschien bel ik andere mensen, maar dinsdag of woensdag moet ik wel wat informatie over hem kunnen hebben.'

Padovani schonk zichzelf nog een glas grappa in en nam er een slokje van. 'Je moet die Lega eens wat beter bekijken, Guido, tenminste uitzoeken wie er lid van zijn.'

'Je maakt je er echt zorgen over, hè?' vroeg Brunetti.

'Ik maak me zorgen over elke groepering die ervan uitgaat dat ze superieur is aan andere mensen, op welke manier dan ook.'

'De politie?' vroeg Brunetti met een glimlach, in een poging de stemming van de ander te verbeteren.

'Nee, niet de politie, Guido. Die vindt niemand superieur, en ik denk dat de meesten van jouw mannen dat ook niet vinden.' Hij dronk zijn glas leeg, maar schonk zichzelf niets meer in. In plaats daarvan zette hij het glas en de fles naast zijn stoel op de grond. 'Ik moet altijd denken aan Savonarola,' zei hij. 'Die wilde aanvankelijk ook de boel verbeteren, maar de enige manier die hij kon bedenken was alles kapot te maken wat hem niet beviel. Uiteindelijk denk ik dat alle fanatici net zijn zoals hij, zelfs de *ecologisti* en de *femministi*. Die willen aanvankelijk een betere wereld, maar uiteindelijk willen ze die bereiken door alles in de wereld te verwijderen wat niet overeenstemt met hun idee van hoe de wereld eruit moet zien. Net als Savonarola zullen ze allemaal eindigen op de brandstapel.'

'En dan?' vroeg Brunetti.

'O, de rest van ons zal zich er op de een of andere manier wel doorheen slaan.'

Het was niet echt een filosofische verklaring, maar Brunetti vond het een voldoende optimistische noot om de avond mee af te sluiten. Hij stond op, wisselde de gebruikelijke beleefdheden uit met zijn gastheer en ging naar huis, naar zijn eenzame bed.

# 15

Een andere reden waarom Brunetti er niet zo warm voor liep om naar de bergen te gaan, was dat dit zijn zondag was om zijn moeder op te zoeken; zijn broer Sergio en hij wisselden elkaar in de weekenden af of gingen, als dat nodig was, in elkaars plaats. Dit weekend zat Sergio met zijn gezin op Sardinië, dus was Brunetti de enige die kon gaan. Ook al maakte het natuurlijk niet uit of hij wel of niet ging, toch ging hij, of Sergio ging. Omdat ze in Mira woonde, zo'n tien kilometer van Venetië, moest hij een bus en daarna een taxi nemen of een eind lopen om bij het *Casa di Riposo* te komen.

Omdat hij wist dat hij moest gaan, sliep hij slecht, uit zijn slaap gehouden door herinneringen, de hitte en de muggen. Om een uur of acht werd hij eindelijk wakker, en toen moest hij een beslissing nemen, een dilemma dat om de zondag terugkwam: zou hij voor of na de lunch gaan? Net als het bezoek zelf maakte dat geen enkel verschil, en vandaag speelde alleen de warmte een rol. Als hij tot vanmiddag wachtte, zou het alleen maar nog verstikkender zijn, dus besloot hij meteen te gaan.

Hij ging voor negenen van huis, liep naar de Piazzale Roma en had het geluk dat hij er een paar minuten voor het vertrek van de bus naar Mira aankwam. Omdat hij een van de laatsten was die instapten, moest hij staan en werd hij heen en weer geslingerd wanneer de bus een brug overstak en de doolhof van viaducten op reed die het verkeer boven Mestre langs of eromheen voerde.

Sommige gezichten in de bus kwamen hem bekend voor; vaak deelden een paar van hen een taxi vanaf het station in Mira of liepen ze bij beter weer, samen op vanaf het station, waarbij ze zelden over iets anders praatten dan over het weer. Op het station stapten er zes mensen uit de bus; er waren twee vrouwen bij die hij van gezicht kende, en ze besloten al snel om met z'n drieën een taxi te delen. Omdat de taxi geen airconditioning had, konden ze het over het weer hebben, en ze waren allemaal blij met die afleiding.

Voor het Casa di Riposo haalden ze ieder vijfduizend lire te voorschijn. De chauffeur gebruikte geen meter; iedereen die deze rit maakte, kende het tarief.

Ze gingen samen naar binnen, Brunetti en de twee vrouwen, nog steeds hun hoop uitsprekend dat de wind zou veranderen of dat er regen zou komen, en allemaal verontwaardigd vaststellend dat ze nog nooit een zomer als deze hadden meegemaakt, en hoe zou het de boeren vergaan als het niet snel ging regenen?

Hij wist de weg en liep naar de derde verdieping, terwijl de twee vrouwen elk huns weegs gingen op de tweede, waar de mannenkamers waren. Boven aan de trap zag hij Suor'Immacolata, zijn favoriet onder de zusters die hier werkten.

'*Buon giorno*, dottore,' zei ze glimlachend, terwijl ze door de gang naar hem toe liep.

'Buon giorno, zuster,' zei hij. 'U ziet er heel koel uit, alsof u totaal geen last hebt van de warmte.'

Daarop glimlachte ze, zoals elke keer als hij er met haar over grapte. 'Ach, jullie noorderlingen, jullie weten niet wat echt warm is. Dit is niets, niet meer dan wat lente in de lucht.' Suor'Immacolata kwam uit de bergen op Sicilië en was hier twee jaar geleden door haar congregatie naartoe overgeplaatst. Te midden van de angst, gekte en ellende die haar dagen vulden, had ze alleen maar moeite met de kou, maar haar opmerkingen erover waren altijd spottend en licht smalend, alsof het vergeleken met het werkelijke leed om haar heen absurd was om het over dat van haarzelf te hebben. Toen hij haar zag glimlachen, zag hij weer hoe mooi ze was: amandelvormige bruine ogen, een zachte mond en een smalle, verfijnde neus. Het was gek. De wereldse Brunetti, die zichzelf beschouwde als zinnelijk, had enkel oog voor haar gelofte van kuisheid, en kon niet begrijpen welk verlangen haar daartoe had gedreven.

'Hoe gaat het met haar?' vroeg hij.

'Ze heeft een goede week gehad, dottore.' Dat was volgens Brunetti alleen maar op een negatieve manier uit te leggen: ze had niemand aangevallen, niets kapotgemaakt, zichzelf niet toegetakeld.

'Eet ze?'

'Ja, dottore. Sterker nog, op woensdag is ze met de andere dames gaan lunchen.' Hij wachtte tot ze zou vertellen wat voor rampen zich daarbij hadden afgespeeld, maar Suor'Immacolata zei verder niets.

'Denkt u dat ik haar kan zien?' vroeg hij.

'O, zeker, dottore. Zal ik met u meegaan?' Zo mooi, de goedheid van vrouwen, zo zacht hun menslievendheid.

'Dank u, zuster. Misschien vindt ze het prettiger om u bij me te zien, als ik tenminste naar binnen kan.'

'Ja, dan wordt ze niet zo overvallen. Als ze eenmaal gewend is om iemand anders te zien, gaat het meestal goed. En als ze eenmaal merkt dat u het bent, dottore, dan is ze echt heel blij.'

Dat was niet waar. Dat wist Brunetti, en Suor'Immacolata wist het ook. Volgens haar geloof was het een zonde om te liegen, en toch vertelde ze Brunetti en zijn broer deze leugen elke week opnieuw. Later bad ze op haar knieën om vergeving voor het begaan van een zonde waartegen ze niet was opgewassen, en waarvan ze wist dat ze hem weer zou begaan. In de winter zette ze, na het bidden en voor het slapengaan, het raam van haar kamer open en haalde ze de enige deken die ze mocht hebben van haar bed. Maar elke week vertelde ze dezelfde leugen.

Ze draaide zich om en ging hem de bekende weg voor naar kamer 308. Aan de rechterkant van de gang zaten drie vrouwen in rolstoelen die tegen de muur waren gezet. Twee van hen beukten ritmisch tegen de armleuningen van hun stoel en sloegen wartaal uit, en de derde wiegde eindeloos van voor naar achter, als een krankzinnige menselijke metronoom. Toen hij voorbijliep, greep degene die altijd naar urine stonk Brunetti beet. 'Ben jij Giulio? Ben jij Giulio?' vroeg ze.

'Nee, signora Antonia,' zei Suor'Immacolata terwijl ze vooroverboog en over het korte witte haar van de oude vrouw streek. 'Giulio is net bij u op bezoek geweest. Weet u dat niet meer? Hij heeft dit schattige beestje voor u meegebracht,' zei ze, terwijl ze een kleine afgekloven teddybeer van de schoot van de vrouw pakte en in haar handen stopte.

De oude vrouw keek haar met een onzekere, altijd verwarde blik aan, een blik waaruit alleen de dood de verwarring kon wegnemen, en vroeg: 'Giulio?'

'Dat klopt, signora. Giulio heeft u de kleine *orsetto* gegeven. Wat is hij mooi, hè?' Ze gaf het beertje aan de oude vrouw, die het uit haar hand nam en aan Brunetti vroeg: 'Ben jij Giulio?'

Suor'Immacolata nam hem bij de arm en voerde hem weg, terwijl ze zei: 'Uw moeder heeft deze week de communie ontvangen. Daar leek ze veel steun aan te hebben.'

'Dat was ook vast zo,' zei Brunetti. Toen hij erbij stilstond, bedacht Brunetti dat hij, als hij hier kwam, hetzelfde met zijn lichaam deed als iemand die weet dat hij fysieke pijn gaat ervaren – een injectie, blootstelling aan bijtende kou: hij spant zijn spieren en concentreert zich, ten koste van elk ander gevoel, om weerstand te bieden aan de pijn die gaat komen. Maar in plaats van zijn spieren aan te spannen, merkte Brunetti dat hij zijn ziel aanspande, als je zoiets tenminste kon zeggen.

Ze bleven staan voor de deur van zijn moeders kamer, en herinneringen aan het verleden dromden om hem heen en sloegen als furiën op hem in: geweldige diners vol gelach en gezang, en zijn moeders heldere sopraan die overal bovenuit klonk; zijn moeder die in een woedende, hysterische huilbui uitbarstte toen hij haar vertelde dat hij met Paola wilde trouwen, en nog diezelfde avond zijn kamer binnen kwam om hem haar gouden armband te geven, haar enig overgebleven geschenk van Brunetti's vader, en zei dat die voor Paola was, omdat die armband altijd aan de vrouw van de oudste zoon moest toebehoren.

Hij zette een knop om en alle herinneringen vervlogen. Hij zag alleen maar de deur, de witte deur, en de witte rug van het habijt van Suor'Immacolata. Ze deed de deur open en ging naar binnen, waarbij ze de deur open liet staan.

'Signora,' zei ze, 'signora, uw zoon is hier voor u.' Ze liep de kamer door en ging naast de kromgebogen oude vrouw staan die bij het raam zat. 'Signora, is dat niet fijn? Uw zoon komt u bezoeken.'

Brunetti stond bij de deur. Toen Suor'Immacolata naar hem knikte, liep hij naar binnen, al liet hij de deur achter zich openstaan, zoals de ervaring hem had geleerd.

'Goedemorgen, dottore,' zei de non op luide toon, duidelijk articulerend. 'Wat ben ik blij dat u uw moeder komt opzoeken. Ziet ze er niet goed uit?'

Hij liep nog iets verder de kamer in en bleef staan, met zijn handen een eind bij zijn lichaam vandaan. '*Buon dì, mama,*' zei hij. 'Ik ben het, Guido. Ik kom je opzoeken. Hoe gaat het met je, mama?' Hij glimlachte.

De oude vrouw greep de arm van de non en trok haar naar beneden, fluisterde iets in haar oor zonder van Brunetti weg te kijken.

'O, nee, signora. Dat mag u niet zeggen. Hij is een aardige man. Het is uw zoon, Guido. Hij komt kijken hoe het met u gaat.' Ze streelde de hand van de oude vrouw, hurkte neer om dichter bij haar te zijn. De oude vrouw keek naar de non, zei nog iets tegen haar en keek toen weer naar Brunetti, die zich niet had verroerd.

'Dat is de man die mijn baby heeft vermoord,' riep ze plotseling. 'Ik ken hem. Ik ken hem. Die man heeft mijn baby vermoord.' Ze duwde zichzelf heen en weer in haar stoel. Ze verhief haar stem en begon te schreeuwen: 'Help, help, hij is terug om mijn baby's te vermoorden.'

Suor'Immacolata sloeg haar armen om de oude vrouw heen, hield haar stevig vast en fluisterde iets in haar oor, maar niets kon de angst en woede van de vrouw indammen. Ze duwde de non met zo veel kracht weg, dat die languit op de grond viel.

Suor'Immacolata krabbelde vlug op haar knieën en draaide zich om naar Brunetti. Ze schudde haar hoofd en maakte een gebaar naar de deur. Brunetti, die zijn handen duidelijk zichtbaar voor zich hield, liep langzaam achterwaarts de kamer uit en deed de deur dicht. Daarbinnen hoorde hij zijn moeders stem minutenlang hysterisch schreeuwen en toen langzaam rustiger worden. Daaronder hoorde hij, als mild tegenwicht, de zachtere, lagere stem van de jonge vrouw die de oude vrouw suste, kalmeerde en geleidelijk haar angst wegnam. Omdat er geen ramen op de gang waren, bleef Brunetti naar de deur staan kijken.

Na zo'n tien minuten kwam Suor'Immacolata de kamer uit en ging bij hem staan. 'Het spijt me, dottore. Ik vond echt dat het deze week beter met haar ging. Ze is heel stil geweest, eigenlijk al sinds ze de communie heeft ontvangen.'

'Dat geeft niets, zuster. Dit soort dingen gebeuren gewoon. U hebt zich toch niet bezeerd?'

'O, nee. Arme vrouw, ze wist niet wat ze deed. Nee, met mij gaat het prima.'

'Heeft ze nog iets nodig?' vroeg hij.

'Nee, ze heeft alles wat ze nodig heeft.' Het leek Brunetti dat zijn moeder niets had van wat ze nodig had, maar misschien kwam dat alleen maar omdát ze niets meer nodig had, en ook nooit meer iets nodig zou hebben.

'U bent heel goed, zuster.'

'Het is de Heer die goed is, dottore. Wij dienen Hem alleen maar.'

Brunetti kon hier niets op zeggen. Hij stak zijn hand uit en schudde de hare, hield hem een paar seconden vast en vouwde toen zijn andere hand eromheen. 'Dank u, zuster.'

'Moge de Heer u zegenen en kracht geven, dottore.'

## 16

Er was een week voorbijgegaan, dus het verhaal van Maria Lucrezia Patta was niet meer de zon waar de Questura van Venetië om draaide. In het weekend hadden er weer twee ministers ontslag genomen, en ze hielden ieder hardnekkig vol dat hun beslissing niets te maken had met het feit dat hun naam in verband was gebracht met het recentste omkoop- en corruptieschandaal. Net als de rest van Italië gaapte de Questura daar normaal gesproken om en bladerde dan door naar de sportpagina, maar omdat een van hen de minister van Justitie was, was het korps er bijzonder in geïnteresseerd, al was het alleen maar om te speculeren over welke andere hoofden er binnenkort van de trappen van de Quirinaal zouden rollen.

Hoewel dit een van de grootste schandalen in tientallen jaren was – was er ooit een klein schandaal geweest? – dacht iedereen dat het allemaal *insabbiata* zou worden, bedolven met zand, in de doofpot gestopt, net zoals alle andere schandalen in het verleden. Als een Italiaan dit bit eenmaal tussen zijn tanden kreeg, was er vrijwel geen houden meer aan, en meestal volgde er een hele rits zaken die met succes waren weggemoffeld: Ustica, PG2, de dood van paus Johannes Paulus I, Sindona. Hoe dramatisch het vertrek van Lucrezia Maria Patta uit de stad ook was, ze kon toch echt niet verwachten dat ze op hetzelfde niveau stond als dit illustere gezelschap, dus ging iedereen over tot de orde van de dag. Het enige nieuws was dat de travestiet die vorige week in Mestre was gevonden, de directeur van de Banca di Verona bleek te zijn. Wie had dat nou gedacht, van een bankdirecteur nog wel?

Een van de secretaresses van de afdeling paspoorten verderop in de straat had die ochtend in haar café gehoord dat die Mascari nogal bekend was in Mestre, en dat het jarenlang een publiek geheim was geweest wat hij deed als hij op zakenreis ging. Verder werd er in een ander café verteld dat zijn huwelijk een schijnhuwelijk was, het was alleen maar een dekmantel voor hem omdat hij bij een bank werkte. Iemand merkte nog op dat hij hoopte dat zijn vrouw dan tenminste dezelfde maat kleren had; waarom zou hij anders met haar zijn getrouwd? Een van de fruitverkopers in Rialto wist uit zeer betrouwbare bron dat Mascari altijd al zo was geweest, zelfs toen hij nog op school zat.

Aan het eind van de ochtend moest de publieke opinie even op adem komen, maar 's middags wist iedereen dat Mascari dood was als gevolg van de 'linke jongens' die hij opzocht, zelfs tegen de waarschuwingen in van de paar vrienden die op de hoogte waren van zijn geheime voorkeur, en dat zijn vrouw weigerde het lichaam op te eisen en een christelijke begrafenis te geven.

Brunetti had om elf uur een afspraak met de weduwe en ging naar haar toe zonder op de hoogte te zijn van de geruchten die door de stad gonsden. Hij belde de Banca di Verona en kreeg te horen dat hun kantoor in Messina een week eerder een telefoontje had gekregen van een man die zei dat hij Mascari was en uitlegde dat zijn bezoek misschien met twee weken, misschien met een maand moest worden uitgesteld. Nee, ze hadden niet de moeite gedaan dit telefoontje na te trekken, hadden geen reden gehad om te betwijfelen of het wel klopte.

Het appartement van de Mascari's bevond zich op de derde verdieping van een huizenblok achter de Via Garibaldi, de brede hoofdstraat van Castello. Toen ze de deur opendeed voor Brunetti, zag de weduwe er ongeveer net zo uit als twee dagen eerder, al droeg ze vandaag een zwart mantelpak en waren de tekenen van vermoeidheid om haar ogen uitgesprokener.

'Goedemorgen, signora. Wat vriendelijk van u om me vandaag te willen ontvangen.'

'Komt u alstublieft binnen,' zei ze, terwijl ze een stap achteruit deed.

Hij zei: 'Permesso,' liep het appartement binnen en had even het vreemde, totaal gedesoriënteerde gevoel dat hij hier al eens eerder was geweest. Pas toen hij om zich heen keek, realiseerde hij zich waar dat gevoel vandaan kwam: het appartement was bijna identiek aan dat van de oude vrouw aan de Campo San Bartolomeo en zag eruit als een huis waarin al generaties lang één familie woonde. Aan de andere kant van de kamer stond net zo'n zwaar dressoir tegen de muur, en de fluwelen bekleding van de twee stoelen en de bank had dezelfde kleur groen met vage patronen. Ook voor deze ramen waren de gordijnen dichtgetrokken om hetzij de zon, hetzij de blikken van nieuwsgierigen buiten te houden.

'Kan ik u iets te drinken aanbieden?' vroeg ze, duidelijk voor de vorm.

'Nee, dank u, signora, niets. Ik wil alleen maar wat van uw tijd. We moeten u wat vragen stellen.'

'Ja, dat weet ik,' zei ze en ze liep de kamer in. Ze ging op een van de rijk gestoffeerde stoelen zitten, en Brunetti nam de andere. Ze plukte een draadje van de armleuning van haar stoel, rolde er een balletje van en stopte dat zorgvuldig in de zak van haar jasje.

'Ik weet niet hoeveel u hebt gehoord van de geruchten die de ronde doen over de dood van uw man, signora.'

'Ik weet dat hij in vrouwenkleren is gevonden,' zei ze met een dunne, geknepen stem.

'Als u dat weet, zult u begrijpen dat we bepaalde vragen moeten stellen.'

Ze knikte en keek naar haar handen.

Hij kon er een botte of een gênante vraag van maken. Hij koos voor het laatste. 'Hebt u of had u enige aanwijzing dat uw man zich bezighield met dergelijke praktijken?'

'Ik begrijp niet wat u bedoelt,' zei ze, hoewel het heel duidelijk was wat hij bedoelde.

'Dat uw man aan travestie deed.' Waarom zou hij het woord 'travestie' niet gewoon noemen, dan hadden ze dat gehad.

'Dat is onmogelijk.'

Brunetti zei niets, maar wachtte op haar.

Het enige wat ze deed was nogmaals onaangedaan zeggen: 'Dat is onmogelijk.'

'Signora, heeft uw man ooit vreemde telefoontjes of brieven ontvangen?'

'Ik begrijp niet wat u bedoelt.'

'Heeft iemand hem ooit gebeld of gesproken, waarna hij bezorgd of afwezig overkwam? Of misschien een brief ontvangen? Kwam hij de laatste tijd bezorgd op u over?'

'Nee, niets van dat alles,' zei ze.

'Als ik dan mag terugkomen op mijn eerste vraag, signora, heeft uw man ooit laten doorschemeren dat hij zich misschien tot die richting voelde aangetrokken?'

'Tot mannen?' vroeg ze, met een stem die hoog klonk van ongeloof, en van iets anders. Afschuw?

'Ja.'

'Nee, niets. Wat vreselijk om zoiets te zeggen. Weerzinwekkend. Dat mag u niet zeggen over mijn echtgenoot. Leonardo was een man.' Brunetti zag dat ze haar handen stevig tot vuisten had gebald.

'Heb alstublieft geduld met mij, signora. Ik probeer alleen maar uit te zoeken wat er speelt, dus moet ik die vragen over uw man stellen. Dat wil niet zeggen dat ik het ook geloof.'

'Waarom stelt u ze dan?' vroeg ze, en haar stem klonk vechtlustig.

'Om de ware toedracht van de dood van uw man te kunnen achterhalen, signora.'

'Daar beantwoord ik geen vragen over. Dat is onfatsoenlijk.'

Hij wilde tegen haar zeggen dat een moord pas onfatsoenlijk was, maar in plaats daarvan vroeg hij: 'Maakte uw man de afgelopen weken op de een of andere manier een andere indruk op u?'

Zoals te voorzien was, zei ze: 'Ik begrijp niet wat u bedoelt.'

'Zei hij bijvoorbeeld iets over die reis naar Messina? Had hij zin om te gaan? Of juist niet?'

'Nee, hij was niet anders dan normaal.'

'En hoe was dat?'

'Hij moest erheen. Dat hoorde bij zijn werk, dus hij moest wel.'

'Heeft hij er iets over gezegd?'

'Nee, alleen maar dat hij erheen moest.'

'En hij belde u niet tijdens die reizen, signora?'

'Nee.'

'En waarom niet, signora?'

Ze leek te voelen dat hij het nu niet zou opgeven, dus antwoordde ze: 'Leonardo mocht persoonlijke telefoongesprekken van de bank niet opvoeren als onkosten. Soms belde hij een vriend op kantoor en vroeg hem om mij te bellen, maar niet altijd.'

'Ah, op die manier,' zei Brunetti. Directeur van een bank, en hij wilde niet betalen voor een telefoontje naar zijn vrouw.

'Hebben uw man en u kinderen, signora?'

'Nee,' antwoordde ze snel.

Brunetti liet het onderwerp rusten en vroeg: 'Had uw man speciale vrienden op de bank? U had het over een vriend die u belde; zou ik zijn naam mogen weten?'

'Waarom wilt u hem spreken?'

'Misschien heeft uw man iets gezegd op zijn werk, of misschien heeft hij iets losgelaten over wat hij van de reis naar Messina vond. Ik wil die vriend van uw man graag spreken en vragen of hij misschien iets heeft opgemerkt aan het gedrag van uw man.'

'Dat was vast niet zo.'

'Ik zou hem toch graag willen spreken, signora, als u me zijn naam zou willen geven.'

'Marco Ravanello. Maar hij zal u niets kunnen vertellen. Er was niets mis met mijn man.' Ze keek Brunetti fel aan en zei nog eens: 'Er was niets mis met mijn man.'

'Ik wil u niet nog eens lastigvallen, signora,' zei Brunetti terwijl hij opstond en een paar stappen naar de deur zette. 'Is de begrafenis geregeld?'

'Ja, de mis is morgen. Om tien uur.' Ze zei niet waar die plaats zou vinden, en Brunetti vroeg het niet. Die informatie was eenvoudig te achterhalen, en hij zou ernaartoe gaan.

Bij de deur bleef hij even staan. 'Hartelijk dank voor uw hulp, signora. Ik wil u graag mijn persoonlijke deelneming betuigen, en ik kan u verzekeren dat we alles in het werk zullen stellen om degene te vinden die verantwoordelijk is voor de dood van uw man.' Waarom klonk 'dood' toch altijd beter dan 'moord'?

'Mijn man was niet zo. Daar zult u nog wel achter komen. Hij was een man.'

Brunetti stak zijn hand niet uit, boog enkel zijn hoofd en verliet het appartement. Toen hij de trap af liep, moest hij denken aan de laatste scène uit *Het huis van Bernarda Alba*, waarin de moeder op het toneel tegen het publiek en de rest van de wereld staat te schreeuwen dat haar dochter als maagd is gestorven, als maagd! Voor Brunetti deed alleen hun dood ertoe; al het andere was ijdelheid.


Op de Questura vroeg hij Vianello mee te komen naar zijn kantoor. Omdat Brunetti's kamer zich twee verdiepingen hoger bevond, hadden ze daar meer kans om het beetje wind dat er stond op te vangen. Toen ze binnen waren, Brunetti de ramen had opengezet en zijn jasje had uitgetrokken, vroeg hij aan Vianello: 'En, heb je nog iets ontdekt over de Lega?'

'Nadia verwacht wel dat ze hiervoor op de loonlijst wordt gezet, dottore,' zei Vianello terwijl hij ging zitten. 'Ze heeft dit weekend meer dan twee uur aan de telefoon gezeten en vrienden uit de hele stad gesproken. Interessant, die Lega della Moralità.'

Brunetti wist dat Vianello het verhaal op zijn manier zou vertellen, maar hij besloot het proces wat te bespoedigen door te zeggen: 'Ik zal morgenochtend langs Rialto gaan om bloemen voor haar te kopen. Denk je dat dat genoeg is?'

'Ze heeft me liever volgende week zaterdag thuis,' zei Vianello.

'Waarvoor sta je ingeroosterd?' vroeg Brunetti.

'Ik moet op de boot zitten waarmee de minister van Milieu van het vliegveld wordt gehaald. We weten allemaal dat hij niet naar Venetië komt, dat hij op het allerlaatste moment afzegt. Denkt u dat hij het aandurft om hier midden in augustus te komen, als de hele stad stinkt van de algen, om het over hun geweldige nieuwe milieuprojecten te hebben?' Vianello lachte schamper; interesse voor de nieuwe partij de Groenen was eveneens een gevolg van zijn recente medische ervaringen. 'Maar ik wil niet graag mijn ochtend verspillen door naar het vliegveld te gaan om bij aankomst te horen dat hij niet komt.'

Brunetti begreep helemaal wat hij bedoelde. Om Vianello's woorden te gebruiken: de minister zou zich niet durven vertonen in Venetië, niet in de maand waarin de helft van de stranden aan de Adriatische kust was gesloten voor zwemmers omdat ze te vervuild waren, niet in een stad die net had gehoord dat de vissen die er veel werden gegeten gevaarlijk hoge concentraties kwik en andere zware metalen bevatten. 'Ik zal kijken wat ik kan doen,' zei Brunetti.

Tevreden met het vooruitzicht van iets beters dan bloemen, al wist hij best dat Brunetti die ook zou brengen, haalde Vianello zijn notitieboekje te voorschijn en begon het verslag voor te lezen dat zijn vrouw had gemaakt.

'De Lega is een jaar of acht geleden opgericht, niemand

weet precies door wie of met welk doel. Omdat wordt aangenomen dat ze aan liefdadigheid doen, bijvoorbeeld speelgoed naar weeshuizen brengen en maaltijden bij bejaarden thuisbezorgen, hebben ze altijd een goede reputatie gehad. In de loop der jaren hebben de stad en een paar kerken leegstaande appartementen door hen laten overnemen en toewijzen; ze laten er goedkoop, en soms gratis, bejaarden en in sommige gevallen gehandicapten wonen.' Vianello zweeg even, en voegde er toen aan toe: 'Omdat alle werknemers vrijwilligers zijn, hebben ze zichzelf mogen organiseren als liefdadigheidsinstelling.'

'Wat betekent,' onderbrak Brunetti hem, 'dat ze geen belasting hoeven te betalen en dat de regering ze met de gebruikelijke hoffelijkheid behandelt door hun financiën niet al te secuur te bekijken, als ze dat al doen.'

'Twee zielen, één gedachte, dottore.' Brunetti wist dat Vianello's politieke voorkeur was veranderd, maar gold dat ook voor zijn retoriek?

'Wat heel vreemd is, dottore, is dat Nadia niemand heeft kunnen vinden die echt lid was van de Lega. Niet eens die vrouw van de bank, is gebleken. Veel mensen zeiden dat ze iemand kenden van wie ze dachten dat hij lid was, maar als Nadia doorvroeg, bleek dat ze het niet zeker wisten. Twee keer heeft ze mensen gesproken van wie werd gezegd dat ze lid waren, maar die bleken dat niet te zijn.'

'En het liefdadigheidswerk?' vroeg Brunetti.

'Ook heel schimmig. Ze heeft de ziekenhuizen gebeld, maar geen een had ooit contact gehad met de Lega. Ik heb navraag gedaan bij maatschappelijk werk, bij de afdeling voor bejaarden, maar die hebben nooit gehoord dat iemand van de Lega iets voor bejaarden deed.'

'En de weeshuizen?'

'Ze heeft de moeder-overste gesproken van de orde die de drie grootste leidt. Die zei dat ze wel van de Lega had gehoord, maar er nooit hulp van had gekregen.'

'En de vrouw van de bank. Waarom dacht Nadia dat die er lid van was?'

'Omdat ze in een appartement woont dat wordt beheerd door de Lega. Maar ze is nooit lid geweest, en ze zei dat ze niemand kende die dat wel was. Nadia probeert nog steeds iemand te vinden die wel lid is.' Als Nadia die tijd ook opschreef, zou Vianello waarschijnlijk de rest van de maand vrij vragen.

'En Santomauro?' vroeg Brunetti.

'Iedereen schijnt te weten dat hij de baas is, maar niemand weet hoe hij dat is geworden. En interessant genoeg heeft ook niemand een idee wat het inhoudt om de baa

'Hebben ze geen vergaderingen?'

'Ze zeggen van wel. In parochiehuizen of bij par thuis. Maar nogmaals, Nadia heeft niemand kunnen vinde.. die er ooit eentje heeft bijgewoond.'

'Heb je de jongens van de Fiscale Recherche gesproken?'

'Nee, ik dacht dat Elettra dat wel zou doen.' Elettra? Wat was dit, de ongedwongenheid van een bekeerling?

'Ik heb signorina Elettra gevraagd om Santomauro op te zoeken in haar computer, maar ik heb haar vanochtend nog niet gezien.'

'Volgens mij zit ze in de archieven,' zei Vianello.

'En zijn professionele leven?' vroeg Brunetti.

'Eén groot succesverhaal. Hij vertegenwoordigt twee van de grootste bouwbedrijven van de stad, twee gemeenteraadsleden en minstens drie banken.'

'Is een daarvan de Banca di Verona?'

Vianello keek in zijn notitieboekje en sloeg een bladzijde terug. 'Ja. Hoe wist u dat?'

'Dat wist ik niet. Maar daar werkte Mascari.'

'Een en een is twee, hè?' zei Vianello.

'Politieke connecties?' vroeg Brunetti.

'Met twee gemeenteraadsleden als cliënt?' vroeg Vianello bij wijze van antwoord.

'En zijn vrouw?'

'Niemand weet veel over haar, maar iedereen denkt dat zij de drijvende kracht van het gezin is.'

'En is er een gezin?'

'Twee zoons. De ene is architect, de andere arts.'

'Het ideale Italiaanse gezin,' merkte Brunetti op, en toen vroeg hij: 'En Crespo? Wat heb je over hem ontdekt?'

'Hebt u zijn dossier uit Mestre gezien?'

'Ja. Je kent het wel. Drugs. Probeerde een klant af te persen. Niets gewelddadigs. Niets verrassends. Ben je verder nog iets te weten gekomen?'

'Niet veel meer dan dat,' antwoordde Vianello. 'Hij is twee keer in elkaar geslagen, maar allebei de keren zei hij dat hij niet wist door wie. Trouwens, de tweede keer,' hij bladerde een paar pagina's vooruit in zijn boekje, 'hier staat het. Hij zei dat hij was "belaagd door dieven".'

'"Belaagd"?'

'Dat stond in het rapport. Ik heb het overgeschreven zoals het er stond.'

'Hij moet een hoop boeken lezen, die signor Crespo.'

'Meer dan goed voor hem is, zou ik zeggen.'

'Heb je verder nog iets over hem ontdekt? Op wiens naam staat het contract van het appartement waar hij woont?'

'Nee, dat zal ik nakijken.'

'En kijk of je signorina Elettra kunt laten opzoeken of er iets te vinden is over de financiën van de Lega, of Santomauro, of Crespo, of Mascari. Belastingaangiften, bankafschriften, leningen. Dat soort informatie moet beschikbaar zijn.'

'Ze weet wel wat ze moet doen,' zei Vianello terwijl hij alles opschreef. 'Verder nog iets?'

'Nee. Laat maar weten zodra je iets hoort of als Nadia iemand gevonden heeft die lid is.'

'Ja, meneer,' zei Vianello terwijl hij opstond. 'Iets beters had niet kunnen gebeuren.'

'Hoe bedoel je?'

'Nadia begint het leuk te vinden. U weet hoe ze al jaren protesteert, dat ze het niet leuk vindt als ik 's avonds of in het weekend moet werken. Maar toen ze de smaak eenmaal te pakken had, beet ze zich er als een pitbull in vast. En u had haar aan de telefoon moeten horen. Ze kon alles lospeuteren bij mensen. Jammer dat we geen freelancers inhuren.'

## 17

Als hij voortmaakte, kon Brunetti nog voor sluitingstijd bij
de Banca di Verona zijn, tenminste, als een kantoor dat opereerde vanaf een eerste verdieping en geen ruimte scheen te
hebben om de openbare verplichtingen van een bank in te
vervullen, wel kantoortijden aanhield. Hij was er om tien
voor halfeen, en toen hij merkte dat de deur op de begane
grond dicht was, drukte hij op de bel naast het eenvoudige
koperen plaatje waar de naam van de bank op stond. De
deur sprong open, en hij bevond zich weer in hetzelfde kleine portaal waar hij op zaterdagmiddag met de oude vrouw
had gestaan.

Boven aan de trap zag hij dat het kantoor van de bank
dicht was, dus drukte hij op een tweede bel die naast de deur
zat. Even later hoorde hij voetstappen naar de deur komen,
en deze werd opengedaan door een lange blonde man, duidelijk niet degene die hij op zaterdagmiddag de trap af had
zien lopen.

Hij haalde zijn politiepas uit zijn zak en liet die aan hem
zien. 'Buon giorno, ik ben commissario Guido Brunetti van
de Questura. Ik zou signor Ravanello graag spreken.'

'Moment, alstublieft,' zei de man en hij deed de deur zo
snel dicht dat Brunetti geen tijd had om hem tegen te houden. Er verstreek ruim een minuut voordat de deur weer
werd opengedaan, ditmaal door een andere man, die noch
lang, noch blond was, al was het ook niet de man die Bru-

netti op de trap had gezien. 'Ja?' vroeg hij aan Brunetti, alsof de andere man een luchtspiegeling was geweest.

'Ik zou signor Ravanello graag willen spreken.'

'En wie kan ik zeggen dat er is?'

'Dat heb ik net tegen uw collega gezegd. Commissario Guido Brunetti.'

'Ach ja, een ogenblik alstublieft.' Ditmaal was Brunetti voorbereid en hield zijn voet een eindje boven de grond, klaar om hem tussen de deur te zetten bij het eerste teken dat de man hem probeerde dicht te doen. Die truc had hij opgedaan tijdens het lezen van Amerikaanse detectives, maar hij had nog nooit de kans gehad om het uit te proberen.

Ook nu zou hij die kans niet krijgen. De man deed de deur verder open en zei: 'Komt u binnen, signor commissario. Signor Ravanello is op zijn kantoor en zal u met alle plezier ontvangen.' Dat was nogal een boude veronderstelling van de man, maar Brunetti gunde hem zijn eigen mening.

Het kantoor leek hetzelfde oppervlak te beslaan als het appartement van de oude vrouw. De man ging hem voor door een kamer die overeenkwam met haar woonkamer: dezelfde vier grote ramen keken uit op de campo. Drie mannen in donkere pakken zaten aan afzonderlijke bureaus, maar geen van hen deed moeite om op te kijken van zijn computerscherm toen Brunetti door de kamer liep. De man bleef voor een deur staan die in het huis van de oude vrouw toegang zou geven tot de keuken. Hij klopte aan en ging naar binnen zonder op antwoord te wachten.

De kamer was ongeveer net zo groot als de keuken, maar waar de oude vrouw een gootsteen had, stonden in deze kamer vier archiefkasten op een rij. Op de plek waar bij haar de tafel met het marmeren blad stond, stond hier een breed eikenhouten bureau, en daarachter zat een lange man met donkerbruin haar en een normaal postuur in een wit overhemd met een donker pak. Hij hoefde zich niet om te draaien en zijn achterhoofd te laten zien om door Brunetti te worden herkend als de man die op zaterdagmiddag in het kantoor had gewerkt en die hij op de vaporetto had gezien.

Dat was weliswaar vanaf een afstand, en hij had een zonnebril op gehad toen Brunetti hem zag, maar het was dezelfde man. Hij had een kleine mond en een lange, aristocratische neus. Samen met ogen die dicht bij elkaar stonden en zware donkere wenkbrauwen zorgde dit ervoor dat alle aandacht naar het midden van zijn gezicht werd getrokken, zodat zijn haar, dat heel dik was en uit compacte krulletjes bestond, in eerste instantie niet opviel.

'Signor Ravanello,' begon Brunetti. 'Ik ben commissario Guido Brunetti.'

Ravanello stond op achter zijn bureau en stak zijn hand uit. 'O, ja, u komt vast vanwege die vreselijke toestand met Mascari.' Toen wendde hij zich tot de andere man en zei: 'Dank je, Aldo. Ik moet de commissario even spreken.' De andere man liep het kantoor uit en deed de deur dicht.

'Gaat u zitten, alstublieft,' zei Ravanello beleefd, en hij liep om het bureau heen om een van de rechte stoelen die er stonden meer naar die van hemzelf toe te draaien. Toen Brunetti zat, liep Ravanello terug naar zijn eigen stoel en ging zitten. 'Dit is vreselijk, vreselijk. Ik heb de directie van de bank in Verona gesproken. Niemand van ons heeft ook maar enig idee wat we moeten doen.'

'Wie Mascari moet vervangen? Die was hier toch directeur?'

'Ja, inderdaad; maar nee, het probleem is niet wie hem moet vervangen. Dat is al geregeld.'

Hoewel Ravanello dit duidelijk bedoelde als opmaat voor het vertellen van de ware bezorgdheid van de bank, vroeg Brunetti: 'En wie vervangt hem?'

Ravanello keek op, verrast door die vraag. 'Ik, omdat ik adjunct-directeur was. Maar zoals ik al zei is dat niet de reden waarom de bank zich zorgen maakt.'

Voorzover Brunetti wist – en de ervaring had hem nooit iets anders geleerd – maakte een bank zich er alleen maar druk om hoeveel geld er werd verdiend of verloren. Hij glimlachte nieuwsgierig en vroeg: 'En dat is, signor Ravanello?'

'Het schandaal. Het vreselijke schandaal. U weet hoe discreet wij bankiers moeten zijn, hoe voorzichtig.'

Brunetti wist dat ze zich niet in een casino mochten vertonen, geen ongedekte cheques mochten uitschrijven, anders konden ze worden ontslagen, maar dat waren nou niet bepaald overdreven eisen om op te leggen aan iemand die tenslotte andermans geld beheerde.

'Over welk schandaal hebt u het, signor Ravanello?'

'Als u van de politie bent, dan weet u onder welke omstandigheden Leonardo's lichaam is gevonden.'

Brunetti knikte.

'Helaas is dat hier en in Verona algemeen bekend geworden. We hebben al een aantal telefoontjes gehad van cliënten, van mensen die al jaren zaken doen met Leonardo. Drie van hen hebben verzocht hun kapitaal over te boeken naar een andere bank. Twee van hen vormen een aanzienlijk verlies voor de bank. En vandaag is nog maar de eerste dag.'

'En u denkt dat deze beslissingen het gevolg zijn van de

omstandigheden waaronder het lichaam van signor Mascari is aangetroffen?'

'Zeker. Dat lijkt me nogal duidelijk,' zei Ravanello, maar hij klonk bezorgd, niet kwaad.

'Hebt u aanwijzingen dat meer mensen hun geld hierom zullen terughalen?'

'Misschien. Misschien ook niet. In die gevallen kunnen we de ware verliezen direct herleiden tot Leonardo's dood. Maar we maken ons veel meer zorgen om het immense verlies voor de bank.'

'En dat is?'

'Mensen die ervoor kiezen niet bij ons te beleggen. Mensen die hierover horen of lezen en er daarom voor kiezen hun financiën aan een andere bank toe te vertrouwen.'

Daar dacht Brunetti even over na, en hij bedacht dat bankiers altijd het woord 'geld' meden, en dat ze een scala aan woorden hadden bedacht om die onaangename term te vervangen: kapitaal, financiën, investeringen, liquide middelen, activa. Eufemismen waren doorgaans voorbehouden aan onaangenamer zaken: de dood, uitwerpselen. Betekende dat dat geld iets uitermate smerigs was en dat de taal van bankiers dit probeerde te verdoezelen of te ontkennen? Brunetti richtte zijn aandacht weer op Ravanello.

'Hebt u enig idee om hoeveel geld het gaat?'

'Nee,' zei Ravanello terwijl hij zijn hoofd schudde alsof het om een sterfgeval of ernstige ziekte ging. 'Dat valt niet te berekenen.'

'En wat u het werkelijke verlies noemt, hoe groot is dat?'

Ravanello's blik werd behoedzaam. 'Kunt u me vertellen waarom u die informatie wilt hebben, commissario?'

'Het gaat er niet om dat ik die informatie wil, signor Ravanello, niet specifiek. We zitten nog in het beginstadium van dit onderzoek, dus wil ik zoveel mogelijk informatie vergaren, uit zoveel mogelijk bronnen. Ik weet niet wat van belang is, dat kunnen we pas bepalen als we alle informatie hebben verzameld die over signor Mascari te vinden is.'

'Op die manier,' zei Ravanello. Hij trok een map naar zich toe. 'Die cijfers heb ik hier, commissario. Ik zat ze net te bekijken.' Hij deed de map open en liet zijn vinger langs een uitgeprinte lijst met namen en getallen gaan. 'De totale waarde van geliquideerde activa, alleen al van de twee depositeurs over wie ik het had – de derde doet er niet echt toe – is grofweg acht miljard lire.'

'Omdat hij een jurk aanhad?' zei Brunetti, die zijn reactie expres overdreef.

Ravanello verdoezelde zijn afkeuring om zo veel oneerbiedigheid maar ternauwernood. 'Nee, commissario, niet omdat hij een jurk aanhad. Maar omdat dergelijk gedrag duidt op een enorm gebrek aan verantwoordelijkheidsgevoel, en onze investeerders zijn, misschien wel terecht, bang dat datzelfde gebrek aan verantwoordelijkheidsgevoel mogelijk niet alleen zijn privéleven, maar ook zijn professionele leven heeft gekenmerkt.'

'Dus de mensen trekken conclusies voordat is ontdekt of hij de bank een faillissement heeft bezorgd door het allemaal te spenderen aan panty's en kanten ondergoed?'

'Ik zie geen reden dit af te doen als een grap, commissario,' zei Ravanello op een toon die talloze schuldeisers op hun knieën moest hebben gedwongen.

'Ik probeer alleen maar aan te geven dat dit nogal een buitensporige reactie is op zijn dood.'

'Maar zijn dood is zeer compromitterend.'

'Voor wie?'

'Voor de bank, absoluut. Maar nog veel meer voor Leonardo zelf.'

'Signor Ravanello, hoe compromitterend de dood van signor Mascari ook mag lijken, we hebben geen definitieve feiten ten aanzien van de omstandigheden van die dood.'

'Wilt u daarmee zeggen dat hij geen damesjapon aanhad toen hij gevonden werd?'

'Signor Ravanello, als ik u een apenpak aantrek, dan bent u nog geen aap.'

'Wat bedoelt u daar nou mee?' vroeg Ravanello, die niet langer moeite deed om zijn woede te verbergen.

'Dat betekent precies wat het betekent: het feit dat signor Mascari een jurk droeg op het moment dat hij overleed hoeft nog niet te betekenen dat hij een travestiet was. Sterker nog, het hoeft niet eens te betekenen dat zijn leven ook maar enigszins afwijkend was.'

'Dat kan ik onmogelijk geloven,' zei Ravanello.

'Uw investeerders blijkbaar evenmin.'

'Ik kan het om andere redenen niet geloven, commissario,' zei Ravanello en hij keek naar de map, deed die dicht en legde hem op de rand van zijn bureau.

'Ja?'

'Het is heel moeilijk om dit te vertellen,' zei hij, terwijl hij de map pakte en aan de andere kant van het bureau legde.

Toen hij verder niets zei, spoorde Brunetti hem op zachtere toon aan: 'Gaat u verder, signor Ravanello.'

'Ik was een vriend van Leonardo. Misschien zijn enige goede vriend.' Hij keek Brunetti aan, keek toen weer naar zijn handen. 'Ik wist het van hem,' zei hij op zachte toon.

'Wat wist u, signor Ravanello?'

'Het verkleden. En de jongens.' Hij kreeg een kleur toen hij dat zei, maar hij hield zijn blik strak op zijn handen gericht.

'Hoe wist u dat?'

'Dat heeft Leonardo me verteld.' Hier wachtte hij even en haalde diep adem. 'We hebben tien jaar met elkaar gewerkt. Onze families kennen elkaar. Leonardo is de peetoom van mijn zoon. Ik denk niet dat hij andere vrienden had, geen echt goede vrienden.' Ravanello hield op met praten, alsof hij verder niets kon zeggen.

Brunetti liet een korte stilte vallen en vroeg toen: 'Hoe heeft hij het u verteld? En wat heeft hij u verteld?'

'We waren hier op een zondag aan het werk, met ons tweeën. De computers hadden er op vrijdag en zaterdag uit gelegen, en we konden er pas zondag weer op werken. We zaten achter de computer in het kantoor hiernaast, en hij draaide zich gewoon naar me om en vertelde het me.'

'Wat zei hij?'

'Het was heel vreemd, commissario. Hij keek me alleen maar aan. Ik zag dat hij was gestopt met werken, dacht dat hij me iets wilde vertellen of iets wilde vragen over de transactie waar hij mee bezig was, dus hield ik op en keek hem aan.' Ravanello wachtte even om zich de situatie voor de geest te halen. 'Hij zei: "Weet je, Marco, ik houd van jongens." Toen keek hij weer naar zijn computer en werkte verder, alsof hij me een transactienummer of de prijs van een aandeel had gegeven. Het was heel vreemd.'

Brunetti liet hier een stilte op volgen, en vroeg toen: 'Heeft hij die opmerking ooit toegelicht of er verder iets over gezegd?'

'Ja. Toen we die middag klaar waren met werken, vroeg ik hem wat hij bedoelde, en dat zei hij.'

'Wat zei hij?'

'Dat hij van jongens hield, niet van vrouwen.'

'Jongens of mannen?'

'*Ragazzi*. Jongens.'

'Zei hij iets over het verkleden?'

'Toen niet. Maar ongeveer een maand later wel. We zaten in de trein, op weg naar het hoofdkantoor in Verona, en we zagen er een paar staan op het perron in Padua. Toen vertelde hij het me.'

'Hoe reageerde u toen hij het u vertelde?'

'Ik was natuurlijk geschokt. Ik had nooit gedacht dat Leonardo zo was.'

'Hebt u hem gewaarschuwd?'

'Waarvoor?'

'Zijn positie bij de bank?'

'Natuurlijk. Ik zei dat als iemand erover zou horen, het gedaan zou zijn met zijn carrière.'

'Waarom? Er werken vast heel veel homoseksuelen bij de bank.'

'Nee, dat is het niet. Het ging om het verkleden. En de hoeren.'

'Heeft hij u dat verteld?'

'Ja. Hij vertelde me dat hij ernaartoe ging en dat hij het soms zelf deed.'

'Dat hij wat deed?'

'Hoe noem je dat ook weer – tippelen? Hij nam geld aan van mannen. Ik zei dat dat zijn einde kon betekenen.' Ravanello wachtte even en voegde er toen aan toe: 'En het werd ook zijn einde.'

'Signor Ravanello, waarom hebt u de politie hier niets over verteld?'

'Ik heb het u net verteld, commissario. Ik heb u alles verteld.'

'Ja, maar ik ben hier gekomen om u te ondervragen. U hebt geen contact met ons gezocht.'

Ravanello wachtte even en zei uiteindelijk: 'Ik zag geen reden om zijn reputatie kapot te maken.'

'Uit wat u me over uw cliënten hebt verteld, blijkt dat er niet veel meer over is om kapot te maken.'

'Het leek me niet belangrijk.' Toen hij Brunetti's blik zag, zei hij: 'Tenminste, iedereen dacht het toch al. Dus vond ik het niet nodig om zijn vertrouwen te beschamen.'

'Ik heb het gevoel dat u iets voor me achterhoudt, signor Ravanello.'

De ogen van de bankier kruisten Brunetti's blik en hij keek snel weg. 'Ik wilde ook de bank beschermen. Ik wilde kijken of Leonardo... of hij indiscreet was geweest.'

'Is dat bankierstaal voor "verduisteren"?'

Opnieuw lieten Ravanello's lippen zien wat hij van Brunetti's woordkeus vond. 'Ik wilde zeker weten dat de bank op geen enkele manier was geschaad door zijn indiscretie.'

'Hoe bedoelt u?'

'Goed, commissario,' zei Ravanello terwijl hij zich naar voren boog, en hij ging op kwade toon verder: 'Ik wilde kijken of zijn rekeningen in orde waren, of er niets ontbrak van de cliënten of instellingen waarvan hij het kapitaal beheerde.'

'Dan hebt u een drukke ochtend gehad.'

'Nee, dat heb ik hier dit weekend gedaan. Ik heb bijna de hele zaterdag en zondag achter de computer gezeten om zijn documenten van de afgelopen drie jaar door te spitten. Meer tijd had ik niet.'

'En wat hebt u ontdekt?'

'Helemaal niets. Alles is precies zoals het hoort. Hoe ontregeld Leonardo's privéleven misschien ook was, zijn professionele leven is tiptop in orde.'

'En als dat niet zo was geweest?' vroeg Brunetti.

'Dan had ik u gebeld.'

'Op die manier. Kunnen wij kopieën van die dossiers krijgen?'

'Uiteraard,' stemde Ravanello toe, en Brunetti was verrast over de snelheid waarmee hij toestemde. Zijn ervaring was dat banken over het algemeen minder bereid waren afstand te doen van informatie dan van geld. Meestal was er alleen met een gerechtelijk bevel aan te komen. Wat een prettig, coulant gebaar van signor Ravanello.

'Dank u, signor Ravanello. Een van onze mensen van de afdeling financiën komt ze bij u ophalen, misschien morgen.'

'Ik zal ze klaarleggen.'

'Ik zou u ook willen vragen om erover na te denken of signor Mascari u nog iets anders heeft toevertrouwd over zijn andere leven, zijn geheime leven.'

'Natuurlijk. Maar volgens mij heb ik u alles verteld.'

'Nou, misschien weerhoudt de emotie van het moment u ervan u andere dingen te herinneren, details. Ik zou het zeer op prijs stellen als u alles opschrijft wat u zich ervan herinnert. Ik zal over een dag of twee contact met u opnemen.'

'Natuurlijk,' zei Ravanello nog eens, misschien milder gestemd doordat duidelijk werd dat het gesprek nu snel zou zijn afgelopen.

'Dat was het wel voor vandaag,' zei Brunetti terwijl hij opstond. 'Ik ben zeer erkentelijk voor uw tijd en stel uw openhartigheid zeer op prijs, signor Ravanello. Ik ben ervan overtuigd dat dit heel moeilijk voor u is. U hebt niet alleen een collega verloren, maar ook een vriend.'

'Ja, inderdaad,' knikte Ravanello.

'Nogmaals,' zei Brunetti terwijl hij zijn hand uitstak, 'bedankt voor uw hulp en uw tijd.' Hij was even stil en voegde er toen aan toe: 'En voor uw eerlijkheid.'

Daarop keek Ravanello hem fel aan, maar hij zei: 'Geen dank, commissario,' en liep om het bureau heen om Brunetti naar de deur te brengen. Ze gaven elkaar nogmaals een hand en Brunetti liep dezelfde trap af waarover hij Ravanello op zaterdagmiddag had gevolgd.

## 18

Omdat hij in de buurt van Rialto was, had Brunetti makkelijk naar huis kunnen gaan om te lunchen, maar hij had geen zin om voor zichzelf te koken en wilde zich ook niet wagen aan de rest van de insalata di calamari, die nu zijn derde dag in ging en daarom verdacht was. In plaats daarvan liep hij naar de Corte dei Milion en nuttigde een heel behoorlijke lunch bij de kleine *trattoria* die verscholen lag in de hoek van de kleine campo.

Om drie uur was hij terug op zijn kantoor, en het leek hem verstandig om beneden met Patta te gaan praten zonder dat hij eerst door hem moest worden ontboden. Voor het kantoor van de vice-questore zag hij signorina Elettra bij de tafel staan die tegen de muur van haar piepkleine kantoortje stond. Ze schonk water uit een plastic fles in een grote kristallen vaas waarin zes lange aronskelken stonden. De lelies waren wit, maar niet zo wit als het katoen van de blouse die ze droeg op de rok van haar paarse mantelpak. Toen ze Brunetti zag, glimlachte ze en zei: 'Ongelooflijk hoeveel water ze drinken.'

Hij kon geen gepast antwoord bedenken, dus glimlachte hij alleen maar terug en vroeg: 'Is hij er?'

'Ja. Hij is net terug van de lunch. Om halfvier heeft hij een afspraak, dus als u hem wilt spreken, kunt u dat beter nu doen.'

'Weet u wat voor afspraak het is?'

'Commissario, vraagt u mij vertrouwelijkheden te ont-hullen over het privéleven van de vice-questore?' vroeg ze, waarbij ze erin slaagde oprecht geschokt te klinken, en toen ging ze verder: 'Naar ik meen ben ik niet in de positie om me uit te laten over het feit dat hij een afspraak heeft met zijn advocaat.'

'Ah, juist,' zei Brunetti en hij keek naar haar schoenen, die dezelfde kleur paars waren als haar rok. 'Dan kan ik maar beter meteen met hem gaan praten.' Hij deed een stapje opzij en klopte op Patta's deur, wachtte op het 'Avanti' dat daarop volgde en ging naar binnen.

Omdat hij achter het bureau zat in Patta's kantoor, moest het vice-questore Giuseppe Patta zijn. Maar de man die Brunetti daar zag zitten leek net zomin op de vice-questore als een politiefoto leek op degene die erop stond. Normaal had Patta in deze tijd van de zomer een licht mahoniebruine huid, maar nu was hij nog bleek, een eigenaardige bleek-heid die onder een oppervlakkig laagje gebruinde huid lag. De forse kin, waar Brunetti niet naar kon kijken zonder te moeten denken aan de foto's van Mussolini die je in geschie-denisboeken zag, had zijn vooruitstekende vastberadenheid verloren en was verslapt, alsof hij binnen een week kon uit-zakken. Patta's das was keurig geknoopt, maar de kraag van het pak waar hij onder zat, zag eruit alsof het moest worden geborsteld. Die das had al net zomin een dasspeld als het knoopsgat een bloem, zodat de indruk werd gewekt dat de vice-questore in min of meer ontklede staat naar kantoor was gekomen.

'Ah, Brunetti,' zei hij toen hij de ander zag binnenkomen. 'Ga zitten. Ga alsjeblieft zitten.' Brunetti wist zeker dat hij in de meer dan vijf jaar dat hij voor Patta werkte, de vice-questore nu voor het eerst alsjeblieft had horen zeggen, de keren dat hij het door stijf opeengeklemde tanden had gesist niet meegerekend.

Brunetti deed wat hem werd gevraagd en wachtte af welke andere wonderen hem te wachten stonden.

'Ik wilde je bedanken voor je hulp,' begon Patta, terwijl hij Brunetti even aankeek en toen zijn blik afwendde, alsof hij een vogel volgde die achter Brunetti's schouder door de kamer vloog. Omdat Paola weg was, was er geen *Gente* of *Oggi* in huis, dus Brunetti wist niet zeker of er geen verhalen in stonden over signora Patta en Tito Burrasca, maar hij nam aan dat dat de reden was voor Patta's dankbaarheid. Als Patta dit liever weet aan Brunetti's zogenaamde connecties met de uitgeverswereld dan aan het feit dat het gedrag van zijn vrouw er relatief weinig toe deed, dan zag Brunetti er het nut niet van in om de man uit de droom te helpen.

'Geen enkele moeite, meneer,' zei hij, naar waarheid.

Patta knikte. 'Hoe staat het met die zaak in Mestre?'

Brunetti vertelde hem in het kort wat hij tot nog toe te weten was gekomen, en sloot af met zijn bezoek aan Ravanello die ochtend en diens bewering dat hij wist van Mascari's neiging en voorkeur.

'Dan lijkt het erop dat hij is vermoord door een van zijn, hoe noem je zoiets, "wisselende contacten"?' zei Patta, waarmee hij blijk gaf van zijn onmiskenbare neus voor het vanzelfsprekende.

'Als u tenminste denkt dat mannen van onze leeftijd seksueel aantrekkelijk zijn voor andere mannen, meneer.'

'Ik heb geen idee waar u het over hebt, commissario,' zei Patta, nu op een toon die Brunetti beter kende.

'We nemen allemaal aan dat hij een travestiet was of een

hoer en dat hij als gevolg daarvan is vermoord, maar het enige bewijs dat we daarvoor hebben, is dat hij is gevonden in een jurk, en de verklaring van de man die zijn baan heeft overgenomen.'

'Die man is ook directeur van een bank, Brunetti,' zei Patta met zijn gebruikelijke eerbied voor dergelijke titels.

'De baan die hij heeft gekregen als gevolg van de dood van die ander.'

'Bankiers vermoorden elkaar niet, Brunetti,' zei Patta met de rotsvaste overtuiging die hem zo typeerde.

Te laat besefte Brunetti dat hij zich op glad ijs begaf. Als Patta het voordeel zou inzien van het feit dat Mascari's dood werd toegeschreven aan een gewelddadig voorval in diens afwijkende privéleven, dan kon hij met goed fatsoen de politie van Mestre de verantwoordelijke laten opsporen en Brunetti zo van elke betrokkenheid bij de zaak halen.

'U hebt vast gelijk, meneer,' zei Brunetti toegeeflijk, 'maar dit lijkt me niet het moment om te riskeren dat in de pers de suggestie wordt gewekt dat we deze zaak niet tot op de bodem hebben uitgezocht.'

Patta reageerde op het noemen van de pers als een stier op de geringste beweging van een rode lap. 'Wat stel je dan voor?'

'Ik denk dat we ons uiteraard moeten concentreren op een onderzoek naar de travestietenwereld in Mestre, maar ik denk dat we toch op zijn minst voor de vorm de mogelijkheid moeten onderzoeken dat er een verband is met de bank, hoe onwaarschijnlijk we dat allebei ook achten.'

Bijna waardig zei Patta: 'Commissario, zo ver ga ik nu ook weer niet. Als u het idee wilt onderzoeken dat er misschien een verband is tussen zijn dood en de bank, dan staat het u vrij dat te doen, maar ik wil wel dat u bedenkt met wie u te maken hebt en dat u ze met het respect behandelt die ze door hun positie toekomt.'

'Zeker, meneer.'

'Dan laat ik het aan u over, maar ik wil niet dat u iets met de bank doet zonder het eerst met mij te overleggen.'

'Ja, meneer. Was er verder nog iets?'

'Nee.'

Brunetti stond op, schoof de stoel naar het bureau toe en verliet het kantoor zonder nog een woord te zeggen. In het kantoortje daarbuiten trof hij signorina Elettra, die een map doorbladerde.

'Signorina,' begon hij, 'is het u nog gelukt om die financi-ele informatie te achterhalen?'

'Over wie?' vroeg ze met een glimlachje.

'Hè?' zei Brunetti, die totaal niet begreep wat ze bedoelde.

'Avvocato Santomauro of signor Burrasca?' Brunetti was zo bezig geweest met de dood van Mascari dat hij was vergeten dat signorina Elettra ook opdracht had gekregen om alles wat over de filmregisseur te vinden was boven water te krijgen.

'O, dat was ik helemaal vergeten,' gaf Brunetti toe. Uit het feit dat ze Burrasca noemde, maakte Brunetti op dat ze het over hem wilde hebben. 'Wat hebt u over hem ontdekt?'

Ze legde de map aan één kant van haar bureau en keek naar Brunetti alsof zijn vraag haar verraste. 'Dat zijn appartement in Milaan te koop staat, dat hij op zijn laatste drie films verlies heeft gemaakt en dat zijn schuldeisers al beslag hebben gelegd op de villa in Monaco.' Ze glimlachte. 'Wilt u nog meer horen?'

Brunetti knikte. Hoe had ze dat in vredesnaam voor el-kaar gekregen?

'In de Verenigde Staten is hij aangeklaagd voor het gebruiken van kinderen voor pornofilms. En alle banden van zijn laatste film zijn door de politie in Monaco in beslag genomen; ik kan er niet achter komen waarom.'

'En zijn belastingen? Zijn dat kopieën van zijn aangiftes die u aan het bekijken bent?'

'O, nee,' antwoordde ze met een stem waarin hevige afkeuring doorklonk. 'U weet hoe moeilijk het is om informatie van de belastingdienst te krijgen.' Ze wachtte even en ging toen verder: 'Tenzij je iemand kent die daar werkt. Ik krijg ze pas morgen.'

'En geeft u het dan allemaal aan de vice-questore?'

Signora Elettra wierp hem een felle blik toe. 'Nee, commissario. Daar wacht ik nog minstens een paar dagen mee.'

'Meent u dat nou?'

'Over de vice-questore maak ik geen grappen.'

'Maar waarom laat u hem wachten?'

'Waarom niet?'

Brunetti vroeg zich af met wat voor subtiele beledigingen Patta deze vrouw de afgelopen week had overstelpt om al zo snel op deze manier te worden teruggepakt. 'En avvocato Santomauro?' vroeg hij.

'O, de avvocato is een heel ander verhaal. Zijn financiën konden er niet beter voor staan. Hij heeft een portefeuille aandelen en obligaties die waarschijnlijk meer dan een half miljard lire waard zijn. Zijn jaarinkomen is vastgesteld op tweehonderd miljoen lire, wat minstens het dubbele is van wat een man in zijn positie normaal zou opgeven.'

'En zijn belastingen?'

'Dat is nou het gekke. Het lijkt erop dat hij alles opgeeft. Er is geen enkel bewijs dat hij op een of andere manier fraudeert.'

'U klinkt alsof u dat niet gelooft,' zei Brunetti.

'Kom nou, commissario,' zei ze, terwijl ze hem alweer een verwijtende blik toewierp, al was die minder fel dan de vorige. 'U weet toch ook wel dat u niet moet geloven dat ook maar iemand de waarheid spreekt over zijn belastingen? Dat is nou zo gek. Als hij alles opgeeft wat hij verdient, dan moet hij een andere bron van inkomsten hebben waardoor zijn opgegeven inkomen zo onbeduidend is dat hij er niet voor hoeft te frauderen.'

Daar dacht Brunetti even over na. Gezien de belastingwetten was er geen andere interpretatie mogelijk. 'Geeft uw computer aan waar dat geld vandaan zou kunnen komen?'

'Nee, maar er staat wel in dat hij de voorzitter is van de Lega della Moralità. Dus dat zou de aangewezen plek zijn om te kijken.'

'Kunnen jullie,' vroeg hij met een knik naar het scherm voor haar, 'zien wat er te vinden is over de Lega?'

'O, daar ben ik al mee begonnen, commissario. Maar tot nu toe is de Lega nog ongrijpbaarder dan de belastingaangifte van signor Burrasca.'

'Ik heb er alle vertrouwen in dat u zich door geen enkel obstakel zult laten weerhouden, signorina.'

Ze boog haar hoofd om aan te geven dat ze dat alleen maar vanzelfsprekend vond.

Hij besloot te vragen: 'Hoe komt het dat u zo bekend bent met het computernetwerk?'

'Welke bedoelt u?' vroeg ze terwijl ze opkeek.

'Het financiële.'

'O, ik heb er tijdens mijn laatste baan mee gewerkt,' zei ze en ze keek weer naar haar scherm.

'En waar was dat, als ik vragen mag?' vroeg hij, denkend

aan verzekeringsmaatschappijen, misschien een accountantskantoor.

'Voor de Banca d'Italia,' zei ze, evenzeer tegen haar scherm als tegen Brunetti.

Deze trok zijn wenkbrauwen op. Ze keek op, en toen ze zijn blik zag, legde ze uit: 'Ik was de assistente van de president.'

Je hoefde geen bankier of wiskundige te zijn om te bedenken hoeveel minder ze zou verdienen bij de baas die ze nu had. Verder betekende een baan bij de bank voor de meeste Italianen absolute zekerheid; mensen wachtten jaren om te worden aangenomen, om deel uit te maken van de staf van een bank, welke bank dan ook, en de Banca d'Italia was verreweg de meest begeerde. En nu werkte ze als secretaresse voor de politie? Zelfs met tweemaal per week bloemen van Fantin was dat onbegrijpelijk. Gezien het feit dat ze niet zomaar voor de politie werkte, maar uitgerekend voor Patta, leek het wel pure waanzin.

'Ik begrijp het,' zei hij, al was dat niet zo. 'Ik hoop dat u het naar uw zin zult hebben bij ons.'

'Dat zal wel lukken, commissario,' zei signorina Elettra. 'Kan ik verder nog informatie voor u opzoeken?'

'Op dit moment niet, dank u,' zei Brunetti, en hij ging weer terug naar zijn kantoor. Daar gebruikte hij de buitenlijn om het nummer van het hotel in Bolzano te draaien, en hij vroeg naar signora Brunetti.

Hij kreeg te horen dat signora Brunetti was gaan wandelen en zeker niet voor het avondeten terug werd verwacht. Hij liet geen boodschap achter, zei alleen maar wie hij was en hing op.

De telefoon ging bijna onmiddellijk over. Het was Padovani, die belde vanuit Rome en zich verontschuldigde voor het feit dat hij verder niets te weten was gekomen over Santomauro. Hij had in zowel Venetië als Rome vrienden gebeld, maar iedereen scheen op vakantie te zijn, en hij had niet veel meer gedaan dan een reeks berichten achterlaten op antwoordapparaten en vragen of zijn vrienden hem wilden terugbellen, echter zonder te zeggen waarom hij ze wilde spreken. Brunetti bedankte hem voor de moeite en vroeg of hij wilde bellen als hij iets te weten kwam.

Nadat hij had opgehangen, bladerde Brunetti door de paperassen op zijn bureau totdat hij het papier vond waar hij naar op zoek was, het lijkschouwingsrapport over Mascari, en hij las het opnieuw zorgvuldig door. Op de vierde bladzijde vond hij wat hij zocht: 'Wat krassen en sneetjes op de benen, geen teken van epidermale bloeding. Krassen ongetwijfeld veroorzaakt door de scherpe randen van…' en hier had de patholoog een beetje opgeschept door de Latijnse naam van het gras te vermelden waarin Mascari's lichaam verborgen was.

Dode mensen kunnen niet bloeden; er is geen druk om het bloed naar de oppervlakte te stuwen. Dat was een van de eenvoudige beginselen van de pathologie die Brunetti had geleerd. Als die krassen waren veroorzaakt door, en hier las hij de plechtige lettergrepen van de Latijnse naam opnieuw hardop voor, dan hadden ze niet gebloed, want Mascari was dood toen zijn lichaam onder die grashalmen werd geschoven. Maar als zijn benen door iemand anders waren geschoren toen hij al dood was, dan hadden die sneetjes ook niet gebloed.

Brunetti had nooit een ander deel van zijn lichaam geschoren dan zijn gezicht, maar hij was jarenlang getuige geweest van het proces zoals Paola dat uitvoerde wanneer ze een scheermesje over enkel, scheenbeen en knie probeerde te halen. Hij was de tel kwijtgeraakt van de keren dat hij onderdrukt gevloek uit de badkamer had horen komen en Paola dan naar buiten had zien komen met een stukje toiletpapier op een deel van haar been geplakt. Sinds ze elkaar kenden had Paola haar benen regelmatig geschoren; ze sneed zichzelf nog steeds als ze dat deed. Het leek hem onwaarschijnlijk dat een man van middelbare leeftijd dit met meer succes kon volbrengen dan Paola en zijn benen schoor zonder zich te snijden. Hij was van mening dat de meeste huwelijken tot op zekere hoogte overeenkomsten kenden. Als Brunetti ineens zou beginnen zijn benen te scheren, zou Paola dat onmiddellijk weten. Het leek Brunetti dan ook onwaarschijnlijk dat Mascari zijn benen kon scheren zonder dat zijn vrouw het merkte, ook al belde hij haar niet als hij op zakenreis was.

Hij bekeek het lijkschouwingsrapport nog een keer: 'Geen sporen van was, geen bewijs van bloedingen aan sneetjes op de benen van het slachtoffer.' Nee, ondanks de rode jurk en de rode schoenen, ondanks de make-up en het ondergoed had signor Mascari zijn eigen benen voor zijn dood niet geschoren of gewaxt. En dat betekende dus dat iemand het voor hem had gedaan toen hij al dood was.

# 19

Hij zat in zijn kamer, in de hoop dat er een late middag-
bries zou opsteken die wat verlichting zou brengen, maar
die hoop bleek al net zo vergeefs als de hoop dat hij een verband zou gaan zien tussen alle losse flarden van de zaak. Het
was hem duidelijk dat de hele travestietoestand een zorgvuldig geënsceneerde postume poppenkast was, bedoeld om de
aandacht af te leiden van het ware motief voor Mascari's
dood. Dat betekende dat Ravanello, de enige die Mascari's
'bekentenis' had gehoord, loog en waarschijnlijk iets af wist
van de moord. Maar hoewel Brunetti er geen moeite mee
had om te geloven dat ook bankiers een moord kunnen plegen, kon hij zichzelf er niet toe brengen om te geloven dat
ze dat puur deden om sneller promotie te kunnen maken.

Ravanello had op geen enkele manier geprobeerd te verhullen dat hij dat weekend op het kantoor van de bank was
geweest; hij was zelfs uit eigen beweging met die informatie gekomen. En omdat Mascari net was geïdentificeerd,
was zijn verklaring plausibel – elke goede vriend zou zoiets
doen. Sterker nog, elke loyale werknemer zou het doen.

Maar toch, waarom had hij zaterdag niet aan de telefoon
gezegd wie hij was, waarom had hij geheimgehouden dat hij
die middag op de bank was geweest, zelfs voor een onbe-
kende beller?

Zijn telefoon ging, en terwijl hij hierover piekerde en nog
steeds suf was van de warmte, zei hij: 'Brunetti.'

'Ik moet u spreken,' zei een mannenstem. 'Persoonlijk.'

'Met wie spreek ik?' vroeg Brunetti rustig.

'Dat zeg ik liever niet door de telefoon,' antwoordde de stem.

'Dan praat ik liever niet met u,' zei Brunetti en hij hing op.

Door dit antwoord waren de bellers meestal zo verbouwereerd dat ze geen andere keus hadden dan opnieuw te bellen. Binnen een paar minuten ging de telefoon weer, en Brunetti nam op dezelfde manier op.

'Het is heel belangrijk,' zei dezelfde stem.

'Het is ook belangrijk dat ik weet met wie ik spreek,' zei Brunetti op luchtige toon.

'We hebben elkaar vorige week gesproken.'

'Ik heb vorige week heel veel mensen gesproken, signor Crespo, maar er zijn er maar weinig die me hebben gebeld om te zeggen dat ze mij wilden spreken.'

De ander was lange tijd stil, en Brunetti was even bang dat Crespo nu misschien op zou hangen, maar in plaats daarvan zei de jongeman: 'Ik wil met u afspreken om te praten.'

'We zijn aan het praten, signor Crespo.'

'Nee, ik heb wat dingen die ik u wil geven, wat foto's en papieren.'

'Wat voor papieren en wat voor foto's?'

'Dat weet u wel als u ze ziet.'

'Waar gaat dit over, signor Crespo?'

'Over Mascari. De politie zit helemaal op het verkeerde spoor over hem.'

Brunetti was van mening dat Crespo daar gelijk in had, maar het leek hem beter om dat voor zich te houden.

'In welke zin zitten we op het verkeerde spoor?'

'Dat vertel ik wel als ik u zie.'

Brunetti kon aan Crespo's stem horen dat zijn moed of wat voor emotie hij ook nodig had om dit telefoontje te plegen, begon op te raken. 'Waar wilt u afspreken?'

'Hoe goed kent u Mestre?'

'Vrij goed.' Bovendien kon hij het altijd aan Gallo of Vianello vragen.

'Kent u de parkeerplaats aan de andere kant van de tunnel bij het treinstation?'

Dat was de enige plek in de buurt van Venetië waar je gratis kon parkeren. Je hoefde alleen maar op de parkeerplaats of langs de straat met bomen te parkeren die naar de tunnel leidde en dan de ingang in te duiken en het perron op te lopen voor de trein naar Venetië. Tien minuten met de trein, geen parkeergeld en niet hoeven wachten om te parkeren of te betalen op Tronchetto.

'Ja, die ken ik.'

'Daar zie ik u vanavond.'

'Hoe laat?'

'Pas laat. Ik moet eerst iets doen, en ik weet niet wanneer ik klaar ben.'

'Hoe laat?'

'Ik ben er om één uur vannacht.'

'Waar staat u?'

'Als u uit de tunnel komt, loopt u naar de eerste straat en slaat links af. Ik sta aan de rechterkant geparkeerd in een lichtblauwe Fiat Panda.'

'Waarom begon u over de parkeerplaats?'

'Zomaar. Ik wilde gewoon weten of u die kent. Ik wil niet afspreken op de parkeerplaats. Daar is te veel licht.'

'Goed, signor Crespo, ik kom naar u toe.'

'Mooi,' zei Crespo en hij hing op voordat Brunetti nog iets kon zeggen.

Brunetti vroeg zich af wie signor Crespo ertoe had aangezet juist dit telefoontje te plegen. Hij geloofde er niets van dat Crespo zelf een reden of motief had om hem te bellen – iemand als Crespo had nooit teruggebeld – maar dat maakte hem niet minder nieuwsgierig naar de achterliggende reden van het telefoontje. De meest waarschijnlijke reden was dat iemand hem onder druk wilde zetten, of misschien iets drastischers, en hoe kon dat beter dan door hem om één uur 's nachts naar een openbare weg te lokken?

Hij belde de Questura in Mestre en vroeg naar brigadier Gallo, maar kreeg te horen dat deze voor een paar dagen naar Milaan was gestuurd om te getuigen in een rechtszaak. Wilde hij brigadier Buffo spreken, die het werk van brigadier Gallo had overgenomen? Brunetti bedankte en hing op.

Hij belde Vianello en vroeg of hij naar boven wilde komen. Toen de brigadier binnenkwam, verzocht Brunetti hem te gaan zitten en vertelde over Crespo's telefoontje en dat van hemzelf naar Gallo. 'Wat denk je?' vroeg Brunetti.

'Ik zou zeggen dat ze, nou ja, iemand probeert u uit Venetië weg te lokken naar een openbare ruimte waar u niet goed beschermd bent. En als u beschermd moet worden, dan moet dat door onze jongens gebeuren.'

'Wat zouden ze voor middelen gebruiken?'

'Nou, het zou iemand kunnen zijn die in een auto zit, maar dan zouden ze weten dat we daar mensen hebben. Of het kan een auto of motor zijn die langskomt, om u aan te rijden of om op u te schieten.'

'Een bom?' vroeg Brunetti, en onwillekeurig rilde hij bij de herinnering aan de foto's die hij had gezien van de ravage die de bommen veroorzaakten waarmee politici en rechters waren vermoord.

'Nee, ik denk niet dat u zo belangrijk bent,' zei Vianello. Een schrale troost, maar toch een troost.

'Dank je. Ik denk dat de kans groot is dat het iemand is die langsrijdt.'

'Wat wilt u doen?'

'Ik wil mensen in minimaal twee huizen, een aan het begin en een aan het eind van de straat. En als je iemand zover kunt krijgen om het vrijwillig te doen, iemand achter in een auto. Het zal afgrijselijk zijn, in deze hitte in een dichte auto zitten. Dat zijn al drie mensen. Ik denk niet dat ik er nog meer op kan zetten.'

'Nou, ik pas niet op een achterbank en ik heb niet zo veel zin om in een huis te gaan zitten kijken, maar ik kan wel om de hoek parkeren en een poosje zitten vrijen, als ik een van de vrouwelijke agenten zover kan krijgen om mee te gaan.'

'Misschien biedt signora Elettra zich wel aan als vrijwilliger,' zei Brunetti en hij lachte.

Vianello's stem klonk scherp, scherper dan ooit tevoren. 'Ik maak geen grapje, commissario. Ik ken die straat; mijn tante uit Treviso zet haar auto daar altijd neer als ze op bezoek komt, en ik breng haar altijd terug. Ik zie daar vaak mensen in de auto zitten, dus een of twee meer maakt dan niet uit.'

De vraag wat Nadia daarvan zou vinden brandde Brunetti op de lippen, maar hij dacht er het zijne van en zei: 'Goed, maar ze moet het wel vrijwillig doen. Als er gevaar dreigt, vind ik het geen prettig idee als er een vrouw bij betrokken is.' Voor Vianello kon protesteren, voegde Brunetti eraan toe: 'Zelfs al is ze politieagent.'

Keek Vianello nou daarom naar het plafond? Brunetti dacht van wel, maar hij vroeg er niet naar. 'Verder nog iets, brigadier?'

'Moet u er om één uur zijn?'

'Ja.'

'Zo laat gaat er geen trein meer. U zult de bus moeten nemen en vanaf het station door de tunnel moeten lopen.'

'En hoe kom ik terug in Venetië?' vroeg Brunetti.

'Dat hangt af van wat er gebeurt, denk ik.'

'Ja, dat is zo.'

'Ik zal kijken of ik iemand kan vinden die achter in de auto wil zitten,' zei Vianello.

'Wie hebben deze week dienst?'

'Riverre en Alvise.'

'O,' zei Brunetti alleen maar, maar de manier waarop sprak boekdelen.

'Zij staan ingeroosterd.'

'Zet ze dan maar in de huizen.' Geen van beiden wilden ze zeggen dat als een van die twee achter in een auto werd gezet, hij domweg in slaap zou vallen. Dat kon natuurlijk net zo goed in een huis, maar misschien waren de bewoners nieuwsgierig genoeg en hielpen ze hen wakker te blijven.

'En de anderen? Denk je dat je vrijwilligers kunt vinden?'

'Dat is geen probleem,' verzekerde Vianello hem. 'Rallo wil vast meekomen, en ik zal Maria Nardi vragen. Haar man zit een week voor een of andere training in Milaan, dus misschien wil zij het wel doen. Trouwens, het zijn overuren. Toch?'

Brunetti knikte en voegde er toen aan toe: 'Vianello, laat ze duidelijk weten dat er gevaar bij kan komen kijken.'

'Gevaar? In Mestre?' vroeg Vianello lachend, het idee wegwimpelend, en toen ging hij verder: 'Wilt u een zender op hebben?'

'Nee, dat lijkt me niet, met jullie vieren zo dicht in de buurt.'

'Nou ja, twee van ons tenminste,' corrigeerde Vianello hem, waarmee hij Brunetti de gêne bespaarde zich laatdunkend uit te laten over de lagere rangen.

'Als we hier de hele nacht voor moeten opblijven, dan moeten we denk ik maar even naar huis,' zei Brunetti terwijl hij op zijn horloge keek.

'Dan zie ik u daar, meneer,' zei Vianello en hij stond op.

Zoals Vianello had gezegd, was er geen trein die Brunetti op dat tijdstip naar Mestre kon brengen, dus moest hij bus 1 nemen, en hij stapte als enige passagier op dat tijdstip uit tegenover het treinstation van Mestre.

Hij liep de trap op naar het station, weer een trap af en door de tunnel die onder het spoor door liep, om aan de andere kant weer boven te komen. Hij bevond zich in een stille straat met bomen erlangs, met achter zich de goed verlichte parkeerplaats, die nu vol stond met auto's die er voor de nacht waren geparkeerd. Aan beide kanten van de straat die voor hem lag stonden auto's geparkeerd; ze werden zwak verlicht door de paar lantarenpalen die er stonden. Brunetti bleef aan de rechterkant van de straat, waar minder bomen stonden en het dus ook lichter was. Hij liep naar de eerste hoek en stond stil, keek om zich heen. Zo'n vier auto's verder zag hij een man en een vrouw in een woeste omarming, maar het hoofd van de man werd aan het zicht onttrokken door dat van de vrouw, zodat hij niet kon zien of het Vianello was of een andere getrouwde man die het ervan nam.

Hij keek de straat in naar links, bekeek de huizen die aan weerszijden stonden. In de gevel van een ervan, ongeveer halverwege het blok, was het zwakgrijze licht van een televisie door de benedenramen te zien; de rest was donker. Riverre en Alvise zouden in twee van die huizen bij het raam staan, maar hij had geen zin om hun kant op te kijken. Hij was bang dat ze het zouden opvatten als een soort teken en hem te hulp zouden snellen.

Hij liep de straat in, op zoek naar een lichtblauwe Panda aan de rechterkant. Hij liep naar het eind van de straat, zag geen auto die voldeed aan de omschrijving, keerde om en liep terug. Niets. Het viel hem op dat er op de hoek een grote prullenbak stond, en hij stak over, opnieuw denkend aan de foto's die hij had gezien van het weinige wat over was gebleven van de auto van rechter Falcone. Vanaf de rotonde reed een auto de straat in en vertraagde, kwam op Brunetti af. Die zocht bescherming tussen twee geparkeerde auto's, maar de auto reed voorbij, de parkeerplaats op. De automobilist stapte uit, deed zijn deur op slot en verdween in de tunnel naar het station.

Na tien minuten liep Brunetti dezelfde straat weer door, en ditmaal keek hij in elk van de geparkeerde auto's. In een ervan lag achterin een deken op de grond, en Brunetti, die zich ervan bewust was hoe warm het zelfs hierbuiten was, werd overspoeld door een golf van medelijden met degene die Vianello zo gek had gekregen om onder de deken te gaan liggen.

Er ging een halfuur voorbij, waarna Brunetti besloot dat Crespo niet zou komen opdagen. Hij liep terug naar de kruising en sloeg links af, naar de auto waar het stel voorin nog steeds bezig was met het uitwisselen van intimiteiten. Toen hij bij de auto was, klopte Brunetti met zijn knokkels op de motorkap. Vianello maakte zich los van een roodhoofdige agent Maria Nardi en stapte uit de auto.

'Niets,' zei Brunetti terwijl hij op zijn horloge keek. 'Het is bijna twee uur.'

'Goed,' zei Vianello, en zijn teleurstelling was hoorbaar. 'Dan gaan we terug.' Hij stak zijn hoofd in de auto en zei tegen de agente: 'Bel Riverre en Alvise maar en zeg dat ze achter ons aan terugrijden.'

'En de man in de auto?' vroeg Brunetti.

'Riverre en Alvise zijn met hem meegereden. Die komen gewoon naar buiten en treffen elkaar bij de auto en rijden dan naar huis.'

In de auto zat agent Nardi aan de radio om tegen de twee andere agenten te zeggen dat er niemand was komen opdagen en dat ze teruggingen naar Venetië. Ze keek op naar Vianello. 'Goed, brigadier. Ze komen over een paar minuten naar buiten.' Terwijl ze dat zei, stapte ze uit de auto en deed het achterportier open.

'Nee, blijf maar hier,' zei Brunetti. 'Ik ga wel achterin zitten.'

'Ik vind het niet zo erg, commissario,' zei ze met een verlegen glimlach, en ze voegde er toen aan toe: 'Trouwens, ik vind het wel prettig als er wat afstand is tussen mij en de brigadier.' Ze stapte in en deed het portier dicht.

Brunetti en Vianello wisselden een blik over het dak van de auto; Vianello glimlachte schaapachtig. Ze stapten in. Vianello boog naar voren en draaide de sleutel om. De motor begon te lopen en er klonk een zachte zoemtoon.

'Wat is dat?' vroeg Brunetti. Net als voor de meeste Venetianen waren auto's vreemd terrein voor Brunetti.

'Een waarschuwing voor de veiligheidsgordel,' zei Vianello terwijl hij die van zichzelf over zijn borst trok en vastmaakte bij de versnellingspook.

Brunetti deed niets. De zoemer bleef maar afgaan.

'Kun je dat ding niet uitzetten, Vianello?'

'Dat gebeurt vanzelf als u uw gordel omdoet.'

Brunetti mompelde iets over dat hij het niet prettig vond als machines zeiden wat hij moest doen, maar hij maakte zijn gordel vast en mompelde toen dat dit vast ook weer van die ecologische nonsens van Vianello was. Die deed alsof hij het niet hoorde, zette de auto in de eerste versnelling en reed weg van de stoep. Aan het eind van de straat wachtten ze een paar minuten tot de andere auto achter hen kwam staan. Agent Riverre zat aan het stuur, Alvise zat naast hem en toen Brunetti zich omdraaide om ze een signaal te geven, kon hij achter hen een derde gestalte zien, die met zijn hoofd tegen de bank leunde.

Op dit tijdstip waren de straten vrijwel verlaten, en ze reden al snel weer op de weg die naar de Ponte della Libertà leidde.

'Wat denkt u dat er is gebeurd?' vroeg Vianello.

'Ik dacht dat het was bedoeld om me op de een of andere manier te bedreigen, maar misschien had ik het mis en wilde Crespo me echt spreken.'

'Wat gaat u nu doen?'

'Ik ga morgen bij hem langs om te zien waarom hij vannacht niet is komen opdagen.'

Ze reden de brug op en zagen de lichten van de stad vóór hen liggen. Aan beide kanten strekte zich vlak, zwart water uit, aan de linkerkant doorspekt met lichtjes van de eilanden Murano en Burano in de verte. Vianello ging harder rijden, popelend om naar de garage en daarna naar huis te gaan. Ze waren allemaal moe en teleurgesteld. De tweede auto, die vlak achter hen reed, kwam ineens op de middenbaan en Riverre stoof hen voorbij. Alvise leunde uit het raampje en zwaaide vrolijk naar ze.

Toen agent Nardi hen zag, leunde ze voorover, legde haar hand op Vianello's schouder en wilde iets zeggen. 'Brigadier,' begon ze, en ze hield plotseling op toen haar blik naar de binnenspiegel werd getrokken, waarin plotseling twee felle koplampen waren verschenen. Haar vingers klemden zich om zijn schouder en ze had alleen nog maar tijd om te roepen: 'Kijk uit!' waarna de auto achter hen naar links zwenkte, naast hen kwam rijden en duidelijk met opzet tegen hun linkervoorbumper botste. Door de kracht van de botsing slingerden ze naar rechts en klapten ze tegen de vangrail van de brug.

Vianello draaide het stuur naar links, maar omdat hij te traag reageerde, slingerde de achterkant van de auto naar links, waardoor ze midden op de weg belandden. Een andere auto die met krankzinnige snelheid achter ze aan kwam, sneed hen rechts en schoot in de ruimte die nu tussen hen en de vangrail zat, waarna ze met de achterkant tegen de linkervangrail smakten. Ze maakten een halve cirkel, zodat ze midden op de weg tot stilstand kwamen, met hun neus weer richting Mestre.

Verdwaasd, niet beseffend of hij wel of geen pijn had, staarde Brunetti door de verbrijzelde voorruit en zag alleen maar de felle weerschijn van de koplampen die hen naderden. Eén paar zwenkte rechts langs hen heen, en een tweede paar aan de andere kant. Hij keek naar links en zag Vianello slap vooroverhangen in zijn veiligheidsgordel. Brunetti maakte die van hemzelf los, draaide zich half om in zijn stoel en greep Vianello bij de schouder. 'Lorenzo, ben je in orde?'

De ogen van de brigadier gingen open en hij wendde zich tot Brunetti. 'Ik geloof het wel.' Brunetti boog voorover en maakte de gordel van de ander los; Vianello bleef rechtop zitten.

'Kom,' zei Brunetti, terwijl hij het portier aan zijn kant opende. 'Uit de auto, voordat een van die maniakken op ons inrijdt.' Hij wees door wat er over was van de voorruit naar de lampen die vanuit Mestre nog steeds op hen afkwamen.

'Ik zal Riverre oproepen,' zei Vianello terwijl hij zich vooroverboog naar de radio.

'Nee. Er zijn al auto's langsgereden. Die zullen het wel melden bij de *carabinieri* op het Piazzale Roma.' Als om dat te bewijzen hoorden ze vanaf de andere kant van de brug het eerste geloei van een sirene en zagen ze de blauwe zwaailichten van de carabinieri die aan de verkeerde kant van de brug naar hen toe scheurden.

Brunetti stapte uit en boog voorover om de achterdeur te openen. Agent derde klasse Maria Nardi lag op de achterbank van de auto, met haar nek in een vreemde en onnatuurlijke hoek.

# 20

De nasleep van het ongeluk was zowel voorspelbaar als ontmoedigend. Geen van beiden had gezien wat voor soort auto hen had aangereden, niet eens de kleur of hoe groot hij ongeveer was, al moest het een flinke auto zijn geweest omdat hij ze met zo veel kracht aan de kant had gedrukt. Er waren geen andere auto's dicht bij ze in de buurt geweest die hadden gezien wat er gebeurde, en als dat wel zo was, dan meldde niemand het bij de politie. Het was duidelijk dat de auto, nadat hij ze had aangereden, gewoon was doorgereden naar het Piazzale Roma, was gekeerd en nog voor de carabinieri waren gewaarschuwd was teruggeracet naar het vasteland.

Agent Nardi werd ter plaatse doodverklaard; haar lichaam werd meegenomen naar het *ospedale civile* voor een lijkschouwing, die alleen maar zou bevestigen wat duidelijk te zien was aan de hoek waarin haar hoofd lag.

'Ze was nog maar drieëntwintig,' zei Vianello, en hij meed Brunetti's blik. 'Ze waren een halfjaar getrouwd. Haar man is weg voor een of andere computercursus. Daar had ze het alleen maar over in de auto, dat ze niet kon wachten tot Franco weer thuis was, hoe erg ze hem miste. We zaten zo een uur bij elkaar en ze had het alleen maar over die Franco van d'r. Ze was nog maar een meisje.'

Brunetti kon geen woorden vinden.

'Als ik had gezorgd dat ze haar gordel om had, dan zou ze nu nog leven.'

'Lorenzo, hou op,' zei Brunetti op ruwe, maar niet op kwade toon. Inmiddels waren ze terug op de Questura en zaten ze in Vianello's kantoor te wachten tot hun rapporten over het incident waren uitgetypt, zodat ze ze konden ondertekenen en naar huis mochten. 'Zo kunnen we de hele nacht wel doorgaan. Ik had niet naar Crespo moeten gaan. Ik had moeten inzien dat het te gemakkelijk was, ik had argwaan moeten hebben toen er niets gebeurde in Mestre. Voor je het weet zeggen we dat we in een gepantserde auto terug hadden moeten komen.'

Vianello zat naast zijn bureau en keek langs Brunetti. Links op zijn voorhoofd had hij een flinke buil, en de huid eromheen begon blauw te kleuren. 'Maar we hebben gedaan wat we hebben gedaan, of we hebben niet gedaan wat we niet hebben gedaan, en toch is ze dood,' zei Vianello op vlakke toon.

Brunetti boog voorover en raakte de arm van de ander aan. 'Lorenzo, ze is niet door ons toedoen dood. Dat hebben de mannen of de man in die andere auto gedaan. We kunnen alleen maar proberen ze te vinden.'

'Daarmee is Maria niet echt geholpen, hè?' zei Vianello verbitterd.

'Niemand op aarde kan Maria Nardi nog helpen, Lorenzo. Dat weten we allebei. Maar ik wil de mannen in die auto, en ik wil degene die ze heeft gestuurd.'

Vianello knikte, maar hij kon hier niets op zeggen. 'En haar man?' vroeg Vianello.

'Hoe bedoel je?'

'Belt u hem?' Er klonk iets anders dan een vraag in Vianello's stem. 'Ik kan het niet.'

'Waar zit hij?' vroeg Brunetti.

'In Hotel Impero in Milaan.'

Brunetti knikte. 'Ik zal het morgenochtend doen. Het heeft geen zin om hem nu te bellen, om hem nu al te laten lijden.'

Een agent in uniform kwam het kantoor binnen met de originelen van hun verklaringen en twee kopieën van elk. Beide mannen lazen geduldig de getypte rapporten door, tekenden daarna allebei de originelen en de kopieën en gaven ze terug aan de agent. Toen die weg was, stond Brunetti op en zei: 'Volgens mij is het tijd om te gaan, Lorenzo. Het is al vier uur geweest. Heb je Nadia gebeld?'

Vianello knikte. Hij had haar een uur eerder vanaf de Questura gebeld. 'Het was de enige baan die Maria kon krijgen. Haar vader zat bij de politie, dus iemand heeft wat voor haar geritseld en haar die baan bezorgd. Weet u wat ze eigenlijk wilde doen, commissario?'

'Daar wil ik het niet over hebben, Lorenzo.'

'Weet u wat ze eigenlijk wilde doen?'

'Lorenzo,' zei Brunetti op zachte toon om hem te waarschuwen.

'Ze wilde lesgeven op een basisschool, maar ze wist dat er geen banen waren, dus ging ze bij de politie.'

Ondertussen waren ze langzaam de trap af gelopen, en nu liepen ze door de hal naar de dubbele deuren. Toen de agent in uniform die op wacht stond Brunetti zag, salueerde hij. De twee mannen liepen naar buiten, en aan de overkant van het kanaal klonk in de bomen van de Campo San Lorenzo het bijna oorverdovende vogelkoor dat de dageraad toezong. Het aardedonker van de nacht was verdwenen, maar het licht was nog maar een ondertoon, een die de wereld van compacte ondoordringbaarheid in een van grenzeloze mogelijkheden zou veranderen.

Ze stonden aan de rand van het kanaal naar de bomen te kijken, hun blik geleid door wat hun oren waarnamen. Beiden hadden hun handen in de zakken en beiden voelden de plotselinge kilte in de lucht die vlak voor zonsopgang optrok.

'Dit zou niet mogen,' zei Vianello. Toen wendde hij zich naar rechts, in de richting van zijn huis, zei: '*Arrivederci, commissario*,' en liep weg.

Brunetti ging de andere kant op en liep terug richting Rialto en de straten die hem naar huis zouden brengen. Ze hadden haar gedood alsof ze een vlieg was; ze hadden hun handen uitgestoken om hem te vermorzelen maar in plaats daarvan was zij uit het leven weggerukt. Zomaar. Het ene moment was ze nog een jonge vrouw die vooroverleunde om iets tegen een vriend te zeggen, met haar hand zachtjes, vol vertrouwen, vriendschappelijk op zijn arm, de mond open om iets te zeggen. Wat had ze willen zeggen? Wilde ze een grapje maken? Wilde ze tegen Vianello zeggen dat ze het niet had gemeend toen ze achter in de auto was gestapt? Of was het iets geweest over Franco, een laatste woord van verlangen? Niemand zou het ooit weten. De vluchtige gedachte was met haar heengegaan.

Hij zou Franco bellen, maar nu nog niet. De jongeman moest nog maar even slapen, vóór het grote verdriet. Brunetti wist dat hij hem nu niet kon vertellen over Maria's laatste uur met Vianello in de auto; hij kon het niet over zijn lippen krijgen. Brunetti zou het hem later wél vertellen, want pas dan zou de jongeman het kunnen horen, pas dan, na het grote verdriet.

Toen hij bij Rialto was, keek hij naar links en zag een vaporetto de halte naderen, en dat toeval besliste voor hem. Hij liep vlug naar de halte en stapte op de boot, ging ermee naar het station en haalde de eerste trein van die ochtend over de dam. Hij wist dat Gallo niet op de Questura zou zijn, dus nam hij een taxi vanaf het station van Mestre en gaf de chauffeur Crespo's adres.

Zonder dat hij het had gemerkt, was het daglicht gekomen, en daarmee de hitte, die in deze stad van plaveisel en cement, wegen en hoogbouw misschien nog wel erger was. Brunetti was bijna blij met het toenemende ongemak van de hitte en de vochtigheid; het leidde hem af van wat hij die nacht had gezien en waarvan hij begon te vrezen dat hij het ook in Crespo's appartement zou aantreffen.

Net als de vorige keer stond de airconditioning aan in de lift, wat zelfs op dit tijdstip al nodig was. Hij drukte op het knopje en zoefde snel en geruisloos omhoog naar de zevende verdieping. Hij belde aan bij Crespo, maar ditmaal werd er aan de andere kant van de deur niet gereageerd. Hij belde nog eens aan en toen nog eens, waarbij hij zijn vinger secondelang op de bel hield. Geen voetstappen, geen stemmen, geen teken van leven.

Hij haalde zijn portefeuille te voorschijn en pakte er een metalen plaatje uit. Vianello was ooit een hele middag bezig geweest om hem te leren hoe hij dit moest doen, en ook al was hij geen echte uitblinker, toch had hij in nog geen tien seconden Crespo's deur open. Terwijl hij over de drempel stapte, zei hij: 'Signor Crespo? Uw deur is open. Bent u thuis?' Voorzichtigheid kon nooit kwaad.

Er was niemand in de woonkamer. De keuken blonk, was kraakhelder. Hij vond Crespo in de slaapkamer, gekleed in een geelzijden pyjama. Er zat een stuk telefoonkabel om zijn hals, zijn gezicht was een gruwelijke, opgezwollen parodie op zijn vroegere schoonheid.

Brunetti nam niet de moeite rond te kijken of de kamer te inspecteren; hij liep naar het appartement ernaast en klopte op de deur tot er werd opengedaan door een slaperige, kwade man die tegen hem begon te schreeuwen. Tegen de tijd dat het forensisch team van de Questura van Mestre was gearriveerd, had Brunetti ook tijd gehad om de man van Maria Nardi in Milaan te bellen en hem te vertellen wat er was gebeurd. Anders dan de man aan de deur schreeuwde Franco Nardi niet; Brunetti wist niet of dat erger of beter was.

Weer op de Questura in Mestre vertelde Brunetti aan de net gearriveerde Gallo wat er was gebeurd en droeg het onderzoek van Crespo's appartement en lichaam aan hem over, legde uit dat hij die ochtend terug moest naar Venetië. Hij zei niet tegen Gallo dat hij terugging om naar Mascari's begrafenis te gaan; er hing al genoeg dood in de lucht.

Hoewel hij vanuit een wereld van gewelddadige sterfgevallen terugkeerde naar de stad om aanwezig te zijn bij de gevolgen van een ander gewelddadig sterfgeval, kon hij niet voorkomen dat zijn hart opsprong bij het zien van de klokkentorens en pastelkleurige gevels die in het zicht kwamen zodra de politieauto over de dam reed. Hij wist dat schoonheid nergens iets aan kon veranderen, en misschien was de troost die ze bood niet meer dan een illusie, maar toch was hij daar blij mee.

De begrafenis was een treurige aangelegenheid; er werden inhoudsloze woorden gesproken door mensen die duidelijk te geschokt waren over de omstandigheden rondom Mascari's dood om te doen alsof ze meenden wat ze zeiden. De weduwe doorstond het allemaal met rechte rug en droge ogen, en liep direct achter de doodskist aan de kerk uit, zwijgend en alleen.

Zoals te verwachten was, sloegen de kranten helemaal op hol toen ze lucht kregen van Crespo's dood. Het eerste verhaal verscheen in de avondeditie van *La Notte,* een krant die nogal hield van rode koppen en het gebruik van de tegenwoordige tijd. Francesco Crespo werd omschreven als een 'travestie-courtisane'. Zijn levensloop werd beschreven, en er werd veel aandacht besteed aan het feit dat hij als danser had gewerkt in een homo-*discoteca* in Vicenza, ook al was hij er nog geen week in dienst geweest. De schrijver van het artikel legde onvermijdelijk een verband met de moord op Leonardo Mascari, nog geen week geleden, en gaf aan dat de overeenkomst tussen de slachtoffers erop wees dat de dader iemand was die een dodelijke afkeer had van travestieten. De auteur leek het niet nodig te vinden om uit te leggen hoe dat kwam.

De ochtendkranten borduurden daarop voort. De *Gazzettino* wees op de meer dan tien prostituees die de afgelopen jaren alleen al in de provincie Pordenone waren vermoord en probeerde een verband te leggen tussen die misdaden en de moord op de twee travestieten. *Il Manifesto* gaf het misdrijf twee hele kolommen op pagina vier, en de schrijver nam de gelegenheid te baat om Crespo te omschrijven als 'de zoveelste parasiet die zich vastklampt aan het rottende lijk der Italiaanse burgermaatschappij'.

In zijn gezaghebbende verslag van de moord schakelde *Il Corriere della Sera* snel van de moord op een relatief onbelangrijke prostitué over naar die op een bekende Venetiaanse bankier. Het artikel maakte gewag van 'lokale bronnen', die meldden dat Mascari's 'dubbelleven' in bepaalde kringen publiek geheim was. Zijn dood was dan ook het directe gevolg van de 'spiraal van losbandigheid' waarin zijn leven was terechtgekomen, en zijn zwakheden hadden dat veroorzaakt.

Nieuwsgierig naar de onthulling van deze bronnen belde Brunetti het kantoor van de krant in Rome op en vroeg of hij de schrijver van het artikel kon spreken. Toen die tot de ontdekking kwam dat Brunetti een commissario van de politie was die wilde weten met wie hij had gesproken toen hij het artikel had geschreven, zei hij dat hij zijn informatiebron niet kon onthullen, dat er een onvoorwaardelijk, absoluut vertrouwen moest zijn tussen een journalist en degenen die met hem praatten en die hem lazen. Verder zou het onthullen van zijn bron tegen de hoogste principes van zijn beroep ingaan. Brunetti had er zeker drie volle minuten voor nodig om zich te realiseren dat het de man ernst was, dat hij echt geloofde wat hij zei.

'Hoe lang werkt u voor de krant?' viel Brunetti hem in de rede.

De verslaggever, verrast dat zijn uitgebreide betoog over zijn principes, doelen en idealen werd onderbroken, viel even stil, en zei toen: 'Vier maanden. Hoezo?'

'Kunt u me weer doorverbinden met de centrale, of moet ik opnieuw bellen?' vroeg Brunetti.

'Ik kan u wel doorverbinden. Maar waarom?'

'Ik wil uw redacteur spreken.'

De stem van de man werd onzeker en toen argwanend bij dit eerste duidelijke teken van onbetrouwbaarheid en achterbakse methodes van overheidsinstanties. 'Commissario, ik wil u waarschuwen dat iedere poging om de feiten die ik in mijn verhaal heb onthuld te censureren of in twijfel te trekken, snel bekend zal worden bij mijn lezers. Ik weet niet of u zich wel realiseert dat er een nieuw tijdperk is aangebroken in dit land, dat de behoefte van de mensen om alles te weten niet langer kan worden...' Brunetti drukte op het knopje van zijn toestel, en toen hij een nieuwe kiestoon kreeg, belde hij opnieuw het centrale nummer van de krant. Zelfs de Questura hoefde niet te betalen om naar dat soort onzin te luisteren, en zeker niet tegen het interlokale tarief.

Toen hij eindelijk werd doorverbonden met de redacteur van de nieuwsredactie van de krant, bleek dat Giulio Lotto te zijn, een man met wie Brunetti in het verleden te maken had gehad toen ze allebei een poos naar Napels waren overgeplaatst.

'Giulio, met Guido Brunetti.'

'Ciao, Guido. Ik hoorde dat je terug bent in Venetië.'

'Ja. Daar bel ik ook voor. Een van je verslaggevers' – Brunetti keek naar de naamregel en las die voor – 'Lino Cavaliere, heeft vanochtend een artikel over de travestiet die is vermoord in Mestre.'

'Ja, dat heeft mijn vervanger gisteravond gelezen. Wat is ermee?'

'Hij heeft het over "lokale bronnen" die vermelden dat van de andere, Mascari, die vorige week is vermoord, bekend was dat hij een dubbelleven leidde.' Brunetti wachtte even en herhaalde toen het woord: 'Dubbelleven. Aardige woordkeus, Giulio, dubbelleven.'

'O, jezus, heeft hij dat erin gezet?'

'Het staat hier allemaal, Giulio: lokale bronnen, dubbelleven.'

'Ik hak z'n pik eraf,' riep Lotto in de telefoon, en hij zei het toen nog eens tegen zichzelf.

'Betekent dat dat er geen lokale bronnen zijn?'

'Nee, hij heeft een of ander anoniem telefoontje gehad van een man die zei dat hij een klant was geweest van Mascari. Of een cliënt, hoe je het ook mag noemen.'

'Wat zei hij?'

'Dat hij Mascari al jaren kende, dat hij hem had gewaarschuwd voor bepaalde dingen die hij deed, bepaalde klanten die hij had. Hij zei dat het daar een publiek geheim was.'

'Giulio, die vent was bijna vijftig.'

'Ik maak 'm af. Geloof me, Guido. Hier wist ik niets van. Ik heb gezegd dat hij het niet moest gebruiken. Ik maak dat snertjoch van kant.'

'Hoe kan hij nou zo stom zijn?' vroeg Brunetti, hoewel hij wist dat er legio redenen waren voor menselijke domheid.

'Hij is gestoord, hopeloos gewoon,' zei Lotto op sombere toon, alsof hij er dagelijks mee te maken had.

'Waarom werkt hij dan voor je? Je hebt nog steeds de reputatie de beste krant van het land te zijn.' Brunetti's woordkeus was hier meesterlijk; zijn persoonlijke scepsis was duidelijk, maar had niet de overhand.

'Hij is getrouwd met de dochter van de man van die meubelzaak, die ene die elke week met een dubbele pagina adverteert. We konden niet anders. Hij deed altijd de sportpagina, maar toen zei hij op een dag dat hij zo verbaasd was te horen dat Amerikaans *football* iets anders was dan voetbal. Dus heb ík hem gekregen.' Lotto was even stil en beide mannen dachten een poosje na. Brunetti vond er een vreemde troost in om te ontdekken dat hij niet de enige was die werd opgescheept met types als Riverre en Alvise. Blijkbaar vond

Lotto nergens troost in en hij zei alleen maar: 'Ik probeer hem overgeplaatst te krijgen naar de politieke redactie.'

'Perfecte keus, Giulio. Succes,' zei Brunetti. Hij bedankte hem voor de informatie en hing op.

Hoewel hij ongeveer zoiets had verwacht, stond hij toch versteld van de overduidelijke stommiteit ervan. Alleen door ongelooflijk toeval had de 'lokale bron' een reporter gevonden die onnozel genoeg was om het gerucht over Mascari te herhalen zonder de moeite te nemen om te kijken of het wel op feiten berustte. En alleen iemand die heel onbezonnen was – of heel bang – zou proberen het verhaal de wereld in te helpen, alsof daardoor niet aan het licht zou komen dat Mascari's prostitutie zorgvuldig was uitgedacht.

Tot nu toe was het politieonderzoek naar Crespo's moord net zo onbevredigend als wat de pers erover schreef. Niemand in de flat wist wat Crespo deed; sommigen dachten dat hij ober was in een bar, terwijl anderen dachten dat hij als nachtportier werkte in een Venetiaans hotel. Niemand had iets vreemds gezien in de dagen voor hij werd vermoord, en niemand kon zich herinneren dat er ooit iets vreemds gebeurde in de flat. Ja, signor Crespo had vaak bezoek, maar hij was aardig en extravert, dus dan was het toch logisch dat er mensen bij hem langskwamen?

Het lichamelijk onderzoek was duidelijker geweest: de dood was veroorzaakt door wurging, waarbij zijn moordenaar hem van achteren was genaderd, waarschijnlijk onverwacht. Geen tekenen van recent seksueel contact, niets onder zijn nagels en genoeg vingerafdrukken in het appartement om ze dagenlang bezig te houden.

Brunetti had twee keer naar Bolzano gebeld, maar de eerste keer was de lijn van het hotel bezet, en de tweede keer was Paola niet op haar kamer. Hij pakte de telefoon om haar nog een keer te bellen, maar werd onderbroken doordat er op de deur werd geklopt. Nadat hij 'Avanti' had geroepen, kwam signorina Elettra binnen met een dossier in haar hand, dat ze op zijn bureau legde.

'Dottore, ik denk dat er beneden iemand is die u wil spreken.' Ze zag dat hij verrast was dat ze hem dat kwam vertellen, dat ze het überhaupt wist, en verklaarde zich haastig nader. 'Ik was beneden om wat paperassen af te geven bij Anita, en toen hoorde ik hem praten met de bewaker.'

'Hoe zag hij eruit?'

Ze glimlachte. 'Een jonge man. Heel goed gekleed.' Van signorina Elettra, die vandaag een mauvezijden pak droeg dat door bijzonder begaafde rupsen leek te zijn gemaakt, was dat wel heel hoge lof. 'En heel knap,' voegde ze eraan toe met een glimlach waaraan schijnbaar spijt was af te lezen dat de jonge man niet haar, maar Brunetti wilde spreken.

'Misschien kunt u naar beneden gaan om hem op te halen,' zei Brunetti, al evenzeer om snel de kans te krijgen dit wereldwonder te ontmoeten als om signorina Elettra een excuus te geven om met hem te praten.

Haar glimlach veranderde weer in de glimlach die ze voor mindere goden leek te gebruiken, en ze liep zijn kantoor uit. Een paar minuten later was ze terug, klopte aan, kwam binnen en zei: 'Commissario, deze meneer wil u graag spreken.'

Een jongeman liep achter haar aan het kantoor binnen, en signorina Elettra stapte opzij, zodat hij naar Brunetti's bureau kon lopen. Brunetti stond op en stak over het bureau heen zijn hand uit. De jongeman schudde die; zijn grip was stevig, zijn hand groot en gespierd.

'Gaat u alstublieft zitten, signore,' zei Brunetti en toen

wendde hij zich tot signorina Elettra. 'Dank u, signorina.'

Ze schonk Brunetti een vage glimlach, en keek toen naar de jongeman met eenzelfde soort blik waarmee Parsifal naar de Graal moet hebben gekeken toen die hem ontglipte. 'Ja, ja,' zei ze. 'Als u iets nodig hebt, meneer, dan belt u maar.' Ze keek nog een laatste keer naar de bezoeker en verliet het kantoor. Ze deed de deur zacht achter zich dicht.

Brunetti ging zitten en keek naar de jongeman die aan de andere kant van zijn bureau zat. Zijn korte donkere haar viel in krullen over zijn voorhoofd en tot vlak over de bovenrand van zijn oren. Hij had een smalle, fijne neus, zijn bruine ogen stonden wijd uit elkaar en waren bijna zwart in contrast met zijn bleke huid. Hij droeg een donkergrijs pak met een zorgvuldig geknoopte blauwe das. Hij beantwoordde Brunetti's blik even en glimlachte toen, zodat er een perfect gebit zichtbaar werd. 'Herkent u me niet, dottore?'

'Nee, ik ben bang van niet,' zei Brunetti.

'We hebben elkaar vorige week ontmoet, commissario. Maar de omstandigheden waren anders.'

Ineens schoten Brunetti de vuurrode pruik, de hooggehakte schoenen te binnen. 'Signor Canale. Nee, ik herkende u niet. Mijn excuses.'

Canale glimlachte weer. 'Ik ben eigenlijk heel blij dat u me niet herkent. Dat betekent dat mijn professionele ik echt totaal anders is.'

Brunetti wist niet precies wat hij daarmee bedoelde, dus reageerde hij er niet op. In plaats daarvan vroeg hij: 'Wat kan ik voor u doen, signor Canale?'

'Kunt u zich nog herinneren dat toen u me die foto van die man liet zien, ik zei dat hij me bekend voorkwam?'

Brunetti knikte. Las deze jongeman geen kranten? Mascari was al dagen geleden geïdentificeerd.

'Toen ik het verhaal in de krant las en de foto van hem zag, hoe hij er werkelijk uitzag, wist ik weer waar ik hem gezien had. De tekening die u me liet zien was eigenlijk helemaal niet goed.'

'Nee, dat was ook zo,' gaf Brunetti toe, omdat hij liever niet vertelde dat Mascari zo ernstig verminkt was en de schets daardoor een onjuiste reconstructie van zijn gezicht was geworden. 'Waar had u hem gezien?'

'Hij benaderde me een week of twee geleden.' Toen hij Brunetti's verbazing daarover zag, lichtte Canale zijn opmerking toe. 'Nee, het was niet wat u denkt, commissario. Hij was niet geïnteresseerd in mijn vak. Tenminste, hij was niet geïnteresseerd in wat ik deed. Maar hij was wel geïnteresseerd in mij persoonlijk.'

'Hoe bedoelt u?'

'Nou, ik stond op straat. Ik was net uit een auto gestapt – van een cliënt, begrijpt u – en ik was nog niet teruggelopen naar de meisjes, ik bedoel de jongens, en hij kwam naar me toe en vroeg of ik Roberto Canale was, en of ik op de Viale Canova nummer 35 woonde. Eerst dacht ik dat hij van de politie was. Zo zag hij eruit.'

Het leek Brunetti beter om er niet naar te vragen, maar Canale legde het toch uit. 'U kent het wel, jasje-dasje en goed duidelijk maken dat hij heel goed wist waar hij mee bezig was. Hij vroeg het, en ik zei dat ik daar woonde. Ik dacht nog steeds dat hij van de politie was. Hij heeft zelfs helemaal niet gezegd dat hij dat niet was, en liet me denken dat hij het wel was.'

'Wat wilde hij nog meer weten, signor Canale?'

'Hij vroeg me naar het appartement.'

'Het appartement?'

'Ja, hij wilde weten wie de huur betaalde. Ik zei dat ik dat was, en toen vroeg hij hoe ik dat deed. Ik vertelde dat ik de huur op een bankrekening stortte die op naam van de eigenaar stond, maar toen zei hij dat ik niet moest liegen, dat hij wist hoe het zat, dus toen moest ik het wel vertellen.'

'Hoe bedoelt u: "hoe het zat"?'

'Hoe ik de huur betaal.'

'En hoe doet u dat?'

'Ik spreek af met een man in een café en geef hem het geld.'

'Hoeveel?'

'Anderhalf miljoen. Contant.'

'Wie is dat, die man?'

'Dat vroeg hij ook. Ik zei dat het gewoon een man was met wie ik elke maand afspreek in een café. Hij belt me in de laatste week van de maand en vertelt me waar ik naartoe moet, en daar ga ik dan heen en geef hem anderhalf miljoen, en dat is dat.'

'Geen kwitantie?' vroeg Brunetti.

Daar moest Canale hartelijk om lachen. 'Natuurlijk niet. Het is allemaal contant.' Ze wisten allebei dat het dus ook niet als inkomsten zou worden opgegeven. En niet belast zou worden. Het was een bekende vorm van ontduiking: veel huurders deden het waarschijnlijk net zo.

'Maar ik betaal ook andere huur,' ging Canale verder.

'Ja?' vroeg Brunetti.

'Honderdtienduizend lire.'

'En waar betaalt u die?'

'Ik stort het op een bankrekening, maar op de kwitantie

die ik ervan krijg, staat geen naam, dus ik weet niet op wiens naam de rekening staat.'

'Bij welke bank?' vroeg Brunetti, al had hij wel een vermoeden.

'De Banca di Verona. Die zit…'

Brunetti viel hem in de rede. 'Ik weet waar die zit.' Toen vroeg hij: 'Hoe groot is uw appartement?'

'Vier kamers.'

'Dan is anderhalf miljoen wel een hoop geld.'

'Ja, dat is ook zo, maar er horen ook andere dingen bij,' zei Canale, terwijl hij heen en weer schoof op zijn stoel.

'Zoals?'

'Nou, ik word niet gestoord.'

'U bedoelt als u aan het werk bent?' vroeg Brunetti.

'Ja. En het is lastig voor ons om een huis te vinden. Als mensen eenmaal weten wie we zijn en wat we doen, dan willen ze ons hun gebouw uit hebben. Ik kreeg te horen dat dat niet zou gebeuren als ik daar woonde. En dat is ook niet gebeurd. Iedereen in het gebouw denkt dat ik bij de spoorwegen werk, dat ik daarom 's nachts werk.'

'Waarom denken ze dat?'

'Dat weet ik niet. Ze wisten het gewoon allemaal toen ik er kwam wonen.'

'Hoe lang woont u er al?'

'Twee jaar.'

'En u hebt altijd op die manier de huur betaald?'

'Ja, van meet af aan.'

'Hoe hebt u het appartement gevonden?'

'Een van de meisjes op straat had me erover verteld.'

Brunetti stond zichzelf een glimlachje toe. 'Iemand die u een meisje noemt of iemand die ik een meisje noem, signor Canale?'

'Iemand die ik een meisje noem.'

'Hoe heet hij?' vroeg Brunetti.

'Het heeft geen zin om u dat te vertellen. Hij is een jaar geleden overleden. Aan een overdosis.'

'Hebben uw vrienden – collega's – net zulke regelingen?'

'Een paar wel, maar wij hebben mazzel.'

Brunetti dacht even na over dit feit en de mogelijke gevolgen ervan. 'Waar kleedt u zich om, signor Canale?'

'Waar ik me omkleed?'

'In uw…' begon Brunetti en toen zweeg hij, zich afvragend hoe hij het moest noemen. 'In uw werkkleding? Als de mensen tenminste denken dat u bij de spoorwegen werkt.'

'O, in een auto, of in de bosjes. Na een tijdje kun je het heel snel; het is zo gepiept.'

'Heeft u dit ook allemaal aan signor Mascari verteld?' vroeg Brunetti.

'Nou, wel wat. Hij wilde weten hoe het met de huur zat. En hij wilde de adressen van een paar anderen weten.'

'Hebt u die aan hem gegeven?'

'Ja. Ik heb u al verteld dat ik dacht dat hij van de politie was, dus heb ik het hem verteld.'

'Heeft hij verder nog iets gevraagd?'

'Nee, alleen die adressen.' Canale zweeg even en voegde er toen aan toe: 'Ja, hij vroeg nog één ding, maar volgens mij was dat alleen maar, nou ja, om te laten merken dat hij belangstelling voor me had. Als persoon, bedoel ik.'

'Wat vroeg hij dan?'

'Of mijn ouders nog leefden.'

'En wat zei u tegen hem?'

'De waarheid. Ze zijn allebei dood. Ze zijn jaren geleden overleden.'

'Waar?'

'Op Sardinië. Daar kom ik vandaan.'

'Vroeg hij verder nog iets?'

'Nee, niets.'

'Hoe reageerde hij op wat u hem vertelde?'

'Ik begrijp niet wat u bedoelt,' zei Canale.

'Leek hij verrast door iets wat u zei? Bezorgd? Waren het de antwoorden die hij verwachtte?'

Canale dacht even na en antwoordde toen: 'Eerst leek hij een beetje verrast, maar toen vroeg hij door, alsof hij er niet eens over na hoefde te denken. Alsof hij een hele lijst met vragen paraat had.'

'Heeft hij iets tegen u gezegd?'

'Nee, hij bedankte me voor de informatie die ik hem gegeven had. Dat was wel raar, weet u, want ik dacht dat hij een agent was, en meestal zijn agenten niet erg…' Hij zweeg even, zocht naar de juiste woorden. 'Ze behandelen ons niet zo best.'

'Wanneer herinnerde u zich wie hij was?'

'Dat heb ik u verteld: toen ik zijn foto in de krant zag. Bankier. Hij was bankier. Denkt u dat hij daarom zo geïnteresseerd was in de huur?'

'Dat zou heel goed kunnen, signor Canale. Het is zeker een mogelijkheid die we zullen natrekken.'

'Mooi. Ik hoop dat u degene die het heeft gedaan kunt vinden. Hij verdiende het niet om te sterven. Hij was een heel aardige man. Hij behandelde me, nou ja, met fatsoen. Zoals u.'

'Dank u, signor Canale. Deden mijn collega's maar hetzelfde.'

'Dat zou wel prettig zijn, hè?' zei Canale met een charmante glimlach.

'Signor Canale, kunt u een lijst voor me opstellen met dezelfde namen en adressen die u hem hebt gegeven? En als u het weet, wanneer uw vrienden in hun appartement zijn getrokken?'

'Zeker,' zei de jongeman, en Brunetti schoof een vel papier en een pen over het bureau naar hem toe. Hij boog zich over het papier en begon te schrijven, en terwijl hij dat deed keek Brunetti naar zijn grote hand, die de pen vasthield alsof het een vreemd voorwerp was. De lijst was kort, en hij was er snel mee klaar. Toen hij hem af had, legde Canale de pen neer op het bureau en kwam overeind.

Brunetti stond op en liep om zijn bureau heen. Hij begeleidde Canale naar de deur, waar hij vroeg: 'En Crespo? Weet u iets over hem?'

'Nee, hij is niet iemand met wie ik heb gewerkt.'

'Hebt u enig idee wat er met hem gebeurd kan zijn?'

'Nou, ik zou wel gek zijn als ik niet dacht dat het te maken heeft met de moord op die andere man, toch?'

Dat lag zo voor de hand dat Brunetti niet eens knikte.

'Als ik zou moeten raden, zou ik zelfs zeggen dat hij is vermoord omdat hij met u had gepraat.' Toen hij Brunetti's blik zag, verklaarde hij zichzelf nader: 'Nee, niet met u persoonlijk, commissario, maar met de politie. Ik zou zeggen dat hij iets wist over de andere moord en uit de weg moest worden geruimd.'

'En toch bent u hier met mij komen praten?'

'Meneer Mascari sprak met me alsof ik een gewoon mens was. U toch ook, commissario? U hebt met me gepraat alsof ik een man was, zoals u met andere mannen praat.' Toen Brunetti knikte, zei Canale: 'Nou, dan moest ik het u toch wel vertellen?'

De twee mannen schudden elkaar opnieuw de hand, en Canale liep de gang uit. Brunetti keek hoe zijn donkere hoofd verdween, de trap af. Signorina Elettra had gelijk: een heel knappe man.

## 21

Brunetti ging terug naar zijn kantoor en belde het nummer van signorina Elettra. 'Zou u alstublieft naar mijn kantoor willen komen, signorina?' vroeg hij. 'En kunt u alles meenemen wat u de afgelopen week hebt ontdekt over die mannen naar wie ik vroeg?'

Ze zei dat ze met alle plezier naar boven kwam, en dat geloofde Brunetti meteen. Hij was echter voorbereid op haar teleurstelling toen ze klopte, binnenkwam en rondkeek, en toen tot de ontdekking kwam dat de jongeman was verdwenen.

'Mijn bezoeker moest weg,' zei Brunetti in antwoord op haar onuitgesproken vraag.

Signorina Elettra herstelde zich direct. 'O, ja?' vroeg ze op een vlakke toon waaruit desinteresse sprak, en ze gaf twee verschillende dossiers aan Brunetti. 'Het eerste gaat over avvocato Santomauro.' Hij nam het van haar aan, maar nog voor hij het kon openslaan, zei ze: 'Er staat helemaal niets in dat het vermelden waard is. Rechtendiploma van Ca'Foscari; geboren en getogen Venetiaan. Hij heeft hier zijn hele leven gewerkt, is lid van alle vakorganisaties, getrouwd in de kerk van San Zaccaria. U zult belastingaangiften vinden, paspoortaanvragen, zelfs een vergunning om een nieuw dak op zijn huis te zetten.'

Brunetti bladerde het dossier door en vond precies wat ze had verteld, meer niet. Hij richtte zijn aandacht op de tweede map, die aanzienlijk dikker was.

'Dat gaat over de Lega della Moralità,' zei ze, en Brunetti vroeg zich af of iedereen die die woorden uitsprak dat deed met hetzelfde scherpe sarcasme, of dat het misschien alleen maar aangaf wat voor mensen hij om zich heen had. 'Dit dossier is interessanter, maar u moet het zelf maar doorkijken om te zien wat ik bedoel,' zei ze. 'Kan ik verder nog iets voor u doen, meneer?'

'Nee, dank u, signorina,' zei hij en hij sloeg het dossier open.

Toen ze vertrokken was, legde hij het dossier plat op zijn bureau en begon het door te lezen. De Lega della Moralità was negen jaar geleden opgericht als liefdadigheidsorganisatie, en volgens de statuten was het een organisatie die trachtte 'de materiële situatie van minderbedeelden te verbeteren opdat de beperking van hun wereldse zorgen hen kan helpen hun gedachten en wensen makkelijker op het spirituele te richten'. Deze zorgen moesten worden beperkt in de vorm van gesubsidieerde huizen en appartementen die in handen waren van verschillende kerken in Mestre, Marghera en Venetië, en die onder beheer waren gekomen van de Lega. Op haar beurt zou de Lega deze appartementen tegen een minimale huur toewijzen aan parochianen van de kerken van die steden die voldeden aan de eisen die door de kerken en de Lega samen waren opgesteld. Tot die eisen behoorden regelmatige kerkgang, doopbewijzen van alle kinderen, een brief van de priester van hun parochie die bevestigde dat ze mensen waren die volgens de 'hoogste morele normen' leefden, en een bewijs van hun financiële nood.

De statuten van de Lega legden de volmacht om kandidaten te selecteren bij het bestuur van de Lega, dat geheel uit leken moest bestaan om mogelijke vriendjespolitiek van de kerkautoriteiten te voorkomen. Ook zijzelf moesten van de hoogste morele statuur zijn en een enigszins prominente positie hebben in de samenleving. In het huidige zeskoppige bestuur werden er twee aangemerkt als 'ereleden'. Van de overige vier leden woonde er één in Rome en een ander in Parijs, terwijl het derde op het kloostereiland San Francesco del Deserto woonde. Het enige actieve bestuurslid dat in Venetië woonde was dan ook avvocato Giancarlo Santomauro.

In de oorspronkelijke statuten was de overdracht van tweeënvijftig appartementen aan het bestuur van de Lega vastgelegd. Na een termijn van drie jaar was op basis van brieven en verklaringen van huurders en van de leden van het parochiebestuur en de priesters die hen hadden ondervraagd, vastgesteld dat het systeem zo succesvol was dat zes andere parochies eveneens werd gevraagd deel te nemen, en zij vertrouwden samen nog eens drieënveertig appartementen aan de Lega toe. Vrijwel hetzelfde gebeurde drie jaar later, toen nog eens zevenenzestig appartementen, merendeels in het historische centrum van Venetië en het commerciële hart van Mestre, aan de Lega werden overgedragen.

Aangezien de statuten waaronder de Lega opereerde en die haar zeggenschap gaven over de appartementen die ze beheerde elke drie jaar werden herzien, rekende Brunetti uit dat dat dit jaar weer zou gebeuren. Hij bladerde terug en las de eerste twee rapporten van de evaluatiecommissies. Hij bekeek de handtekeningen op allebei: avvocato Santomauro had in beide besturen gezeten en beide rapporten ondertekend, het tweede als voorzitter. Kort na dat rapport was avvocato Santomauro benoemd tot voorzitter – een onbetaalde en volstrekt eervolle functie – van de Lega della Moralità.

Aan de achterkant van het rapport was een lijst met adressen bevestigd van de honderdtweeënzestig appartementen die op dit moment door de Lega werden beheerd, evenals de totale oppervlakte en het aantal kamers van elk. Hij pakte het vel papier dat Canale hem had gegeven erbij en las de adressen die erop stonden. Ze stonden alle vijf op de lijst. Brunetti zag zichzelf graag als man van brede opvattingen, relatief vrij van vooroordelen, maar toch wist hij niet of hij vijf travestie-prostitués kon beschouwen als mensen die leefden volgens de 'hoogste morele normen', zelfs al woonden ze in appartementen die werden verhuurd met het doel 'hun gedachten en wensen op het spirituele' te helpen richten.

Hij legde de adressenlijst opzij en ging verder lezen in het hoofdrapport. Zoals hij al dacht, werd van alle huurders van de Lega verwacht dat ze de huur, die niet meer dan symbolisch was, overmaakten naar een rekening bij het Venetiaanse kantoor van de Banca di Verona, die ook de giften afhandelde die de Lega schonk 'ter verlichting van weduwen en wezen', donaties die werden betaald van de opbrengst van de minimale huur die voor de appartementen werd betaald. Brunetti merkte dat zelfs hij verbaasd was dat ze zulke gezwollen retoriek durfden te gebruiken – 'ter verlichting van weduwen en wezen' – maar toen zag hij dat deze vorm van liefdewerk pas werd ondernomen sinds avvocato Santomauro de leiding van de Lega op zich had genomen. Toen Brunetti terugbladerde, zag hij dat de vijf mannen op Canales lijst allemaal in hun appartement waren getrokken nadat Santomauro voorzitter was geworden. Het leek bijna alsof Santomauro, toen hij die positie eenmaal bekleedde, alles aandurfde.

Op dat moment stopte Brunetti met lezen en ging bij het raam van zijn kantoor staan. Er stonden al een paar maanden geen steigers meer voor de bakstenen gevel van de San Lorenzo, maar de kerk was nog steeds gesloten. Hij keek naar de kerk en zei bij zichzelf dat hij een fout maakte waarvoor hij andere agenten waarschuwde; hij ging ervan uit dat een verdachte schuldig was voordat hij ook maar enig tastbaar bewijs had om deze met de misdaad in verband te brengen. Maar net zoals hij wist dat de kerk nooit zou worden heropend, niet zolang hij leefde, wist hij dat Santomauro verantwoordelijk was voor de moord op Mascari en Crespo, en voor die op Maria Nardi. Hij, en Ravanello waarschijnlijk ook. Honderdtweeënzestig appartementen. Hoeveel daarvan konden er worden verhuurd aan mensen zoals Canale, of aan anderen die bereid waren de huur contant te betalen en geen vragen te stellen? De helft? Zelfs eenderde zou ze al meer dan zeventig miljoen lire per maand opleveren, bijna een miljard lire per jaar. Hij dacht aan die weduwen en wezen, en hij vroeg zich af of Santomauro in de verleiding was gekomen zover te gaan dat ook zij erbij betrokken waren, dat zelfs de schamele huuropbrengst die de buidel van de Lega bereikte weer werd omgezet en werd uitbetaald aan niet-bestaande weduwen en verzonnen wezen.

Hij liep terug naar zijn bureau en bladerde het rapport door totdat hij de referentie aan de betalingen vond die werden gedaan aan degenen die de liefdadigheid van de Lega waardig waren bevonden; en jawel, de betalingen werden gedaan via de Banca di Verona. Hij steunde met beide handen op zijn bureau, stond over de papieren gebogen en zei opnieuw tegen zichzelf dat overtuiging iets anders was dan bewijs. Maar overtuigd was hij.

Ravanello had hem kopieën beloofd van Mascari's boek-houding bij de bank, ongetwijfeld de dossiers van de investeringen die hij beheerde of de leningen die hij toekende. Als Ravanello bereid was hem die documenten te laten inzien, dan zou datgene waar Brunetti naar op zoek was er niet in staan. Om alle dossiers van de bank en van de Lega te kunnen inzien, zou Brunetti een gerechtelijk bevel nodig hebben, en dat kon alleen maar komen van een macht die hoger was dan waar Brunetti over kon beschikken.

Toen Patta's 'Avanti' door de deur klonk, ging Brunetti de kamer van zijn chef binnen. Patta keek op, zag wie het was en boog zich weer over de papieren die voor hem lagen. Tot Brunetti's grote verbazing leek Patta ze ook werkelijk te lezen, en gebruikte hij ze niet alleen maar als rekwisieten om de indruk te wekken dat hij druk bezig was.

'Buon giorno, vice-questore,' zei Brunetti terwijl hij naar het bureau liep.

Patta keek weer op en wuifde naar de stoel voor hem. Toen Brunetti zat, zette Patta een vinger op de papieren voor hem en vroeg: 'Heb ik dit aan jou te danken?'

Aangezien Brunetti geen idee had wat voor papieren het waren en geen tactisch voordeel wilde verliezen door dat toe te geven, kon hij voor zijn antwoord alleen maar afgaan op de toon van de vice-questore. Patta's sarcasme lag er meestal duimendik bovenop, maar daar was nu geen spoor van te bekennen. Omdat Brunetti totaal geen ervaring had met Patta's dankbaarheid, zelfs alleen maar kon gissen naar het bestaan ervan, ongeveer zoals een theoloog denkt over beschermengelen, kon hij er niet van op aan of die intentie aan Patta's toon ten grondslag lag.

'Zijn dat de papieren die signorina Elettra u heeft gebracht?' vroeg Brunetti voorzichtig om tijd te rekken.

'Ja,' zei Patta, terwijl hij erop klopte zoals een man op de kop van zijn lievelingshond zou kloppen.

Toen wist Brunetti genoeg. 'Signorina Elettra heeft al het werk gedaan, maar ik heb een paar plekken voorgesteld om te kijken,' loog hij, met zijn ogen neergeslagen in geveinsde nederigheid, alsof hij geen lof durfde te oogsten voor zoiets vanzelfsprekends als het van dienst zijn van vice-questore Patta.

'Ze gaan hem vanavond arresteren,' zei Patta, die zich duidelijk verkneukelde.

'Wie gaan hem arresteren, meneer?'

'De jongens van Financiën. Hij heeft gelogen bij zijn aanvraag voor het staatsburgerschap van Monaco, dus dat is niet geldig. Dat betekent dat hij nog steeds Italiaans staatsburger is en hij heeft hier al zeven jaar geen belasting betaald. Ze zullen hem aan het kruis nagelen. Ze hangen hem op aan zijn voeten.'

Brunetti dacht aan de belastingontduiking waar een aantal huidige en voormalige ministers mee wegkwamen, en vroeg zich af of Patta's dromen bewaarheid zouden worden, maar dit leek hem niet het moment om zijn bedenkingen te uiten. Hij wist niet hoe hij de volgende vraag moest stellen en probeerde dat subtiel te doen. 'Is hij alleen als hij wordt gearresteerd?'

'Dat is het probleem,' zei Patta, die hem vluchtig aankeek. 'De arrestatie is geheim. Ze gaan er vanavond om acht uur op af. Ik weet het alleen maar omdat een vriend van Financiën belde om het te vertellen.' Brunetti zag met eigen ogen hoe Patta's gezicht betrok van bezorgdheid. 'Als ik bel om haar te waarschuwen, dan zegt zij het tegen hem en vertrekt hij uit Milaan voordat hij gearresteerd kan worden. Maar als ik haar niet bel, is ze erbij als hij wordt opgepakt.' En hij hoefde niet te zeggen dat haar naam dan met geen mogelijkheid uit de pers kon worden gehouden. En die van Patta dus ook niet. Brunetti bekeek Patta's gezicht, was gefascineerd door de emoties die zich erop afspeelden terwijl hij heen en weer geslingerd werd tussen wraakgevoelens en ijdelheid.

Zoals Brunetti had verwacht, kreeg ijdelheid de overhand. 'Ik kan geen manier bedenken om haar daar weg te krijgen zonder hem te waarschuwen.'

'Misschien kunt u, maar alleen als u het een goed idee vindt, meneer, haar laten bellen door uw advocaat en hem laten vragen of ze vanavond met hem wil afspreken in Milaan. Dan is ze, eh, niet ter plaatse als de politie komt.'

'Waarom zou ik mijn advocaat met haar willen laten afspreken?'

'Misschien zou hij kunnen zeggen dat u bereid bent om het over de voorwaarden te hebben, meneer? Het is alleen maar om haar een avond weg te lokken.'

'Ze kan mijn advocaat niet uitstaan.'

'Zou ze met u willen praten, meneer? Als u zou zeggen dat u naar Milaan wilt komen?'

'Ze…' begon Patta, maar hij schoof zijn stoel achteruit en stond op zonder de gedachte af te maken. Hij liep naar het raam en begon aan zijn eigen stilzwijgende inspectie van de gevel van de San Lorenzo.

Hij stond daar een hele minuut zonder iets te zeggen en Brunetti was zich ervan bewust hoe precair het moment was. Als Patta zich omdraaide en enige emotionele zwakte zou tonen, zou bekennen dat hij van zijn vrouw hield en haar terug wilde, dan zou hij het Brunetti nooit vergeven dat hij het had gehoord. Of erger nog, als hij een fysiek teken van zwakte of nood zou vertonen en Brunetti zag het, dan zou Patta meedogenloos zijn in zijn wraak op die getuige.

Alsof Patta en zijn persoonlijke problemen hem niet meer bezighielden, zei Brunetti op neutrale, serieuze toon: 'Meneer, de werkelijke reden waarom ik naar beneden ben gekomen is om het over de zaak-Mascari te hebben. Ik denk dat u wat dingen moet weten.'

Patta's schouders gingen een keer omhoog en naar beneden terwijl hij diep ademhaalde, toen draaide hij zich om en kwam terug naar zijn bureau. 'Wat is er allemaal gebeurd?'

Op vlakke toon, enkel geïnteresseerd in deze zaak, bracht Brunetti hem vlug op de hoogte van het dossier over de Lega en de appartementen die ze onder haar beheer had, en toen vertelde hij ~~hen~~ over de geldbedragen die elke maand aan behoeftigen werden geschonken.

'Anderhalf miljoen per maand?' vroeg Patta toen Brunetti had verteld over Canales bezoek. 'Hoeveel huur moet de Lega officieel innen?'

'In Canales geval honderdtienduizend per maand. En niemand op de lijst betaalt meer dan tweehonderdduizend, meneer. Dat wil zeggen, volgens de boekhouding van de Lega mogen ze niet meer ophalen voor één appartement.'

'Wat zijn het voor appartementen?'

'Dat van Crespo had vier kamers, in een modern gebouw. Het is het enige dat ik heb gezien, maar als ik afga op de adressen die ik op de lijst heb zien staan, tenminste de adressen hier in de stad, en het aantal kamers, zou ik zeggen dat er veel gewilde appartementen bij zitten.'

'Heb je enig idee hoeveel appartementen als dat van Canale er zijn waarvan de eigenaar de huur contant betaalt?'

'Nee, meneer. In dit stadium moet ik met de mensen gaan praten die in de appartementen wonen en uitzoeken hoeveel van hen hierbij betrokken zijn. Ik moet de bankgegevens van de Lega inzien. En ik heb de lijst met namen nodig van de weduwen en wezen die elke maand geld moeten krijgen.'

'Dat betekent een gerechtelijk bevel, hè?' vroeg Patta, en zijn aangeboren behoedzaamheid kroop terug in zijn stem. Actie ondernemen tegen iemand als Canale of Crespo was prima, niemand kon het wat schelen hoe dat werd gedaan. Maar een bank – een bank, dat was heel wat anders.

'Ik heb de indruk dat er ergens een verband is met Santomauro, meneer, en dat elk onderzoek naar Mascari's dood naar hem zal leiden.' Als Patta dan geen wraak kon nemen op Santomauro's vrouw, dan nam hij misschien genoegen met Santomauro zelf.

'Dat zou kunnen,' zei Patta, die al begon te wankelen.

Zodra een waarheidsgetrouw argument een zwakke plek vertoonde, was Brunetti altijd bereid zich van leugens te bedienen. 'De kans is groot dat de bankgegevens in orde zijn en de bank hier helemaal niets mee te maken heeft, dat alleen Santomauro heeft zitten knoeien. Als we de mogelijkheid hebben uitgesloten dat er onregelmatigheden zijn bij de bank, dan kunnen we actie ondernemen tegen Santomauro.'

Meer had Patta niet nodig om overstag te gaan. 'Goed, ik zal de rechter-commissaris vragen om een bevel waarmee we de bankgegevens in beslag kunnen nemen.'

'En de documenten van de Lega ook,' probeerde Brunetti meteen. Hij overwoog even Santomauro's naam weer te laten vallen, maar weerstond de verleiding.

'Goed,' stemde Patta toe, maar op een toon die Brunetti duidelijk maakte dat er niet meer voor hem in zat.

'Dank u wel, meneer,' zei hij terwijl hij opstond. 'Ik begin meteen, ik zal wat mensen naar degenen op de lijst sturen om met ze te praten.'

'Mooi, mooi,' zei Patta, die al niet meer zo geïnteresseerd was. Hij boog zich weer over de papieren op zijn bureau, streek er liefkozend met zijn hand overheen en keek toen op alsof hij verrast was Brunetti daar te zien staan. 'Was er verder nog iets, commissario?'

'Nee, meneer. Dat was het,' zei Brunetti en hij liep naar de deur. Toen hij wegging, pakte Patta de telefoon.

Terug op zijn eigen kamer belde hij naar Bolzano en vroeg of hij signora Brunetti kon spreken.

Na een paar klikjes en stiltes klonk Paola's stem door de telefoon. 'Ciao, Guido, *come stai*? Ik probeerde je maandagavond thuis te bereiken. Waarom heb je niet gebeld?'

'Ik heb het druk gehad, Paola. Heb je de kranten gelezen?'

'Guido, je weet dat ik op vakantie ben. Ik ben De Meester aan het lezen. *The Sacred Fount* is fantastisch. Er gebeurt niets, helemaal niets.'

'Paola, ik heb geen zin om het over Henry James te hebben.'

Die woorden had ze eerder gehoord, maar nooit op die toon. 'Guido, wat is er aan de hand?'

Hij had er direct spijt van dat hij niet meer moeite had gedaan om haar eerder te bellen. 'Er zijn hier wat problemen,' zei hij, in een poging het wat af te zwakken.

Meteen alert vroeg ze: 'Wat voor problemen?'

'Een ongeluk.'

Op zachtere toon vroeg ze: 'Vertel eens, Guido.'

'Ik kwam terug uit Mestre, en iemand probeerde ons van de brug te duwen.'

'Ons?'

'Ik was met Vianello,' zei hij, en toen voegde hij eraan toe: 'En Maria Nardi.'

'Dat meisje uit Cannaregio? Die nieuwe?'

'Ja.'

'Wat is er gebeurd?'

Hoe kwam het dat niemand haar had gebeld? Waarom had hij haar niet gebeld? 'We zijn aangereden en tegen de vangrail geklapt. Zij had geen gordel om, en is tegen de deur geslingerd. Ze heeft haar nek gebroken.'

'Ach, het arme kind,' fluisterde Paola. 'Is met jou alles goed, Guido?'

'Ik ben geschrokken, en Vianello ook, maar met ons gaat het goed.' Hij probeerde een luchtiger toon aan te slaan. 'Niets gebroken.'

'Ik heb het niet over breuken,' zei ze, nog steeds heel zacht, maar snel, door ongeduld of door bezorgdheid. 'Ik vroeg of alles goed is.'

'Ja, ik geloof het wel. Maar Vianello geeft zichzelf de schuld. Hij zat achter het stuur.'

'Ja, ik wil wel geloven dat Vianello zichzelf de schuld geeft. Probeer met hem te praten, Guido. Hou hem bezig.' Ze was even stil en vroeg toen: 'Wil je dat ik terugkom?'

'Nee, Paola, je bent er nog maar net. Ik wilde je alleen maar laten weten dat er met mij niets aan de hand is. Voor als je het in de krant zou lezen. Of voor als iemand je ernaar zou vragen.' Hij hoorde zichzelf praten, proberen haar ervan te beschuldigen dat ze niet had gebeld, de krant niet had gelezen.

'Wil je dat ik het aan de kinderen vertel?'

'Dat zou ik maar doen, voor het geval ze er iets over horen of lezen. Maar zwak het wat af als je kunt.'

'Dat zal ik doen, Guido. Wanneer is de begrafenis?'

Even wist hij niet welke ze bedoelde: die van Mascari, van Crespo of van Maria Nardi. Nee, ze kon alleen die van Maria bedoelen. 'Volgens mij vrijdagochtend.'

'Gaan jullie allemaal?'

'Zoveel als er kunnen. Ze zat nog maar net bij het korps, maar ze had al veel vrienden.'

'Wie heeft het gedaan?' vroeg ze, zonder haar vraag te hoeven uitleggen.

'Dat weet ik niet. De auto was weg voor we in de gaten hadden wat er was gebeurd. Maar ik was net in Mestre geweest om met iemand te gaan praten, een van de travestieten, dus degene die het heeft gedaan wist waar ik was. Het moet simpel zijn geweest om ons te volgen. Er is maar één weg terug.'

'En de travestiet?' vroeg ze. 'Heb je die gesproken?'

'Te laat. Die is vermoord.'

'Door dezelfde?' vroeg ze in de telegramstijl die ze in twintig jaar tijd hadden ontwikkeld.

'Ja. Dat moet wel.'

'En die eerste? Die in het veld?'

'Het heeft allemaal met elkaar te maken.'

Hij hoorde haar iets tegen iemand anders zeggen, en toen klonk haar stem weer: 'Guido, hier is Chiara, die wil je even spreken.'

'Ciao, papà, hoe gaat het? Mis je me?'

'Het gaat prima, schatje, en ik mis je vreselijk. Ik mis jullie allemaal.'

'Maar mis je mij het meest?'

'Ik mis jullie allemaal even erg.'

'Dat kan niet. Je kunt Raffi niet missen omdat die toch nooit thuis is. En mama zit alleen maar de hele dag boeken te lezen, dus wie mist haar nou? Dat betekent toch dat je mij het meest moet missen?'

'Daar heb je gelijk in, schatje.'

'Zie je, ik wist het wel. Je moest er alleen even over nadenken, hè?'

Hij hoorde van alles aan Chiara's kant van de lijn, en toen zei ze: 'Papà, ik moet je weer aan mama geven. Zeg je tegen haar dat ze met me moet gaan wandelen? Ze zit hier alleen maar de hele dag op het terras te lezen. Wat is dat nou voor vakantie?' Met die klacht was ze verdwenen, en haar plaats werd ingenomen door Paola.

'Guido, als je wilt dat ik terugkom, dan kan dat.'

Hij hoorde Chiara tegen dat voorstel protesteren en antwoordde: 'Nee, Paola, dat hoeft niet. Echt niet. Ik zal proberen dit weekend te komen.'

Ze had dat soort beloftes al vaak gehoord, dus ze vroeg hem niet te zweren het te doen. 'Kun je me er meer over vertellen, Guido?'

'Nee, Paola. Ik vertel het wel als ik je zie.'

'Hier?'

'Ik hoop het. Anders bel ik je. Luister, ik bel je sowieso, of ik nou wel of niet kom. Goed?'

'Goed, Guido. En wees alsjeblieft voorzichtig.'

'Dat zal ik doen, Paola. En jij ook, hè?'

'Voorzichtig? Waarmee, hier midden in het paradijs?'

'Voorzichtig dat je je boek niet uitleest, zoals toen in Cortina.' Ze moesten allebei lachen bij die herinnering. Ze had

*The Golden Bowl* meegenomen, maar het de eerste week al uitgelezen, zodat ze niets meer te lezen en bijgevolg niets meer te doen had in de tweede week, behalve dan bergwandelen, zwemmen, in de zon liggen en kletsen met haar man. Ze had elke minuut vreselijk gevonden.

'O, dat loopt wel los. Ik heb nu al zin om het uit te hebben, dan kan ik meteen opnieuw beginnen.' Even overwoog Brunetti of hij misschien niet tot vice-questore was bevorderd omdat iedereen wist dat hij met een krankzinnige was getrouwd. Nee, waarschijnlijk niet.

Met wederzijdse beloftes voorzichtig te zullen zijn, namen ze afscheid van elkaar.

## 22

Hij belde naar beneden, naar signorina Elettra, maar die zat niet op haar plek en de telefoon werd niet opgenomen. Hij belde Vianello's nummer en vroeg hem naar zijn kantoor te komen. Een paar minuten later kwam de brigadier binnen, en hij zag er ongeveer net zo uit als twee ochtenden eerder, toen hij voor de Questura wegliep van Brunetti.

'*Buon dì*, dottore,' zei hij, terwijl hij op zijn gebruikelijke plek tegenover Brunetti's bureau ging zitten.

'Goedemorgen, Vianello.' Om te voorkomen dat ze weer in het gesprek van twee dagen eerder verzeild zouden raken, vroeg Brunetti: 'Hoeveel mannen zijn er vandaag beschikbaar?'

Daar dacht Vianello even over na, en toen antwoordde hij: 'Vier, als we Riverre en Alvise meerekenen.'

Omdat Brunetti het ook niet over hen wilde hebben, gaf hij Vianello de eerste lijst van het dossier over de Lega en zei: 'Dit is een lijst met namen van mensen die appartementen huren van de Lega della Moralità. Ik wil graag dat je de adressen in Venetië eruit haalt en die onder jullie vieren verdeelt.'

Vianello bekeek de namen en adressen op de lijst en vroeg: 'Waarom, meneer?'

'Ik wil uitzoeken aan wie ze de huur betalen, en hoe ze dat doen.' Vianello wierp hem een blik toe die overliep van nieuwsgierigheid, en Brunetti vertelde wat Canale had verteld over het contant betalen van de huur en over zijn vrienden die hetzelfde deden. 'Ik wil graag weten hoeveel mensen op deze lijst hun huur op die manier betalen en hoeveel ze betalen. En wat nog belangrijker is, ik wil weten hoeveel van hen degene of degenen kennen aan wie ze het geld daadwerkelijk geven.'

'Dus dat is het,' zei Vianello, die het meteen begreep. Hij bladerde de lijst door. 'Hoeveel zijn het er, meneer? Veel meer dan honderd, zou ik zeggen.'

'Honderdtweeënzestig.'

Vianello floot. 'En u zegt dat Canale anderhalf miljoen per maand betaalt?'

'Ja.'

Brunetti zag Vianello dezelfde berekeningen maken die hij had gemaakt toen hij de lijst onder ogen kreeg. 'Zelfs al gaat het maar om eenderde, dan nog is het meer dan een half miljard per jaar, of niet?' vroeg Vianello hoofdschuddend, en wederom wist Brunetti niet of er verbijstering uit zijn reactie sprak of bewondering vanwege de omvang van dit alles.

'Herken je nog namen op de lijst?' vroeg Brunetti.

'Volgens mij is een van hen de man die bij mijn moeder op de hoek een café heeft; het is dezelfde naam, maar ik weet niet zeker of het adres klopt.'

'Als dat zo is, kun je misschien gewoon een praatje met hem aanknopen.'

'U bedoelt dat ik niet in uniform ga?' vroeg Vianello met een glimlach waardoor hij weer wat meer zichzelf leek.

'Of stuur Nadia erop af,' zei Brunetti voor de grap. Maar zodra hij dat gezegd had, bedacht hij dat dat misschien niet eens zo'n slecht idee was. Als de politie in uniform mensen kwam ondervragen die op de een of andere manier illegaal in een appartement woonden, dan zou dat de antwoorden die ze gaven zeker beïnvloeden. Brunetti was ervan overtuigd dat alle papieren in orde zouden zijn, dat er bewijs was dat de huur elke maand op de juiste bankrekening was gestort, en hij twijfelde er niet aan dat de juiste kwitanties er zouden zijn. Italië was in elk geval een land waar altijd bewijsdocumenten bestonden, en wel in overvloed; alleen de werkelijkheid die ze moesten weergeven was vaak een illusie.

Vianello zag het net zo snel als hij en zei: 'Volgens mij is er een informelere manier om dit te doen.'

'De buren vragen, bedoel je?'

'Ja, meneer. Ik denk niet dat mensen ons graag vertellen dat ze bij zoiets als dit betrokken zijn. Ze zouden er hun appartement door kunnen kwijtraken, en iedereen zou liegen om dat te voorkomen.' Brunetti twijfelde er niet aan dat Vianello zou liegen om zijn appartement te kunnen houden. Toen hij er eens rustig over nadacht, realiseerde hij zich dat ook hij dat zou doen, net als elke Venetiaan.

'Dan lijkt het me beter om in de buurt rond te vragen. Stuur er maar vrouwelijke agenten op af, Vianello.'

Vianello's glimlach was er een van puur genoegen.

'En neem deze mee. Dat is makkelijker te controleren,' zei Brunetti terwijl hij de tweede lijst uit het dossier haalde en aan hem gaf. 'Dit zijn de mensen die elke maand geld krijgen van de Lega. Kijk eens of je kunt ontdekken hoeveel van hen op de adressen wonen die voor ze zijn opgegeven, en kijk dan of je kunt achterhalen of ze behoren tot wat vroeger "de armlastigen" werd genoemd.'

'Als ik van gokken hield,' zei Vianello, wat ook zo was, 'dan zou ik er tienduizend lire om verwedden dat de meesten niet wonen op de adressen die hier worden opgegeven.' Hij wachtte even, bladerde de lijst met zijn vingertoppen door en voegde eraan toe: 'En ik wil er evenveel om verwedden dat veel van hen totaal niet arm zijn, al zijn ze misschien wel lastig.'

'Daar wordt niet om gewed, Vianello.'

'Dat dacht ik al. En Santomauro?'

'Alles wat signorina Elettra heeft kunnen vinden duidt erop dat hij brandschoon is.'

'Niemand is brandschoon,' vuurde Vianello terug.

'Zorgvuldig dan.'

'Dat klinkt beter.'

'En nog iets. Gallo heeft de fabrikant gesproken van de schoenen die bij Mascari zijn gevonden, en die heeft hem een lijst met winkels hier in de regio gegeven waar die schoenen verkocht werden. Ik wil graag dat je iemand langs de winkels op de lijst stuurt om te kijken of iemand nog weet dat hij ze heeft verkocht. Ze zijn maat eenenveertig, dus het kan zijn dat degene die ze heeft verkocht zich kan herinneren aan wie hij ze heeft verkocht.'

'En de jurk?' vroeg Vianello.

Brunetti had het rapport twee dagen geleden ontvangen, en de uitkomst was precies zoals hij had gevreesd. 'Dat is zo'n goedkoop geval dat je overal op de markt kunt kopen. Rood, van een of ander goedkoop synthetisch materiaal. Kan niet meer hebben gekost dan veertigduizend lire. Het merkje is eruit gescheurd, maar Gallo probeert de fabrikant ervan te achterhalen.'

'Enige kans dat dat lukt?'

Brunetti haalde zijn schouders op. 'We hebben veel meer

kans met de schoenen. Daar weten we tenminste de fabrikant van, en de winkels waar ze werden verkocht.'

Vianello knikte. 'Verder nog iets, meneer?'

'Ja. Bel de Fiscale Recherche en zeg dat we een van hun beste mensen nodig hebben, en nog meer als ze ze kunnen missen, om alle paperassen te bekijken die we van de Banca di Verona en van de Lega krijgen.'

Verrast vroeg Vianello: 'Hebt u Patta echt zover gekregen dat hij een gerechtelijk bevel heeft aangevraagd? Om papieren los te peuteren bij een bank?'

'Ja,' zei Brunetti, en het lukte hem noch te grijnzen, noch te glunderen.

'Dat hele gedoe moet hem meer hebben aangegrepen dan ik dacht. Een gerechtelijk bevel.' Vianello schudde zijn hoofd om zoiets wonderbaarlijks.

'En kun je vragen of signorina Elettra hiernaartoe wil komen?'

'Natuurlijk,' zei Vianello terwijl hij opstond. Hij hield de lijsten omhoog. 'Ik verdeel de namen en ga aan de slag.' Hij liep naar de deur, maar voordat hij wegging zei hij wat Brunetti zichzelf al de hele ochtend afvroeg. 'Hoe kunnen ze nu zoiets riskeren? Er hoeft maar één iemand, één lek te zijn en de hele zaak klapt in elkaar.'

'Ik heb geen idee, nou ja, niets plausibels.' Bij zichzelf dacht hij dat het misschien alleen maar een vorm van groepsgekte was, een vlaag van risicogedrag dat elk gezond verstand te boven ging. De laatste jaren was het land opgeschrikt door arrestaties en veroordelingen voor omkoping op elk niveau, van industriëlen en aannemers tot ministers. Er waren miljarden, tientallen miljarden, honderden miljarden aan steekpenningen betaald, dus waren Italianen gaan denken dat corruptie de normaalste zaak van de wereld was voor de overheid. Het gedrag van de Lega della Moralità en de mannen die aan het hoofd ervan stonden zouden dan ook als volstrekt normaal worden beschouwd in een land waar corruptie hoogtij vierde.

Brunetti schudde die overpeinzing van zich af, keek naar de deur en zag dat Vianello was verdwenen.

Hij werd al snel vervangen door signorina Elettra, die door de deur kwam die Vianello open had laten staan. 'U wilde me spreken, commissario?'

'Ja, signorina,' zei hij terwijl hij naar de stoel naast zijn bureau gebaarde. 'Vianello is net naar beneden met de lijsten die u me hebt gegeven. Het ziet ernaar uit dat een aantal mensen op een daarvan veel meer huur betalen dan wat de Lega opgeeft, dus ik wil weten of de mensen op de tweede lijst ook echt het geld krijgen waarvan de Lega zegt dat ze het aan hen geeft.'

Terwijl Brunetti aan het woord was, schreef signorina Elettra snel van alles op, met haar hoofd over haar notitieblok gebogen.

'Ik zou u willen vragen, als u tenminste nergens anders mee bezig bent – wat was u van de week in het archief aan het doen?' vroeg hij.

'Wat?' zei ze terwijl ze half overeind kwam. Haar notitieblok viel op de grond en ze bukte om het op te rapen. 'Het spijt me, commissario,' zei ze toen het notitieblok weer open op haar schoot lag. 'In het archief? Ik wilde kijken of er iets te vinden was over avvocato Santomauro of misschien over signor Mascari.'

'En hebt u iets gevonden?'

'Nee, helaas niet. Geen van beiden heeft ooit problemen

gehad met de politie. Helemaal niets.'

'Niemand in dit gebouw heeft enig idee hoe de dingen daar zijn opgeslagen, signorina, maar ik zou u willen vragen alles uit te zoeken wat er te vinden is over de mensen op die lijsten.'

'Op allebei, dottore?'

Zij had ze opgesteld, dus ze wist dat er meer dan tweehonderd namen op stonden. 'Misschien kunt u met de tweede beginnen, met de mensen die geld krijgen. Hun namen en adressen staan op die lijst, dus u kunt het stadhuis proberen en uitzoeken wie er als bewoner staan ingeschreven.' Hoewel het een overblijfsel was uit het verleden, maakte de wet die alle burgers verplichtte officieel ingeschreven te staan in de stad waar ze woonden en de autoriteiten op de hoogte te brengen van elke adreswijziging, het makkelijk de gangen en achtergronden na te trekken van iedereen die door de autoriteiten in de gaten werd gehouden.

'Ik wil graag dat u de mensen op die lijst natrekt, uitzoekt of erbij zijn die een strafblad hebben, hier of in andere steden. Of in andere landen, al heb ik geen idee wat u daarover kunt vinden.' Signorina Elettra knikte terwijl ze aantekeningen maakte, alsof dit alles kinderspel was. 'En zodra Vianello heeft uitgezocht wie de huur in het geniep betaalt,' ging hij verder, 'wil ik graag dat u hetzelfde doet met die namen.' Een paar seconden nadat hij was uitgepraat keek ze op. 'Denkt u dat dat lukt, signorina? Ik heb geen idee wat er met de oude dossiers is gebeurd toen we op computers zijn overgeschakeld.'

'De meeste oude dossiers liggen nog beneden,' zei ze. 'Het is een chaos, maar er zijn nog steeds dingen in te vinden.'

'Denkt u dat dat lukt?' Ze werkte er nog geen twee weken,

maar voor Brunetti voelde het alsof ze er al jaren was.

'Zeker. Ik heb zeeën van tijd,' zei ze, waarna ze een wagenwijd gat liet vallen.

Hij gaf toe aan zijn opwelling en vroeg: 'Wat is er allemaal gaande?'

'Ze gaan vanavond uit eten. In Milaan. Hij laat zich er vanmiddag naartoe rijden.'

'Wat zal er gebeuren, denkt u?' vroeg Brunetti, al wist hij dat hij dat niet moest vragen.

'Zodra Burrasca is gearresteerd, zit ze op het eerste vliegtuig terug. Of misschien biedt hij aan om haar na het eten terug te brengen naar het huis van Burrasca – dat zou hij vast leuk vinden, er met haar naartoe rijden en dan de auto's van de Fiscale Recherche zien staan. Als ze die ziet, komt ze vanavond vast met hem mee terug.'

'Waarom wil hij haar terug?' vroeg Brunetti eindelijk.

Signorina Elettra keek naar hem op, verwonderd door zijn domheid. 'Hij houdt van haar, commissario. Dat moet u toch begrijpen.'

# 23

Meestal beroofde de hitte Brunetti van alle eetlust, maar die avond had hij voor het eerst sinds hij met Padovani had gegeten echt honger. Op weg naar huis stopte hij in Rialto, verrast dat een paar van de groente- en fruitkramen na achten nog open waren. Hij kocht een kilo pruimtomaten die zo rijp waren dat de marktkoopman hem waarschuwde dat hij ze voorzichtig moest dragen en er niets bovenop moest leggen. Bij een andere kraam kocht hij een kilo zwarte vijgen en kreeg dezelfde waarschuwing. Gelukkig was elke waarschuwing verpakt in een plastic tas, dus kwam hij met in elke hand één thuis.

Toen hij binnen was, zette hij alle ramen in het appartement open, trok een wijde katoenen broek en een t-shirt aan en liep naar de keuken. Hij sneed wat uien, gooide de tomaten in kokend water om ze makkelijker te kunnen pellen en liep naar het terras om wat verse basilicum te plukken. Volautomatisch, zonder echt te letten op wat hij deed, maakte hij een eenvoudige saus en toen zette hij water op om de pasta te koken. Toen het gezouten water begon te borrelen, gooide hij een halve zak penne rigate in het water en roerde ze door.

Terwijl hij dit alles deed, moest hij telkens denken aan de verschillende mensen die betrokken waren bij de gebeurtenissen van de afgelopen tien dagen, zonder te proberen een verband te zien tussen de wirwar van namen en gezichten.

Toen de pasta klaar was, goot hij die in een vergiet, kiepte hem op een schaal en goot de saus eroverheen. Met een grote lepel roerde hij alles door en hij liep naar het terras, waar hij al een vork, een glas en een fles Cabernet naartoe had gebracht. Hij at uit de schaal. Hun terras was zo hoog dat alleen mensen die in de klokkentoren van de San Polo zaten, zouden kunnen zien wat hij deed. Hij at alle pasta op, veegde de achtergebleven saus op met een stuk brood, bracht de schaal toen naar binnen en kwam weer terug met een bord vol pas gewassen vijgen.

Voordat hij daaraan begon, ging hij terug naar binnen om Tacitus' *Annalen* over het keizerlijke Rome op te halen. Brunetti ging verder waar hij gebleven was, met het verslag van de ontelbare gruwelen onder het bewind van Tiberius, een keizer van wie Tacitus een bijzondere afkeer leek te hebben. Deze Romeinen moordden en bedrogen en deden de eer en elkaar geweld aan. Wat leken ze toch op ons, dacht Brunetti. Hij las verder, maar ontdekte niets wat iets veranderde aan die conclusie, totdat hij belaagd werd door de muggen, die hem naar binnen dreven. Tot ver na middernacht las hij verder op de bank, totaal niet gehinderd door de wetenschap dat deze waslijst met misdaden en schurkenstreken die bijna tweeduizend jaar geleden waren gepleegd, diende om zijn aandacht af te leiden van de misdaden die nu om hem heen werden begaan. Hij sliep een diepe, droomloze slaap en werd verfrist weer wakker, alsof hij voelde dat Tacitus' felle, rigide deugdzaamheid hem op de een of andere manier door de dag heen zou helpen.

Toen hij de volgende ochtend op de Questura kwam, hoorde hij tot zijn verbazing dat Patta de dag ervoor, alvorens naar

Milaan te zijn vertrokken, tijd had gevonden de rechter-commissaris om een gerechtelijk bevel te vragen, waarmee ze de administratie van zowel de Lega della Moralità als de Banca di Verona in beslag konden nemen. En dat niet alleen: het bevel was die ochtend aan beide instanties overhandigd, en de verantwoordelijken hadden beloofd er gehoor aan te zullen geven. Maar hoewel beide instanties benadrukten dat het tijd zou kosten om de noodzakelijke documenten klaar te maken, had geen van beide zich er precies over uitgelaten hoe lang dat zou gaan duren.

Om elf uur was er nog steeds geen teken van Patta. De meeste mensen die op de Questura werkten hadden die ochtend een krant gekocht, maar in geen daarvan stond iets over de arrestatie van Burrasca. Dat verbaasde noch Brunetti, noch de rest van het korps, maar wakkerde wel hun nieuwsgierigheid aan, om nog maar te zwijgen van de speculaties over het resultaat van de reis die de vice-questore de avond daarvoor naar Milaan had ondernomen. Brunetti verlaagde zich hier niet toe en volstond ermee de Guardia di Finanza te bellen om te vragen of zijn verzoek om personeel om de boekhouding van de bank en de Lega te controleren was ingewilligd. Tot zijn grote verbazing kreeg hij te horen dat de rechter-commissaris, Luca Benedetti, al had gebeld en had voorgesteld om de paperassen zodra ze vrijkwamen door de Fiscale Recherche te laten bestuderen.

Toen Vianello vlak voor de lunch Brunetti's kamer binnenkwam, was deze ervan overtuigd dat hij kwam vertellen dat de papieren er nog niet waren, of, wat waarschijnlijker was, dat er ineens een of ander bureaucratisch obstakel was ontdekt door zowel de bank als de Lega, en het inleveren van de boekhoudingen misschien wel voor onbepaalde tijd was vertraagd.

'Buon giorno, commissario,' zei Vianello toen hij binnenkwam.

Brunetti keek op uit de paperassen op zijn bureau en vroeg: 'Wat is er, brigadier?'

'Ik heb hier een paar mensen die met u willen praten.'

'Wie dan?' vroeg Brunetti terwijl hij zijn pen op de paperassen voor hem neerlegde.

'Professore Luigi Ratti en zijn vrouw,' antwoordde Vianello, zonder verdere toelichting dan het korte: 'uit Milaan.'

'En wie zijn de professor en zijn vrouw, als ik vragen mag?'

'Ze huren een van de appartementen die door de Lega worden beheerd, ze wonen er iets langer dan twee jaar.'

'Ga door, Vianello,' zei Brunetti geïnteresseerd.

'Het appartement van de professor stond op mijn deel van de lijst, dus ben ik vanochtend met hem gaan praten. Toen ik hem vroeg hoe hij aan het appartement was gekomen, zei hij dat de beslissingen van de Lega een privéaangelegenheid waren. Ik vroeg hoe hij zijn huur betaalde, en hij vertelde dat hij elke maand tweehonderdtwintigduizend lire op de rekening van de Lega bij de Banca di Verona stortte. Ik vroeg of ik zijn afschriften mocht inzien, maar hij zei dat hij die nooit bewaarde.'

'O, werkelijk?' vroeg Brunetti, nu nog geïnteresseerder. Omdat je maar nooit wist of een overheidsinstantie zou besluiten dat er een rekening niet was betaald, bepaalde belasting niet was geïnd, een document niet was ingeleverd, gooide niemand in Italië welk officieel document dan ook weg, en al helemaal niet een bewijs dat er iets was betaald. Brunetti en Paola hadden zelfs twee hele laden vol energierekeningen die tot tien jaar teruggingen en minstens drie dozen met allerlei documenten weggestopt op zolder. Als iemand zei dat hij een huurafschrift had weggegooid, dan was dat óf complete waanzin óf een leugen. 'Waar is het appartement van de professor?'

'Op de Zattere, met uitzicht op Giudecca,' zei Vianello: een van de meest gewilde locaties van de stad. Toen ging hij verder: 'Volgens mij heeft het zes kamers, het appartement, al heb ik alleen de entree gezien.'

'Tweehonderdtwintigduizend lire?' vroeg Brunetti, en hij bedacht dat Raffi dat een maand geleden had uitgegeven aan een paar Timberlands.

'Ja, meneer,' zei Vianello.

'Vraag de professor en zijn vrouw maar eens binnen, brigadier. Trouwens, waar is de professor professor in?'

'Ik geloof nergens in, meneer.'

'Aha,' zei Brunetti terwijl hij de dop weer op zijn pen schroefde.

Vianello liep naar de deur en deed die open, deed toen een stap achteruit om professore en signora Ratti het kantoor binnen te laten.

Professore Ratti was misschien begin vijftig, maar dat feit hield hij zo goed mogelijk verborgen. In de poging daartoe werd hij bijgestaan door de verrichtingen van een kapper, die zijn haar zo dicht op zijn schedel knipte dat het grijs kon worden aangezien voor blond. Een Gianni Versace-pak van duifgrijze zijde droeg bij aan zijn jeugdige uitstraling, evenals het bordeauxrode overhemd dat hij open droeg bij de hals. Zijn schoenen, waarin hij geen sokken droeg, en die dezelfde kleur hadden als zijn overhemd en gemaakt waren van gevlochten leer, konden alleen maar van Bottega Veneta komen. Iemand moest hem ooit hebben gewaarschuwd dat het vel onder zijn kin dreigde uit te zakken, want hij had een witzijden choker om zijn hals geknoopt en hield zijn kin onnatuurlijk hoog, als om te compenseren dat een onzorgvuldige opticien de glazen van zijn bifocale bril op de verkeerde plek had geslepen.

Waar de professor weerstand probeerde te bieden tegen zijn leeftijd, voerde zijn vrouw openlijk strijd tegen de hare. De kleur van haar haar leek griezelig veel op die van het overhemd van haar man, en haar gezicht had een strakheid die alleen maar het kenmerk kon zijn van jeugdige frisheid of van de vakkundigheid van een chirurg. Ze was zo mager als een lat en droeg een witlinnen pak, waarvan het jasje openhing zodat een smaragdgroene blouse te zien was. Toen hij ze zo zag, vroeg Brunetti zich af hoe ze er in deze hitte zo bij konden lopen en er toch nog fris en koel uitzagen. Het koelst waren hun ogen.

'U wilde me spreken, professore?' vroeg Brunetti terwijl hij overeind kwam uit zijn stoel, maar geen aanstalten maakte om hem een hand te geven.

'Ja, inderdaad,' zei Ratti met een gebaar naar zijn vrouw om in de stoel voor Brunetti's bureau te gaan zitten en toen ongevraagd een tweede pakte die tegen de muur stond. 'Ik kom u vertellen hoe vervelend ik het vind dat de politie mijn huis binnen komt vallen. Sterker nog, ik wil een klacht indienen over wat er allemaal is geïnsinueerd.' Zoals zo veel Milanesi slikte Ratti elke r in, een klank die Brunetti onwillekeurig deed denken aan actrices van het rondborstiger soort.

'En wat is er geïnsinueerd, professore?' vroeg Brunetti terwijl hij weer ging zitten en Vianello een teken gaf dat hij moest blijven staan waar hij stond, vlak bij de deur.

'Dat er onregelmatigheden zijn wat betreft de etage die ik huur.'

Brunetti keek even naar Vianello en zag dat de brigadier zijn ogen ten hemel sloeg. Niet alleen dat Milanese accent, maar nu ook nog eens de gezwollen taal die erbij hoorde.

'Waar leidt u uit af dat dat wordt geïnsinueerd, professore?' vroeg Brunetti.

'Nou, waarom zou de politie anders mijn appartement binnen dringen en mij bevelen de huurafschriften te laten zien?' Terwijl de professore aan het woord was, was zijn vrouw druk bezig het kantoor te bekijken.

'"Binnendringen", professore?' vroeg Brunetti op ongedwongen toon. '"Bevelen"?' En toen tegen Vianello: 'Brigadier, hoe hebt u zich toegang verschaft tot…' hij zweeg even, '… de etage die de professore huurt?'

'Het dienstmeisje heeft me binnengelaten, meneer.'

'En wat zei u tegen het dienstmeisje dat u binnenliet, brigadier?'

'Dat ik professore Ratti wilde spreken.'

'Op die manier,' zei Brunetti, en hij richtte zijn aandacht weer op Ratti. 'En hoe werd u dat "bevolen", professore?'

'Uw brigadier wilde mijn huurafschriften zien, alsof ik dat soort dingen bewaar.'

'Is het niet uw gewoonte om afschriften te bewaren, professore?'

Ratti wuifde met zijn hand, en zijn vrouw wierp Brunetti een blik van bestudeerde verbazing toe, alsof het enorme tijdverspilling was om zo'n verwaarloosbaar bedrag bij te houden.

'En wat zou u doen als de eigenaar van het appartement

zou beweren dat u de huur niet hebt betaald? Wat voor bewijs zou u dan overleggen, professore?' vroeg Brunetti.

Ditmaal was Ratti's gebaar bedoeld om de mogelijkheid weg te wimpelen dat dat ooit zou gebeuren, terwijl de blik van zijn vrouw moest suggereren dat niemand het ooit waagde aan de woorden van haar man te twijfelen.

'Kunt u me vertellen hoe u de huur precies betaalt, professore?'

'Ik zie niet in waarom de politie dat aangaat,' zei Ratti uitdagend. 'Ik ben het niet gewend om zo te worden behandeld.'

'Om hoe te worden behandeld, professore?' vroeg Brunetti oprecht nieuwsgierig.

'Als verdachte.'

'Bent u eerder als verdachte behandeld, door andere agenten, waardoor u weet hoe dat voelt?'

Ratti kwam half overeind in zijn stoel en keek naar zijn vrouw. 'Ik hoef dit niet te accepteren. Een vriend van mij zit in de gemeenteraad.' Ze maakte een klein handgebaar en hij ging langzaam weer zitten.

'Kunt u me vertellen hoe u de huur betaalt, professore Ratti?'

Ratti keek Brunetti recht aan. 'Ik maak de huur over aan de Banca di Verona.'

'Op San Bartolomeo?'

'Ja.'

'En hoe hoog is die huur, professore?'

'Te verwaarlozen,' zei de professor om aan te geven hoe gering het bedrag was.

'Is het bedrag tweehonderdtwintigduizend lire?'

'Ja.'

Brunetti knikte. 'En het appartement, hoeveel vierkante meter is dat?'

Hier nam signora Ratti het woord, alsof ze zo veel idiotie niet meer kon verdragen. 'Daar hebben we geen idee van. Het voldoet aan onze behoefte.'

Brunetti pakte de lijst met appartementen die de Lega beheerde erbij, bladerde naar de derde pagina en ging met zijn vinger langs de lijst totdat hij Ratti's naam tegenkwam. 'Driehonderdtwaalf vierkante meter, geloof ik. En zes kamers. Ja, dat lijkt me voldoende voor bijna elke behoefte.'

Signora Ratti trok meteen tegen hem van leer. 'Wat bedoelt u daar nou weer mee?'

Brunetti keek haar gelaten aan. 'Precies wat ik zeg, signora, meer niet. Dat zes kamers me voldoende lijkt voor twee personen – u bent toch maar met twee personen, is het niet?'

'En het dienstmeisje,' antwoordde ze.

'Drie dus,' stemde Brunetti in. 'Ook nog voldoende.' Hij wendde zich van haar af, nog steeds met zijn gezicht in de plooi, en richtte zijn aandacht weer op haar man. 'Hoe komt het dat een van de appartementen van de Lega aan u is toegewezen, professore?'

'Dat was heel eenvoudig,' begon Ratti, maar Brunetti kreeg de indruk dat hij begon te bluffen. 'Ik heb me er via de normale procedure voor opgegeven, en ik heb het gekregen.'

'Bij wie hebt u zich opgegeven?'

'Bij de Lega della Moralità natuurlijk.'

'En hoe kwam het u ter ore dat de Lega appartementen te huur had?'

'Dat is toch algemeen bekend hier in de stad, commissario?'

'Als dat nog niet zo is, dan zal dat snel zo zijn, professore.'

Geen van beide Ratti's reageerde hierop, maar signora Ratti keek vlug naar haar man en toen weer naar Brunetti.

'Kunt u zich iemand in het bijzonder herinneren die u over de appartementen vertelde?'

Beiden antwoordden onmiddellijk: 'Nee.'

Brunetti stond zichzelf een flauw glimlachje toe. 'Daar lijkt u nogal van overtuigd.' Hij maakte een loze krabbel naast hun naam op de lijst. 'En hebt u een gesprek gehad om dit appartement te krijgen?'

'Nee,' zei Ratti. 'We hebben de papieren ingevuld en die opgestuurd. En toen hoorden we dat we waren geselecteerd.'

'Kreeg u een brief, of een telefoontje misschien?'

'Het is al zo lang geleden. Dat weet ik niet meer,' zei Ratti. Hij wendde zich tot zijn vrouw voor bevestiging, en die schudde haar hoofd.

'En u woont nu twee jaar in dat appartement?'

Ratti knikte.

'En u hebt geen van de afschriften bewaard van de huur die u hebt betaald?'

Ditmaal schudde zijn vrouw haar hoofd.

'Vertel eens, professore, hoeveel tijd per jaar maakt u gebruik van het appartement?'

Daar dacht hij even over na. 'We komen met Carnevale.'

Zijn vrouw maakte deze zin af met een vastberaden: 'Uiteraard.'

Haar man ging verder: 'Dan komen we in september, en soms met Kerstmis.'

Hier viel zijn vrouw hem in de rede en zei: 'De rest van het jaar komen we natuurlijk ook af en toe een weekend.'

'Uiteraard,' herhaalde Brunetti. 'En het dienstmeisje?'

'Dat nemen we mee vanuit Milaan.'

'Uiteraard,' knikte Brunetti en hij maakte nog een krabbeltje op het papier voor hem. 'Mag ik u vragen, professore, of u bekend bent met de idealen van de Lega? Met haar streven?'

'Ik weet dat ze streeft naar morele verbetering,' antwoordde de professor op een toon die aangaf dat daar nooit genoeg van kon zijn.

'Ah, ja,' zei Brunetti, en toen vroeg hij: 'Maar verder, met haar streven wat betreft het verhuren van appartementen?'

Ditmaal was het Ratti die naar zijn vrouw keek. 'Ik geloof dat ze proberen de appartementen toe te wijzen aan degenen van wie ze vinden dat ze er een nodig hebben.'

Brunetti ging verder: 'Vindt u het in die wetenschap dan niet vreemd, professore, dat de Lega, die tenslotte een Venetiaanse organisatie is, een van de appartementen onder haar beheer aan iemand uit Milaan geeft, sterker nog, aan iemand die maar een paar maanden per jaar gebruikmaakt van het appartement?' Toen Ratti niets zei, spoorde Brunetti hem aan: 'U weet toch hoe moeilijk het is om in deze stad een appartement te vinden?'

Nu nam signora Ratti het woord. 'We namen aan dat ze een appartement als dit aan mensen wilden toewijzen die het zouden waarderen, die wisten hoe ze het moesten onderhouden.'

'Bedoelt u daarmee dat u beter zou kunnen zorgen voor een groot en gewild appartement dan, bijvoorbeeld, het gezin van een timmerman uit Cannaregio?'

'Dat lijkt me vanzelfsprekend,' antwoordde ze.

'En wie betaalt de reparaties in het appartement, als ik vragen mag?' vroeg Brunetti.

Signora Ratti glimlachte en antwoordde: 'Tot nu toe is het niet nodig geweest om iets te repareren.'

'Maar er zal toch wel een clausule in uw contract staan – als u tenminste een contract hebt gekregen – die duidelijk maakt wie verantwoordelijk is voor reparaties?'

'Dat zijn zij,' antwoordde Ratti.

'De Lega?' vroeg Brunetti.

'Ja.'

'Dus het onderhoud is niet de verantwoordelijkheid van de mensen die het huren?'

'Nee.'

'En u bent daar…' begon Brunetti en toen keek hij op het papier voor hem, alsof hij het getal daar had opgeschreven, '… ongeveer twee maanden per jaar?' Toen Ratti niets zei, vroeg Brunetti: 'Klopt dat, professore?'

Zijn vraag werd beloond met een korzelig: 'Ja.'

In een gebaar dat hij bewust nadeed van de priester die hem op de lagere school catechismus had gegeven, vouwde Brunetti zijn handen keurig voor zich, vlak over de onderrand van het vel papier op zijn bureau, en zei: 'Ik denk dat het tijd wordt dat u wat keuzes gaat maken, professore.'

'Ik begrijp niet wat u bedoelt.'

'Dan kan ik het u misschien uitleggen. De eerste keus is dat ik u dit gesprek en uw antwoorden op mijn vragen laat herhalen op een bandrecorder, of dat we een secretaresse laten komen om het in steno op te schrijven. Hoe dan ook zal ik u verzoeken een kopie van die verklaring te ondertekenen, u allebei vragen die te ondertekenen, omdat u me hetzelfde vertelt.' Brunetti zweeg zó lang dat het wel tot hen allebei moest doordringen. 'Of, en dat lijkt me een veel verstandiger optie, u kunt me de waarheid vertellen.' Beiden veinsden verbazing, en signora Ratti ging zelfs zover er verontwaardiging aan toe te voegen.

'In beide gevallen,' ging Brunetti rustig verder, 'raakt u op z'n minst het appartement kwijt, al kan dat nog wel even duren. Maar u raakt het zeker kwijt: het is niet veel, maar het staat vast.' Hij vond het interessant dat geen van beiden om uitleg vroeg.

'Het is duidelijk dat veel van deze appartementen illegaal worden verhuurd en dat iemand die in verband wordt gebracht met de Lega jarenlang illegaal huur heeft geïnd.' Toen professore Ratti wilde protesteren, hief Brunetti zijn hand even op en toen vouwde hij zijn handen snel weer samen. 'Als het alleen maar een kwestie van fraude was, dan zou het misschien beter voor u zijn om vol te houden dat u hier helemaal niets vanaf weet. Maar helaas is het veel meer dan een kwestie van fraude.' Hier wachtte hij even. Hij zou ze verdomme laten zweten.

'Waar is het dan een kwestie van?' vroeg Ratti, die nog niet zo zacht gesproken had sinds hij Brunetti's kantoor binnen was gekomen.

'Het is een kwestie van moord. Drie moorden, waarvan een op een politieagent. Dat vertel ik u zodat u zich zult realiseren dat we het niet zullen opgeven. Een van onze eigen mensen is vermoord, en we gaan uitzoeken wie dat heeft gedaan. En diegene gaan we straffen.' Hij zweeg even om dat te laten doordringen. 'Als u bij uw huidige verhaal over het appartement blijft, dan zult u uiteindelijk betrokken worden bij een vervolging wegens moord.'

'We weten niets van een moord,' zei signora Ratti op scherpe toon.

'Nu wel, signora. Degene die achter dit plan zit om de appartementen te verhuren is ook verantwoordelijk voor de drie moorden. Door te weigeren ons te helpen bij het opsporen van degene die verantwoordelijk is voor het verhuren van uw appartement en het maandelijks innen van de huur, werkt u ook een moordonderzoek tegen. Ik hoef u er niet aan te herinneren dat de straf daarvoor veel zwaarder is dan ontwijkend gedrag in een fraudezaak. En daar wil ik aan toevoegen, maar geheel op persoonlijke titel, dat ik alles zal doen wat in mijn vermogen ligt om te zorgen dat die u wordt opgelegd als u blijft weigeren ons te helpen.'

Ratti stond op. 'Ik wil graag wat tijd om met mijn vrouw te spreken. Onder vier ogen.'

'Nee,' zei Brunetti, voor het eerst met stemverheffing.

'Daar heb ik recht op,' vond Ratti.

'U hebt het recht om met uw advocaat te spreken, signor Ratti, en dat zal ik u met alle plezier toestaan. Maar uw vrouw en u nemen nu een besluit over dat andere, in mijn bijzijn.' Hij was zijn eigen juridische rechten mijlenver voorbij, en dat wist hij; hij hoopte maar dat de Ratti's dat niet wisten.

Ze keken elkaar zo lang aan dat Brunetti de hoop begon op te geven. Maar toen knikte ze met haar bordeauxrode hoofd en ze gingen allebei weer zitten.

'Goed dan,' zei Ratti, 'maar ik wil er duidelijk op wijzen dat we niets van die moord weten.'

'Moorden,' zei Brunetti, en hij zag dat Ratti schrok van die verbetering.

'Drie jaar geleden,' begon Ratti, 'vertelde een vriend van ons in Milaan dat hij iemand kende van wie hij dacht dat die ons aan een appartement in Venetië kon helpen. We waren al een halfjaar op zoek, maar het was heel moeilijk om iets te vinden, zeker door die afstand.' Brunetti vroeg zich af of hij nu een stroom klachten moest gaan zitten aanhoren. Ratti, die Brunetti's ongeduld misschien aanvoelde, ging verder: 'Hij gaf ons een telefoonnummer dat we konden bellen, een nummer hier in Venetië. We belden op en legden uit wat we wilden, en degene aan de andere kant van de lijn vroeg ons wat voor soort appartement we in gedachten hadden en hoeveel we wilden betalen.' Ratti wachtte even, of hield hij op?

'Ja?' spoorde Brunetti hem aan, met een stem zoals de priester had gebruikt als de kinderen een vraag hadden of iets niet zeker wisten over de catechismus.

'Ik vertelde hem wat ik in gedachten had, en hij zei dat hij me over een paar dagen zou terugbellen. Dat deed hij, en hij zei dat hij drie appartementen aan ons kon laten zien, als we dat weekend naar Venetië konden komen. Toen we kwamen, liet hij ons dit appartement en twee andere zien.'

'Was het dezelfde man die had opgenomen toen u belde?'

'Dat weet ik niet. Maar het was zeker dezelfde man die ons had teruggebeld.'

'Weet u wie die man was? Of is?'

'De man aan wie we de huur betalen, maar ik weet niet hoe hij heet.'

'En hoe doet u dat?'

'Hij belt ons de laatste week van de maand en zegt waar we hem moeten treffen. Meestal in een café, maar 's zomers soms ook buiten.'

'Waar, hier in Venetië of in Milaan?'

Zijn vrouw viel hem in de rede. 'Hij lijkt te weten waar we zijn. Hij belt ons hier als we in Venetië zijn of in Milaan als we daar zijn.'

'En wat doet u dan?'

Ditmaal gaf Ratti antwoord. 'Ik ga naar hem toe en geef hem het geld.'

'Hoeveel?'

'Tweeënhalf miljoen lire.'

'Per maand?'

'Ja, al betaal ik hem soms een paar maanden vooruit.'

'Weet u wie die man is?' vroeg Brunetti.

'Nee, maar ik heb hem hier wel een paar keer op straat gezien.'

Brunetti besefte dat er later nog genoeg tijd zou zijn om een signalement op te nemen en ging hier verder niet op in. 'En de Lega? Hoe is die hierbij betrokken?'

'Toen we die man vertelden dat we geïnteresseerd waren in het appartement, stelde hij een prijs voor, maar we hebben bij hem afgedongen tot tweeënhalf miljoen lire.' Dat zei Ratti met nauw verholen voldoening.

'En de Lega?' vroeg Brunetti.

'Hij zei tegen ons dat we aanvraagformulieren van de Lega zouden krijgen en die moesten invullen en terugsturen, en dat we dan binnen twee weken het appartement konden betrekken.'

Hier viel signora Ratti hem in de rede. 'Hij zei ook dat we tegen niemand mochten zeggen hoe we aan het appartement kwamen.'

'Heeft iemand u ernaar gevraagd?'

'Wat vrienden van ons in Milaan,' antwoordde ze, 'maar we zeiden dat we het via een makelaar hadden gevonden.'

'En degene die u het nummer heeft gegeven, weet u hoe die eraan kwam?'

'Hij zei dat iemand het hem op een feestje had gegeven.'

'Kunt u zich de maand en het jaar herinneren dat u het oorspronkelijke telefoontje pleegde?' vroeg Brunetti.

'Waarom?' vroeg Ratti, meteen argwanend.

'Ik wil een duidelijker beeld krijgen van wanneer dit allemaal is begonnen,' loog Brunetti, terwijl hij bedacht dat hij hun belgegevens kon laten natrekken op telefoontjes naar Venetië in die periode.

Hoewel hij sceptisch keek en klonk, gaf Ratti antwoord: 'In maart, twee jaar geleden. Aan het eind van de maand. We zijn hier begin mei ingetrokken.'

'Aha,' zei Brunetti. 'En hebt u sinds u in het appartement woont nog iets te maken gehad met de Lega?'

'Nee, niets,' zei Ratti.

'En kwitanties?' vroeg Brunetti.

Ratti schoof ongemakkelijk heen en weer in zijn stoel. 'We krijgen er elke maand een van de bank.'

'Voor hoeveel?'

'Tweehonderdtwintigduizend.'

'Waarom wilde u die dan niet laten zien aan brigadier Vianello?'

Zijn vrouw nam weer het woord en gaf antwoord in zijn plaats. 'We wilden nergens bij betrokken raken.'

'Mascari?' vroeg Brunetti plotseling.

Ratti's nervositeit leek toe te nemen. 'Hoe bedoelt u?'

'Vond u het niet vreemd dat de directeur van de bank die u de afschriften van de huur stuurde werd vermoord?'

'Nee, waarom zou ik?' zei Ratti, en er klonk kwaadheid door in zijn stem. 'Ik heb gelezen hoe hij om het leven is gekomen. Ik ging ervan uit dat hij was vermoord door een van zijn "wisselende contacten".'

'Heeft iemand onlangs nog contact met u opgenomen over het appartement?'

'Nee, niemand.'

'Als u toevallig wordt gebeld of bezoek krijgt van degene

aan wie u de huur betaalt, dan verwacht ik dat u ons onmiddellijk belt.'

'Ja, uiteraard, commissario,' zei Ratti, wederom in zijn rol van onberispelijk burger.

Ineens onpasselijk van de twee, van hun pose, van hun designkleren, zei Brunetti: 'U kunt met brigadier Vianello mee naar beneden lopen. Geef hem alstublieft een zo gedetailleerd mogelijke beschrijving van de man aan wie u de huur betaalt.' Toen, tegen Vianello: 'Als hij klinkt als iemand die we kennen, laat ze dan een paar foto's zien.'

Vianello knikte en deed de deur open. De Ratti's stonden allebei op, maar geen van beiden maakte aanstalten om Brunetti een hand te geven. De professor nam de arm van zijn vrouw voor de korte tocht naar de deur, bleef toen staan zodat zij voor hem naar buiten kon lopen. Vianello keek even naar Brunetti, waarbij hij zichzelf een minuscuul glimlachje gunde, liep achter ze aan het kantoor uit en deed de deur achter zich dicht.

## 24

Die avond duurde zijn gesprek met Paola maar kort. Ze vroeg of er nog nieuws was, stelde nog eens voor om een paar dagen naar Venetië te komen; ze dacht dat ze de kinderen wel alleen kon laten in het hotel, maar Brunetti zei dat het te warm was om er ook maar over te denken naar de stad te komen.

De rest van de avond bracht hij door in het gezelschap van keizer Nero, over wie Tacitus schreef dat hij werd 'gecorrumpeerd door elke lust, natuurlijk en tegennatuurlijk'. Hij ging pas naar bed nadat hij had gelezen over de brand in Rome, die Tacitus leek toe te schrijven aan het feit dat Nero een trouwceremonie had gehouden en met een man was getrouwd, waarbij de keizer zelfs de leden van zijn verdorven hof wist te choqueren door zich met 'de bruidssluier te tooien'. Blijkbaar waren travestieten van alle tijden.

De volgende ochtend woonde Brunetti de begrafenis bij van Maria Nardi, zich onbewust van het feit dat het verslag van Burrasca's arrestatie die ochtend in de *Corriere* stond, een verslag waarin niet werd gerept van signora Patta. De Chiesa dei Gesuiti was tot de nok gevuld, vol vrienden en familie en met de meeste agenten van de stad. Agent Scarpa uit Mestre was aanwezig; hij vertelde dat brigadier Gallo niet weg kon bij de rechtszaak in Milaan en er nog zeker drie dagen zou blijven. Zelfs vice-questore Patta was aanwezig, somber van uiterlijk in een donkerblauw pak. Hoewel hij wist dat het een sentimentele en ongetwijfeld politiek incorrecte opvatting was, kon Brunetti zich niet losmaken van het idee dat het voor een vrouw erger was om tijdens politiewerkzaamheden om te komen dan voor een man. Toen de mis was afgelopen, wachtte hij op de trappen van de kerk terwijl haar kist door zes agenten in uniform naar buiten werd gedragen. Toen haar man naar buiten kwam, snikkend van het huilen en wankelend van verdriet, keek Brunetti naar links, over het water van de lagune in de richting van Murano. Hij stond er nog steeds toen Vianello naar hem toe kwam en zijn arm aanraakte.

'Commissario?'

Hij hernam zich. 'Ja, Vianello?'

'Ik heb een definitieve identificatie van die mensen.'

'Wanneer is dat gebeurd? Waarom heb je dat niet verteld?'

'Ik wist het vanochtend pas. Gistermiddag hebben ze wat foto's bekeken, maar ze zeiden dat ze het niet zeker wisten. Ik denk dat ze het wel wisten, maar dat ze met hun advocaat wilden overleggen. Maar goed, vanochtend om negen uur waren ze er weer, en ze hebben Pietro Malfatti geïdentificeerd.'

Brunetti floot zachtjes. Malfatti glipte hun al jaren door de vingers: hij had een strafblad voor geweldsdelicten, waaronder verkrachting en poging tot moord, maar de beschuldigingen leken altijd te verdampen voordat Malfatti voor de rechter verscheen, omdat getuigen van gedachten veranderden of zeiden dat hun aanvankelijke identificatie niet klopte. Hij had twee keer gezeten, eenmaal omdat hij teerde op de inkomsten van een prostituee en eenmaal voor een poging beschermgeld af te persen van de eigenaar van een café. Het café was afgebrand tijdens de twee jaar dat Malfatti in de bak zat.

'Hebben ze hem definitief geïdentificeerd?'

'Ze waren allebei heel zeker van hun zaak.'

'Hebben we een adres van hem?'

'Het laatste adres dat we hadden was een appartement in Mestre, maar daar heeft hij niet langer dan een jaar gewoond.'

'Vrienden? Vrouwen?'

'Dat trekken we na.'

'En familie?'

'Daar had ik nog niet aan gedacht. Dat moet in zijn dossier staan.'

'Kijk wie hij heeft. Als het naaste familie is, een moeder of een broer, zet dan iemand in een appartement daar in de buurt en laat ze naar hem uitkijken. Of nee,' zei hij toen hij terugdacht aan het weinige wat hij over Malfatti wist, 'doe maar twee.'

'Ja, meneer. Verder nog iets?'

'De papieren van de bank en van de Lega?'

'Ze moeten vandaag allebei hun boekhouding aan ons overhandigen.'

'Ik wil ze hebben. Het kan me niet schelen als je ernaartoe moet om ze in beslag te nemen. Ik wil alle gegevens die te maken hebben met de betalingen voor die appartementen, en ik wil dat iedereen bij die bank wordt ondervraagd om te zien of Mascari iets tegen ze heeft gezegd over de Lega. Wanneer dan ook. Als je de rechter mee moet vragen om ze te halen, dan doe je dat maar.'

'Ja, meneer.'

'Als je naar de bank gaat, probeer dan uit te zoeken wie de boekhouding van de Lega moest doen.'

'Ravanello?' vroeg Vianello.

'Waarschijnlijk wel.'

'We zullen kijken wat we kunnen vinden. En Santomauro, meneer?'

'Ik ga vandaag met hem praten.'

'Is dat wel…' Vianello zweeg voordat hij vroeg of dat wel verstandig was, en zei in plaats daarvan: 'Kan dat wel, zonder afspraak?'

'Ik denk dat avvocato Santomauro me graag zal willen spreken, brigadier.'

En dat was ook zo. Het kantoor van de advocaat was aan de Campo San Luca, op de eerste verdieping van een gebouw dat twintig meter verwijderd was van drie verschillende banken. Wat handig, zo dichtbij, bedacht Brunetti terwijl Santomauro's secretaresse hem binnenliet in het kantoor van de advocaat, nog maar een paar minuten nadat hij was gearriveerd.

Santomauro zat achter zijn bureau, met achter zich een groot raam dat uitkeek op de campo. Het raam zat echter potdicht, en het kantoor was gekoeld tot een bijna onaangename temperatuur, vooral door wat daarbeneden te zien was: blote schouders, benen, ruggen, armen kwamen over de campo, en toch was het hier koud genoeg voor een jasje met stropdas.

De advocaat keek op toen Brunetti werd binnengelaten, maar verwaardigde zich niet te glimlachen of op te staan. Hij droeg een ouderwets grijs pak, een donkere stropdas en een glanzend wit overhemd. Zijn blauwe ogen stonden wijd uit elkaar en keken onbevangen de wereld in. Hij was bleek, zo bleek dat het wel hartje winter leek; voor wie werkte in de wijngaarden der wet was het nooit vakantie.

'Ga zitten, commissario,' zei hij. 'Waar wilt u me over

spreken?' Hij schoof een foto in een zilveren lijst ietsje naar rechts, zodat hij duidelijk zicht had op Brunetti, en Brunetti duidelijk zicht had op de foto. Er stond een vrouw van Santomauro's leeftijd op en twee jongemannen, die allebei op Santomauro leken.

'Over van alles, avvocato Santomauro,' antwoordde Brunetti terwijl hij tegenover hem ging zitten, 'maar laat ik beginnen met La Lega della Moralità.'

'Ik ben bang dat ik mijn secretaresse zal moeten vragen u daar informatie over te geven, commissario. Mijn rol daarin is vrijwel uitsluitend ceremonieel.'

'Ik weet niet precies wat u daarmee bedoelt, avvocato.'

'De Lega heeft altijd een boegbeeld nodig, iemand die als voorzitter kan dienen. Maar u bent ongetwijfeld al te weten gekomen dat wij bestuursleden niets te zeggen hebben over de dagelijkse leiding van de Lega. Het echte werk wordt gedaan door de bankemployé die over de boekhouding gaat.'

'Wat is uw functie dan precies?'

'Zoals ik al uitlegde,' zei Santomauro met een miniem glimlachje, 'dien ik als boegbeeld. Ik heb een zekere – een zekere, zal ik zeggen: status? – in de samenleving, dus ben ik gevraagd voorzitter te worden, een puur titulaire functie.'

'Wie heeft u gevraagd?'

'De autoriteiten van de bank die over de boekhouding van de Lega gaat.'

'Als de bankemployé de zaken van de Lega bestiert, wat is dan uw functie, avvocato?'

'Ik spreek namens de Lega wanneer ons iets gevraagd wordt door de pers of wanneer men de mening van de Lega over een bepaalde kwestie wil weten.'

'Op die manier. En verder?'

'Tweemaal per jaar spreek ik af met de bankemployé die de boekhouding van de Lega doet om de financiële stand van zaken van de Lega te bespreken.'

'En wat is die stand van zaken, als ik vragen mag?'

Santomauro legde zijn beide handen voor zich op het bureau. 'Zoals u zult weten zijn wij een instelling zonder winstoogmerk, dus is het voldoende om ons hoofd boven water te houden, als het ware. In financiële zin.'

'En wat houdt dat in? In financiële zin, bedoel ik.'

Santomauro's stem werd nog rustiger, zijn geduld nog hoorbaarder. 'Dat we erin slagen genoeg geld op te halen om onze liefdadige schenkingen te kunnen blijven doen aan degenen die daartoe zijn uitverkoren.'

'En wie beslist wie de uitverkorenen zijn, als ik vragen mag?'

'De bankemployé uiteraard.'

'En de appartementen die de Lega beheert, wie bepaalt aan wie die worden gegeven?'

'Dezelfde persoon,' zei Santomauro, die zichzelf een klein glimlachje toestond, en er toen aan toevoegde: 'Het bestuur steunt zijn keuzes doorgaans.'

'En hebt u, als voorzitter, enige zeggenschap in dezen, enige invloed op de besluitvorming?'

'Als ik er gebruik van zou willen maken, dan had ik dat denk ik wel kunnen doen. Maar zoals ik u al heb verteld, commissario, zijn onze posities puur voor de eer.'

'Wat houdt dat in, avvocato?'

Voordat hij antwoord gaf, zette Santomauro het topje van zijn vinger op zijn bureau en pakte een klein stofje op. Hij bracht zijn hand naar opzij en schudde hem heen en weer om het stofje te verwijderen. 'Zoals ik al zei, ik heb die functie alleen in naam. Naar mijn mening zou het niet terecht zijn als iemand die zo veel mensen in de stad kent als ik, zou bepalen wie op welke manier dan ook van de liefdadigheid van de Lega mag profiteren. En als ik zo vrij mag zijn om ook voor mijn medebestuursleden te spreken, ik weet zeker dat zij dat evenmin zouden goedkeuren.'

'Op die manier,' zei Brunetti, zonder een poging te doen zijn scepsis te verhullen.

'Vindt u dat moeilijk te geloven, commissario?'

'Het zou onverstandig van me zijn om tegen u te zeggen wat ik moeilijk te geloven vind, avvocato,' zei Brunetti en toen vroeg hij: 'En signor Crespo. Beheert u zijn erfenis?'

Het was jaren geleden dat Brunetti een man zijn lippen had zien tuiten, maar dat was precies wat Santomauro deed voor hij antwoord gaf. 'Ik ben de advocaat van signor Crespo, dus natuurlijk beheer ik zijn erfenis.'

'Is het een grote erfenis?'

'Dat is vertrouwelijke informatie, commissario, zoals u zou moeten weten, aangezien u rechten hebt gestudeerd.'

'Ah, ja, en ik neem aan dat de aard van de transacties die u met signor Crespo hebt gevoerd eveneens vertrouwelijk is?'

'Ik zie dat u zich de wet inderdaad kunt herinneren, commissario,' zei Santomauro met een glimlach.

'Kunt u me vertellen of de boekhouding van de Lega, de financiële boekhouding, is overhandigd aan de politie?'

'U spreekt erover alsof u geen onderdeel uitmaakt van de politie, commissario.'

'De boekhouding, meneer Santomauro? Waar is die?'

'In handen van uw collega's natuurlijk, commissario. Ik heb mijn secretaresse vanochtend alles laten kopiëren.'

'We willen de originelen hebben.'

'Natuurlijk heb ik u de originelen gegeven, commissario,' zei Santomauro terwijl hij weer kort glimlachte. 'Ik ben zo vrij geweest kopieën voor mijzelf te laten maken, voor het geval er iets kwijt mocht raken zolang ze in uw beheer zijn.'

'Wat verstandig van u, avvocato,' zei Brunetti, maar hij glimlachte niet. 'Maar ik wil u niet langer ophouden. Ik realiseer me hoe kostbaar tijd is voor iemand met zo veel status in de maatschappij als u. Kunt u me vertellen wie de bankemployé is die over de boekhouding van de Lega gaat? Ik wil hem graag spreken.'

Santomauro's glimlach verbreedde zich. 'Ik ben bang dat dat niet mogelijk is, commissario. De boekhouding van de Lega is namelijk altijd in handen geweest van wijlen Leonardo Mascari.'

## 25

Hij liep terug naar zijn kantoor, zich verbazend over de vakkundigheid waarmee Santomauro had geïnsinueerd dat Mascari de schuldige was. Het berustte allemaal op zulke kwetsbare veronderstellingen: dat de papieren van de bank er nu uitzagen alsof Mascari ze had beheerd; dat mensen van de bank niet zouden weten of zou zijn opgedragen zich niet meer te herinneren of er weleens iemand anders de boekhouding van de Lega had beheerd; dat er niets ontdekt zou worden over de moorden op Mascari of Crespo.

Op de Questura ontdekte hij dat zowel de boekhouding van de Banca di Verona als die van de Lega was overhandigd aan de agenten die ze waren komen halen, en een drietal mannen van de Guardia di Finanza was ze op dat moment aan het uitpluizen, op zoek naar aanwijzingen wie de rekeningen had beheerd waarop de huur werd gestort en waarvan cheques werden uitgeschreven voor het liefdadigheidswerk van de Lega.

Brunetti wist dat hij er niets mee opschoot als hij naar beneden ging om ze tijdens het werk op de vingers te kijken, maar toch voelde hij de drang om op zijn minst langs de kamer te lopen die hun was toegewezen. Om dat te voorkomen ging hij lunchen, en hij koos expres een restaurant in het Ghetto, ook al betekende dat een lange wandeling ernaartoe en weer terug in de ergste hitte van de dag. Toen hij terugkwam, na drieën, was zijn jasje doorweekt, en zijn schoenen voelden alsof ze aan zijn voeten waren vastgesmolten.

Al een paar minuten nadat hij terug was, kwam Vianello zijn kantoor binnen. Zonder inleiding zei hij: 'Ik heb de lijst met namen gecontroleerd van de mensen die cheques krijgen van de Lega.'

Brunetti herkende zijn stemming. 'En wat heb je ontdekt?'

'Dat Malfatti's moeder is hertrouwd en de naam van haar nieuwe man heeft aangenomen.'

'En?'

'Dat ze op die naam en op haar oude naam cheques krijgt. Sterker nog, haar nieuwe man krijgt ook een cheque, net als twee van zijn neven, maar zo te zien krijgen ze die elk onder twee verschillende namen.'

'Hoeveel krijgt de familie Malfatti dan in totaal?'

'De cheques zijn allemaal ongeveer vijfhonderdduizend per maand, dus dat is ongeveer drie miljoen per maand in totaal.' Onwillekeurig kwam de vraag over Vianello's lippen: 'Dachten ze soms dat ze nooit gepakt zouden worden?'

Dat leek Brunetti te voor de hand liggend om op te antwoorden, dus vroeg hij in plaats daarvan: 'En de schoenen?'

'Niet gelukt. Hebt u Gallo gesproken?'

'Die zit nog steeds in Milaan, maar ik weet zeker dat Scarpa me had gebeld als ze iets hadden gevonden. Wat zijn die mannen van Financiën aan het doen?'

Vianello haalde zijn schouders op. 'Ze zitten daar al sinds vanochtend.'

'Weten ze waar ze naar moeten zoeken?' vroeg Brunetti, die het ongeduld niet uit zijn stem kon houden.

'Iets wat erop wijst wie het allemaal onder beheer had, denk ik.'

'Kun je naar beneden gaan om te vragen of ze al iets hebben gevonden? Als Ravanello erbij betrokken is, dan wil ik hem zo gauw mogelijk inrekenen.'

'Ja, meneer,' zei Vianello en hij verliet het kantoor.

Terwijl hij wachtte tot Vianello terugkwam, rolde hij de mouwen van zijn overhemd op, meer om iets te doen te hebben dan in de hoop dat het hem enige verkoeling zou brengen.

Vianello kwam terug, en het antwoord was op zijn gezicht te lezen. 'Ik heb net hun commandant gesproken. Hij zei dat Mascari erover ging, voorzover zij nu kunnen zien.'

'Wat heeft dat nou weer te betekenen?' snauwde Brunetti.

'Dat zeiden ze tegen me,' zei Vianello heel traag en op vlakke toon, en hij voegde er toen na een lange stilte aan toe: '… meneer.' Een poosje zei geen van beiden iets. 'Als u zelf met ze gaat praten, krijgt u misschien een wat beter beeld van wat dat inhoudt.'

Brunetti keek weg en rolde zijn mouwen weer omlaag. 'Laten we samen naar beneden gaan, Vianello.' Dichter kon hij niet bij een verontschuldiging komen, maar Vianello leek die aan te nemen. Gezien de hitte op het kantoor zat er waarschijnlijk niet meer voor hem in.

Beneden ging Brunetti het kantoor binnen waar drie mannen in het grijze uniform van de Guardia di Finanza aan het werk waren. De mannen zaten aan een lang bureau bezaaid met dossiers en paperassen. Er stonden twee zakrekenmachines en een laptop op het bureau, en voor elk zat één man. Als concessie aan de hitte hadden ze hun wollen uniformjasjes uitgetrokken, maar ze hadden hun stropdas nog om.

De man achter de computer keek op toen Brunetti binnenkwam, tuurde even over zijn brillenglazen, keek toen weer naar beneden en tikte wat informatie in op het toetsenbord. Hij keek naar het scherm, toen op een van de papieren die naast het toetsenbord lagen, drukte weer op wat knoppen en keek toen opnieuw naar het scherm. Hij pakte een vel papier van de stapel rechts van de computer, legde die omgekeerd aan de linkerkant neer en begon nog meer getallen te lezen op het volgende vel.

'Wie van jullie heeft de leiding?' vroeg Brunetti.

Een kleine, roodharige man keek op van een van de rekenmachines en zei: 'Ik. Bent u commissario Brunetti?'

'Ja,' antwoordde Brunetti, die naast hem kwam staan en zijn hand uitstak.

'Ik ben commandant De Luca.' Toen gaf hij, minder formeel, Brunetti de hand en voegde eraan toe: 'Beniamino.' Hij wapperde met zijn hand over de papieren. 'U wilde weten wie van de bank dit allemaal beheerde?'

'Ja.'

'Zoals het er nu uitziet was alles in handen van Mascari. Zijn toegangscodes zijn ingetikt voor alle transacties, en op veel van de documenten die we hier hebben staan zo te zien zijn initialen.'

'Kunnen ze zijn vervalst?'

'Hoe bedoelt u, commissario?'

'Kan iemand anders deze documenten hebben veranderd zodat het lijkt alsof Mascari ze heeft afgehandeld?'

Daar dacht De Luca lange tijd over na en toen antwoordde hij: 'Ik denk het wel. Als degene die dat heeft gedaan een dag of twee had om aan de dossiers te werken, denk ik dat hij dat gedaan kan hebben.' Hij dacht even na, alsof hij een wiskundige formule moest uitdenken in zijn hoofd. 'Ja, iedereen kan dat hebben gedaan, als hij de toegangscodes kende.'

'Hoe geheim zijn die toegangscodes in een bank?'

'Volgens mij zijn die totaal niet geheim. Mensen controleren altijd elkaars portefeuilles, en daar moeten ze de toegangscodes van weten om erin te komen. Het lijkt me heel gemakkelijk.'

'En de parafen op de kwitanties?'

'Eenvoudiger te vervalsen dan een handtekening,' zei De Luca.

'Is er een manier om te bewijzen dat iemand anders het heeft gedaan?'

Opnieuw dacht De Luca lange tijd na voor hij antwoord gaf. 'Met de computerboekingen helemaal niet. Misschien is aan te tonen dat de parafen zijn vervalst, maar de meeste mensen krabbelen ze neer op dit soort dingen; het is vaak moeilijk om ze uit elkaar te houden, of zelfs om die van jezelf te herkennen.'

'Is er een zaak van te maken dat er met de boekhouding is geknoeid?'

De Luca's blik was net zo duidelijk als zijn antwoord. 'Commissario, misschien wilt u er een zaak van maken, maar ik zou het niet doen in een rechtszaal.'

'Dus Mascari beheerde alles?'

Ditmaal aarzelde De Luca. 'Nee, dat kan ik niet zeggen. Daar ziet het naar uit, maar het is heel goed mogelijk dat de gegevens zijn veranderd om het zo te laten lijken.'

'En de rest, de selectieprocedure voor de appartementen?'

'O, het is duidelijk dat mensen appartementen kregen toegewezen om andere redenen dan behoeftigheid en, in het geval van degenen die geld kregen, dat veel toelages niets te maken hadden met armoede.'

'Hoe weet u dat?'

'Van het eerste geval hebben we hier alle aanvragen, verdeeld in twee groepen: degenen die de appartementen hebben gekregen en degenen die zijn afgewezen.' De Luca zweeg even. 'Nee, nu overdrijf ik. Een aantal appartementen, een groot aantal, is naar mensen gegaan die er echt een nodig lijken te hebben, maar bijna een kwart van de aanvragen komt van mensen die niet eens uit Venetië komen.'

'Degene die zijn gehonoreerd?' vroeg Brunetti.

'Ja. En uw mannen zijn nog niet eens klaar met het controleren van de hele lijst huurders.'

Brunetti keek naar Vianello, die uitlegde: 'We zijn ongeveer halverwege de lijst, en het ziet ernaar uit dat er veel zijn verhuurd aan jonge mensen die alleen wonen. En die 's nachts werken.'

Brunetti knikte. 'Vianello, als je een compleet overzicht hebt van iedereen op die twee lijsten, geef het dan aan mij.'

'Dat gaat nog minstens twee dagen duren, meneer,' zei Vianello.

'Ik ben bang dat we niet meer zo veel haast hebben.' Brunetti bedankte De Luca voor zijn hulp en ging terug naar zijn kantoor.

Het was perfect, bedacht hij, zo perfect als iemand zich maar kon wensen. Ravanello had zijn weekend goed benut, en uit de documenten bleek nu dat Mascari de boekhouding van de Lega had gevoerd. Hoe konden de talloze miljoenen die van de Lega waren losgepeuterd beter worden verklaard dan door ze aan de voeten van Mascari en zijn travestieten te leggen? God mocht weten wat hij had uitgespookt als hij op reis was voor de bank, aan wat voor orgies hij had deelgenomen, welke fortuinen hij had verbrast, deze man die nog te gierig was om zijn vrouw interlokaal te bellen.

Brunetti was ervan overtuigd dat Malfatti ver buiten Venetië was en zich niet snel weer zou vertonen, en hij twijfelde er niet aan dat Malfatti zou worden herkend als de man die de huur inde en die had geregeld dat een deel van de liefdadigheidscheques naar hem terugvloeide als voorwaarde om ze überhaupt te verstrekken. En Ravanello? Die zou zichzelf de goede vriend betonen die Mascari's verdorven geheim uit misplaatste loyaliteit nooit had verraden, en nooit had kunnen vermoeden welke fiscale buitensporigheden zijn vriend had begaan om zijn tegennatuurlijke lusten te kunnen botvieren. Santomauro? Als aan het licht kwam dat hij een onnozele pion was geweest van zijn bankiersvriend Mascari, zou hij eerst het mikpunt worden van spot, maar vroeg of laat zou de publieke opinie hem gaan zien als de onbaatzuchtige burger wiens hang naar vertrouwen was geschaad door het bedrog waartoe Mascari gedreven werd door zijn tegennatuurlijke lusten. Perfect, helemaal perfect en nog geen scheurtje waardoor Brunetti de waarheid aan het licht kon brengen.

## 26

Die avond bood het hoge morele doel van Tacitus Brunetti geen soelaas, en het gewelddadige eind van Messalina en dat van Agrippina was al net zomin een overwinning van de gerechtigheid. Hij las het wrede relaas van hun welverdiende dood, maar kon het besef niet van zich afschudden dat het kwaad dat deze boosaardige vrouwen hadden gezaaid nog lang na hun heengaan bleef voortduren. Ver na tweeën dwong hij zichzelf eindelijk te stoppen met lezen, en de rest van de nacht sliep hij onrustig, gekweld door de herinnering aan Mascari, die eerlijke man, voortijdig uit het leven gerukt, zijn sterven nog weerzinwekkender dan dat van Messalina en Agrippina. Ook hier zou het kwaad nog lang niet zijn afgelopen met zijn dood.

Die ochtend was het benauwd, alsof er een vloek over de stad was uitgesproken die haar veroordeelde tot roerloze lucht en verlammende hitte, terwijl de wind haar aan haar lot overliet om ergens anders te gaan spelen. Toen Brunetti over de Rialtomarkt naar zijn werk liep, viel het hem op hoeveel groente- en fruitverkopers gesloten waren, hun vaste stek in de aaneengesloten rijen kramen een gapend gat, als ontbrekende tanden in de grijns van een dronkenlap. Het had geen zin te proberen groente te verkopen tijdens Ferragosto: Venetianen ontvluchtten de stad, en toeristen wilden alleen maar *panini* en acqua minerale.

Hij was vroeg op de Questura omdat hij geen zin had om

na negenen door de stad te lopen, als de hitte nog erger werd en het op straat nog meer wemelde van de toeristen. Hij wilde niet aan ze denken. Vandaag niet.

Niets gaf hem voldoening. De gedachte dat de illegale praktijken van de Lega nu een halt zouden worden toegeroepen niet, en de hoop dat De Luca misschien toch nog een flinter bewijs zou vinden die hen naar Santomauro en Ravanello zou leiden evenmin. Ook had hij geen enkele hoop dat de herkomst kon worden achterhaald van de jurk of de schoenen die Mascari had gedragen: er was al te veel tijd overheen gegaan.

Te midden van deze sombere overpeinzingen viel Vianello zonder kloppen zijn kantoor binnen en riep: 'We hebben Malfatti gevonden!'

'Waar?' vroeg Brunetti terwijl hij opstond en naar hem toe liep, ineens bruisend van energie.

'Bij zijn vriendin, Luciana Vespa, in San Barnaba.'

'Hoe?'

'Haar neef belde ons. Hij staat op de lijst, hij heeft het afgelopen jaar een cheque gekregen van de Lega.'

'Heb je een deal gesloten?' vroeg Brunetti, zich er totaal niet om bekommerend dat dit illegaal was.

'Nee, dat durfde hij niet eens te vragen. Hij zei dat hij wilde helpen.' Vianello's verachtelijke gesnuif liet weten hoezeer hij daarop rekende.

'Wat heeft hij tegen je gezegd?' vroeg Brunetti.

'Malfatti zit er al drie dagen.'

'Staat ze in het dossier?'

Vianello schudde zijn hoofd. 'Alleen zijn vrouw. We hebben twee dagen iemand in het appartement naast het hare gehad, maar daar is hij niet gesignaleerd.' Al pratend liepen ze de trap af naar het kantoor van de geüniformeerde politie.

'Heb je een boot gebeld?' vroeg Brunetti.

'Die ligt buiten. Hoeveel man wilt u meenemen?'

Brunetti was nooit betrokken geweest bij een van de vele arrestaties van Malfatti, maar hij had de rapporten gelezen. 'Drie. Gewapend. Met kogelvrije vesten.'

Tien minuten later stapte hij met Vianello en de drie agenten, de laatsten uitgedijd en nu al zwetend door de dikke kogelvrije vesten die ze over hun uniform droegen, aan boord van de blauw-witte politieboot die met draaiende motor voor de Questura lag. De drie agenten daalden af naar de kajuit; Brunetti en Vianello bleven achter op het dek om het beetje wind op te vangen dat door het varen werd veroorzaakt. De stuurman nam ze mee naar het *bacino* van San Marco en sloeg toen rechts af naar de monding van het Canal Grande. Terwijl Brunetti en Vianello met hun hoofden dicht bij elkaar stonden om boven de kracht van de wind en het gebrul van de motor uit te komen, gleed er aan weerszijden pracht en praal aan hen voorbij. Ze spraken af dat Brunetti naar het appartement zou gaan en zou proberen contact te maken met Malfatti. Omdat ze niets over de vrouw wisten, hadden ze geen idee op wat voor manier ze bij Malfatti betrokken was, dus was haar veiligheid hun voornaamste zorg.

Bij die gedachte begon Brunetti er spijt van te krijgen dat hij de agenten had meegenomen. Als voorbijgangers vier politiemannen bij een appartement zagen staan, van wie er drie zwaarbewapend waren, zou er zich zeker een menigte vormen, en dat zou de aandacht van iedereen in het gebouw trekken.

De politieboot legde aan bij de vaporettohalte van Ca'Rezzonico, en de vijf mannen stapten er na elkaar uit, tot grote verbazing en nieuwsgierigheid van de mensen die op de boot stonden te wachten. Achter elkaar liepen ze de smalle calle in die naar de Campo San Barnaba leidde, en toen het open plein op. Hoewel de zon nog niet op zijn hoogste punt stond, steeg de hitte op van de stoeptegels en schroeide onder hun voeten.

Het gebouw dat ze zochten stond helemaal rechts in de hoek van de campo, met de deur precies tegenover een van de twee enorme boten van waaraf groente en fruit werd verkocht langs de kade van het kanaal dat langs de campo liep. Rechts van de deur zat een restaurant dat nog niet open was die dag, en daarnaast een boekhandel. 'Jullie,' zei Brunetti, zich bewust van de blikken en het commentaar dat de agenten en hun machinegeweren opriepen bij de mensen om hen heen, 'allemaal de boekhandel in. Vianello, jij wacht buiten.'

Ongemakkelijk, schijnbaar te groot, marcheerden de mannen de kleine boekwinkel binnen. De eigenares stak haar hoofd naar buiten, maar toen ze Brunetti en Vianello zag, schoot ze zonder iets te zeggen weer naar binnen.

De naam VESPA stond op een papiertje geschreven dat rechts van een van de bellen hing. Brunetti sloeg er geen acht op en drukte één bel daarboven. Even later klonk er een vrouwenstem door de intercom. 'Si?'

'*Posta*, signora. Ik heb een aangetekende brief voor u. U moet ervoor tekenen.'

Toen de deur opensprong, draaide Brunetti zich om naar Vianello: 'Ik kijk wat ik over hem te weten kan komen. Blijf jij hier beneden en hou ze van de straat.' Bij de aanblik van de drie oude vrouwen die Vianello en hem nu omringden, met hun boodschappenkarretjes naast zich neergezet, kreeg hij nog meer spijt dat hij de andere agenten had meegenomen.

Hij deed de deur open en liep de entree binnen, waar hij werd begroet door het zware, bonkende geluid van popmuziek dat van een van de bovenverdiepingen kwam. Als de bellen buiten correspondeerden met de plek waar de appartementen zich bevonden, dan woonde signorina Vespa één verdieping hoger, en de vrouw die hem had binnengelaten weer een verdieping daarboven. Brunetti liep snel de trap op, langs de deur van het appartement van signorina Vespa, waar de bonkende muziek vandaan kwam.

Boven aan de volgende trap stond in de deuropening een jonge vrouw met een baby op haar heup. Toen ze hem zag, deinsde ze achteruit en greep naar de deurkruk. 'Moment, signora,' zei Brunetti terwijl hij op de trap bleef staan om haar niet bang te maken. 'Ik ben van de politie.'

Aan de blik die de vrouw achter hem langs naar beneden wierp, naar waar de muziek vandaan kwam die langs de trap naar boven denderde, merkte Brunetti dat zijn komst haar misschien niet verraste. 'U komt voor hem, hè?' vroeg ze, met haar kin wijzend naar de herkomst van de zware bas die de trap op bleef komen.

'De vriend van signorina Vespa?' vroeg hij.

'Si. Voor hem,' zei ze, en dat klonk zo hartgrondig dat Brunetti zich afvroeg wat Malfatti nog meer had gedaan in de tijd dat hij in het gebouw zat.

'Hoe lang woont hij hier al?' vroeg Brunetti.

'Weet ik niet,' zei ze, terwijl ze nog een stap achteruit deed. 'De muziek staat al de hele dag aan, sinds vanochtend vroeg.

Ik kan niet naar beneden gaan om te klagen.'

'Waarom niet?'

Ze drukte haar baby dichter tegen zich aan, als om de man die tegenover haar stond eraan te herinneren dat ze moeder was. 'De laatste keer dat ik dat deed, zei hij de vreselijkste dingen tegen me.'

'En signorina Vespa, kunt u het haar niet vragen?'

Ze haalde haar schouders op om hem te laten weten dat ze niets had aan signorina Vespa.

'Is ze daar niet bij hem?'

'Ik weet niet wie daar bij hem is, en dat interesseert me ook niet. Ik wil alleen maar dat die muziek ophoudt zodat mijn baby kan gaan slapen.' Bij dat teken deed de baby, die diep had liggen slapen, zijn ogen open, kwijlde en viel meteen weer in slaap.

Brunetti kwam op het idee door de muziek, en door het feit dat de vrouw er al eerder bij Malfatti over had geklaagd.

'Signora, gaat u naar binnen,' zei hij. 'Ik ga uw deur dichtsmijten en dan ga ik naar beneden om met hem te praten. Ik wil dat u binnen blijft. Blijf in uw appartement en kom pas weer naar buiten als een van mijn mannen u komt vertellen dat het veilig is.'

Ze knikte en stapte weg bij de deur. Brunetti boog voorover, stak zijn arm uit en pakte de deurkruk vast. Hij trok hem krachtig naar zich toe, zodat de deur dichtviel met een knal die als een schot door het trappenhuis weerklonk.

Hij draaide zich om en denderde de trap af, bonkte zo hard mogelijk met zijn hakken zodat er een golf van lawaai ontstond die de muziek even overstemde. *Basta con quella musica*!' schreeuwde hij op woeste toon, als een man die zijn geduld heeft verloren. Toen riep hij nog eens: 'Nou is het afgelopen met die muziek!' Toen hij een verdieping lager was, bonkte hij op de deur waar de muziek achter vandaan kwam, en schreeuwde zo hard hij kon: 'Zet godverdomme die muziek zachter. Mijn kind probeert te slapen. Zet hem zachter, anders bel ik de politie.' Aan het eind van elke zin bonkte en schopte hij tegen de deur.

Hij moest een volle minuut bezig zijn geweest voor de muziek ineens zachter werd gezet, al was die nog steeds door de deur heen te horen. Hij schroefde zijn stem nog meer op en schreeuwde nu alsof hij eindelijk alle zelfbeheersing had verloren: 'Zet die klotemuziek uit. Zet uit of ik kom binnen om het voor je te doen.'

Hij hoorde snelle voetstappen naar de deur komen en zette zich schrap. Ineens werd de deur opengetrokken en er stond een stevige man in de deuropening, met een korte metalen buis in zijn hand. Brunetti had maar een ogenblik de tijd, maar in dat ogenblik herkende hij Malfatti van de politiefoto's.

Met de buis langs zijn zij zette Malfatti een stap naar voren en kwam half de deur uit. 'Wie denk je goddomme…' begon hij, maar hij hield op toen Brunetti zich naar voren stortte en hem beetgreep, met zijn ene hand bij zijn rechteronderarm en de andere bij de stof van zijn overhemd. Draaiend van-uit zijn heup slingerde Brunetti zich met al zijn kracht om. Malfatti, die compleet werd overrompeld, raakte zijn balans kwijt. Even stond hij boven aan de trap stil in een vergeefse poging zijn balans te vinden door een beweging naar achte-ren te maken, maar toen verloor hij zijn evenwicht en viel voorover de trap af. Terwijl hij viel, liet hij de ijzeren staaf vallen en sloeg beide armen om zijn hoofd, zodat hij als een acrobaat in een bal veranderde die van de trap af rolde.

Brunetti haastte zich achter hem aan de trap af en riep zo hard hij kon Vianello's naam. Halverwege de trap stapte Brunetti op de ijzeren staaf en viel opzij tegen de muur van het trappenhuis. Toen hij opkeek, zag hij Vianello de zware deur onder aan de trap openduwen. Maar inmiddels was Malfatti overeind gekrabbeld en stond vlak achter de deur. Voordat Brunetti Vianello kon waarschuwen, trapte Malfatti tegen de deur, die tegen Vianello's gezicht sloeg, zodat die het pistool liet vallen en in de smalle calle op de grond viel. Malfatti rukte de deur open en verdween in het felle zonlicht.

Brunetti stond op en trok zijn pistool terwijl hij de trap af rende, maar toen hij eenmaal op straat stond, was Malfatti verdwenen en lag Vianello tegen de lage muur langs het kanaal. Het bloed stroomde uit zijn neus op zijn witte uniformhemd. Net toen Brunetti zich over hem heen boog, kwamen de drie andere agenten uit de boekhandel met hun machinegeweer in de aanslag, maar er was niemand om het op te richten.

# 27

Vianello had zijn neus niet gebroken, maar hij was vreselijk geschrokken. Geholpen door Brunetti kwam hij overeind, en hij wankelde even terwijl hij met zijn hand over zijn neus wreef.

Er kwamen mensen om hen heen staan, oude vrouwen die wilden weten wat er aan de hand was, en de fruitverkopers stonden hun nieuwste klanten al te vertellen wat ze hadden gezien. Brunetti wendde zich af van Vianello en struikelde bijna over een metalen winkelwagen die tot de rand toe was gevuld met groente. Hij trapte hem kwaad aan de kant en wendde zich tot de twee mannen die op de dichtstbijzijnde boot werkten. Ze hadden duidelijk zicht op de deur van het gebouw en moesten alles hebben gezien.

'Welke kant ging hij op?'

Allebei wezen ze naar de campo, maar toen wees de ene naar rechts, richting de Accademiabrug, terwijl de andere naar links wees, naar de Rialtobrug.

Brunetti wenkte een van de agenten, die hem hielp Vianello naar de boot te brengen. Kwaad duwde de brigadier hun handen weg, gromde dat hij zelf wel kon lopen. Vanaf het dek van de boot belde Brunetti via de radio een signalement van Malfatti door naar de Questura, en verzocht kopieën van zijn foto te verspreiden onder alle agenten in de stad en zijn signalement via de radio aan iedereen door te geven die op patrouille was.

Toen de agenten aan boord waren, voer de chauffeur achteruit het Canal Grande op, keerde toen en voer terug naar de Questura. Vianello ging naar de kajuit, waar hij met zijn hoofd achterover ging zitten om het bloeden te stelpen. Brunetti kwam achter hem aan. 'Wil je naar het ziekenhuis?'

'Het is maar een bloedneus,' zei Vianello. 'Die houdt zo wel op.' Hij veegde hem af met zijn zakdoek. 'Wat is er gebeurd?'

'Ik bonkte op zijn deur om te klagen over de muziek, en hij deed open. Ik trok hem naar buiten en gooide hem de trap af.' Vianello keek verrast. 'Ik kon niks anders verzinnen,' legde Brunetti uit. 'Maar ik had niet gedacht dat hij zich zo snel zou herstellen.'

'Wat nu?' vroeg Vianello. 'Wat gaat hij doen, denkt u?'

'Waarschijnlijk gaat hij proberen contact te krijgen met Ravanello en Santomauro.'

'Wilt u ze waarschuwen?'

'Nee,' antwoordde Brunetti snel. 'Maar ik wil wel weten waar ze zijn, en ik wil kijken wat ze doen. Ik wil ze in de gaten laten houden.' De boot draaide het kanaal in dat naar de Questura leidde, en Brunetti klom weer aan dek. Toen ze aanlegden bij de kleine ligplaats, sprong hij aan wal en wachtte tot Vianello achter hem aan kwam. Terwijl ze door de voordeur liepen, staarden de bewakers naar Vianello's bebloede overhemd, maar ze zeiden niets. Toen de andere agenten van de boot kwamen, schoten de bewakers op hen af om te vragen wat er was gebeurd.

Op de tweede verdieping liep Vianello naar de wc aan het eind van de gang, en Brunetti ging naar zijn eigen kamer. Hij belde de Banca di Verona en vroeg onder een valse naam of hij signor Ravanello kon spreken. Toen de man die hij aan de lijn had vroeg waar het over ging, zei Brunetti dat hij belde over de offerte die de bankier had opgevraagd voor een nieuwe computer. Hij kreeg te horen dat signor Ravanello die ochtend niet op kantoor was, maar dat hij thuis te bereiken was. Desgevraagd gaf de man het privénummer van de bankier en Brunetti belde het meteen, maar het was in gesprek.

Hij vond het nummer van Santomauro's kantoor, belde dat onder dezelfde valse naam en vroeg of hij avvocato Santomauro kon spreken. Diens secretaresse vertelde dat de advocaat bezig was met een andere cliënt en niet gestoord kon worden. Brunetti zei dat hij terug zou bellen en hing op.

Hij belde Ravanello's nummer opnieuw, maar het was nog steeds in gesprek. Hij haalde het telefoonboek uit de onderste la van zijn bureau en zocht Ravanello's naam op, omdat hij benieuwd was waar hij woonde. Afgaand op het adres gokte hij dat het in de buurt was van de Campo San Stefano, niet ver van Santomauro's kantoor. Hij bedacht hoe Malfatti daar naartoe zou gaan; het meest logische was de *traghetto*, de openbare gondel die heen en weer voer over het water tussen Ca'Rezzonico en de Campo San Samuele, aan de overkant van het Canal Grande. Van daaraf was het maar een paar minuten naar de Campo San Stefano.

Hij toetste het nummer opnieuw in, maar het was nog steeds in gesprek. Hij belde de telefoniste en vroeg haar de lijn in de gaten te houden, en na nog geen minuut vertelde ze hem dat de lijn openstond maar geen verbinding had met een ander nummer, wat betekende dat de telefoon het niet deed of dat de hoorn van de haak lag. Nog voor hij ophing, bedacht Brunetti hoe hij er het snelst kon komen: met de politieboot was het best. Hij liep de trap af naar Vianello's kantoor. De brigadier, die een schoon overhemd aanhad, keek op toen Brunetti binnenkwam.

'Ravanello's telefoon ligt van de haak.'

Nog voor Brunetti iets anders kon zeggen, was Vianello opgestaan en liep naar de deur.

Samen gingen ze naar beneden, de zinderende hitte in. De stuurman stond het dek van de boot schoon te spuiten, maar toen hij de twee mannen de deur uit zag rennen, gooide hij de spuit op de stoep en sprong achter het stuurwiel.

'Campo San Stefano,' riep Brunetti tegen hem. 'Zet de sirene aan.'

Terwijl het tweetonige geloei van de sirene weerklonk, voer de boot weg van de aanlegsteiger en opnieuw het bacino op. Boten en vaporetti gingen langzamer varen zodat ze langs konden racen. Alleen de elegante zwarte gondels trokken zich niets van hen aan; volgens de wet moesten alle boten wijken voor de trage gang van de gondel.

Geen van allen zei iets. Brunetti liep de kajuit in en raadpleegde een stadsplattegrond om te zien waar het adres precies was. Hij had gelijk; het appartement lag recht tegenover de ingang van de kerk die de campo zijn naam gaf.

Toen de boot de Accademiabrug naderde, ging Brunetti weer aan dek en zei tegen de stuurman dat hij de sirene uit moest zetten. Hij had geen idee wat hij op de Campo San Stefano zou aantreffen, maar zou het fijn vinden als hun komst niet werd opgemerkt. De stuurman zette de sirene uit en stuurde de boot de Rio del Orso in, naar de aanlegplaats aan de linkerkant. Brunetti en Vianello stapten op de kade en liepen snel over de open campo. Voor een café zaten stelletjes aan tafeltjes lusteloos over hun pastelkleurige drankjes gebogen; iedereen die over de campo liep leek de hitte als een tastbaar juk op zijn schouders te dragen.

Al snel vonden ze de deur, tussen een restaurant en een winkel waar Venetiaans papier werd verkocht. Ravanello's bel zat rechtsboven aan de dubbele rij namen. Brunetti belde aan bij een daaronder, en toen er niet werd gereageerd, bij die daaronder. Toen er een stem klonk die vroeg wie daar was, zei hij: '*Polizia*,' waarna de deur meteen opensprong.

Samen met Vianello liep hij het gebouw in, en van boven riep een hoge, klagende stem: 'Hoe zijn jullie hier zo snel gekomen?'

Brunetti liep de trap op, met Vianello vlak achter zich aan. Vanaf de eerste verdieping riep een dame met grijs haar, die niet veel groter was dan de balustrade waar ze overheen leunde, opnieuw naar beneden: 'Hoe zijn jullie hier zo snel gekomen?'

Brunetti ging niet in op haar vraag en vroeg: 'Wat is er aan de hand, signora?'

Ze stapte achteruit van de balustrade en wees naar boven. 'Daarboven. Ik hoorde geschreeuw uit signor Ravanello's appartement komen, en toen zag ik iemand de trap af rennen. Ik durfde niet naar boven.'

Brunetti en Vianello renden langs haar heen, nu met twee treden tegelijk de trap op, allebei met hun pistool in de hand. Boven stroomde er licht door de openstaande deur van het appartement de brede overloop op. Brunetti liep gebukt naar de andere kant van de deur, maar hij ging te snel om binnen iets te kunnen zien. Hij keek achterom naar Vianello, die knikte. Tegelijkertijd vielen ze het appartement binnen, beiden gebukt. Zodra ze binnen waren, liepen ze allebei naar één kant van de kamer, zodat ze twee afzonderlijke doelen vormden.

Maar Ravanello zou niet op ze schieten; één blik was voldoende om dat duidelijk te maken. Zijn lichaam lag over een lage stoel die was gekanteld tijdens de vechtpartij die in deze kamer moest hebben plaatsgevonden. Hij lag op zijn zij met zijn gezicht naar de deur, starend met nietsziende ogen, waaruit voor eeuwig de nieuwsgierigheid was verdwenen over deze mannen die plotseling en onuitgenodigd zijn huis waren binnen gevallen.

Het kwam geen moment in Brunetti op dat Ravanello nog in leven was: de marmeren zwaarte van zijn lichaam maakte dat onmogelijk. Er was heel weinig bloed; dat was het eerste wat Brunetti opviel. Ravanello leek tweemaal te zijn gestoken, want er zaten twee helderrode vlekken op zijn jasje, en onder zijn arm was wat bloed op de vloer gestroomd, maar nauwelijks genoeg om aan te geven dat Ravanello's leven ermee uit hem was weggevloeid.

'O, Dio,' hoorde hij de oude vrouw geschokt achter zich verzuchten. Toen hij zich omdraaide, zag hij haar bij de deur staan, met één vuist gebald voor haar mond, starend naar het lijk van Ravanello. Brunetti deed twee stappen naar rechts, in haar gezichtslijn. Ze keek met kille ogen naar hem op. Kon het zijn dat ze boos op hem was omdat hij haar het zicht op het lijk had ontnomen?

'Hoe zag hij eruit, signora?' vroeg hij.

Ze keek links om hem heen, maar kon niets zien.

'Hoe zag hij eruit, signora?'

Achter zich hoorde hij Vianello rondscharrelen, een andere kamer van het appartement binnen gaan, en toen dat er een telefoonnummer werd gedraaid en Vianello's stem die de Questura op zachte, rustige toon vertelde wat er was gebeurd en vroeg om de noodzakelijke mensen te sturen.

Brunetti liep recht op de vrouw af, die, zoals hij al had gehoopt, achteruit de gang op liep. 'Kunt u me vertellen wat u precies hebt gezien, signora?'

'Een man, niet zo lang, die de trap af rende. Hij had een wit overhemd aan. Met korte mouwen.'

'Zou u hem herkennen als u hem nog een keer zag, signora?'

'Ja,'

Brunetti ook.

Achter hen kwam Vianello uit het appartement, en hij liet de deur openstaan. 'Ze zijn onderweg.'

'Jij blijft hier,' zei Brunetti terwijl hij naar de trap liep.

'Santomauro?' vroeg Vianello.

Brunetti wuifde ter bevestiging met zijn hand en rende de trap af. Buiten sloeg hij links af en haastte zich naar de Campo San Angelo en daarna naar de Campo San Luca, naar het kantoor van de advocaat.

Het voelde alsof hij door een zware branding waadde toen hij zich door de drommen mensen worstelde die zich in de late ochtend stonden te vergapen aan de etalages, bleven staan om met elkaar te praten of even genoten van een koel briesje dat uit een winkel met airconditioning ontsnapte. Met gebruik van zijn ellebogen en zijn stem snelde hij door de smalle, ingesloten Calle della Mandorla, zonder zich druk te maken om de kwade blikken en sarcastische opmerkingen die hij achter zich aan kreeg.

Op de Campo Manin had hij de ruimte en begon hij te draven, al gutste het zweet hem bij elke pas over het lijf. Hij rende langs de bank de Campo San Luca op, dat nu wemelde van de mensen die elkaar troffen voor een aperitief voor de lunch.

De benedendeur die toegang gaf tot Santomauro's kantoor stond op een kier; Brunetti wurmde zich erdoorheen en rende met twee treden tegelijk de trap op. De deur naar het kantoor zat dicht; er scheen licht onderdoor de schemerige gang op. Hij pakte zijn pistool en duwde de deur open, liep vlug en uit voorzichtigheid gebukt naar opzij, net als toen hij Ravanello's kantoor binnen was gegaan.

De secretaresse gilde. Als een personage in een stripverhaal sloeg ze haar beide handen voor haar mond en slaakte een luide kreet, duwde zichzelf toen achteruit en tuimelde uit haar stoel.

Een paar seconden later ging de deur naar Santomauro's kantoor open en kwam de advocaat zijn kantoor uit gesneld. In één oogopslag nam hij de situatie in zich op: zijn secretaresse die achter haar bureau in elkaar zat gedoken, telkens met haar schouder tegen het blad botste in een vergeefse poging eronder te kruipen, en Brunetti die overeind kwam en zijn pistool wegstopte.

'Het is goed, Louisa,' zei Santomauro terwijl hij naar zijn secretaresse liep en bij haar neerknielde. 'Het is goed, er is niets aan de hand.'

De vrouw kon geen woord uitbrengen, was niet voor rede vatbaar. Ze snikte, wendde zich tot haar baas en strekte haar handen naar hem uit. Hij sloeg een arm om haar schouder en ze drukte haar gezicht tegen zijn borst. Ze snikte hartverscheurend en hapte naar adem. Santomauro boog zich over haar heen, klopte haar op de rug en praatte zachtjes tegen haar. Langzaam kwam de vrouw weer tot bedaren, en even later maakte ze zich van hem los. '*Scusa*, avvocato,' was het eerste wat ze zei, en haar vormelijkheid deed alle kalmte terugkeren in het vertrek.

Nu ze weer stil was, hielp Santomauro haar op de been en bracht haar naar een deur achter in het kantoor. Terwijl hij die achter haar dichtdeed, draaide Santomauro zich om naar Brunetti. 'Nou?' zei hij op kalme toon, maar zijn stem klonk er niet minder dodelijk om.

'Ravanello is vermoord,' zei Brunetti. 'En ik dacht dat u nu aan de beurt was. Dus ben ik hiernaartoe gekomen om te proberen dat te voorkomen.'

Als dat nieuws Santomauro verraste, dan liet hij het niet blijken. 'Waarom?' vroeg hij. Toen Brunetti geen antwoord gaf, stelde hij de vraag nog eens: 'Waarom zou ik de volgende zijn?'

Brunetti gaf hem geen antwoord.

'Ik vroeg u iets, commissario. Waarom zou ik de volgende zijn? Waarom zou ik überhaupt gevaar lopen?' Toen Brunetti bleef zwijgen, ging Santomauro verder. 'Denkt u dat ik op de een of andere manier bij dit alles betrokken ben? Bent u daarom hier, om indiaantje te spelen en mijn secretaresse de stuipen op het lijf te jagen?'

'Ik had reden om aan te nemen dat hij hiernaartoe zou komen,' zei Brunetti eindelijk.

'Wie?' wilde de advocaat weten.

'Dat kan ik niet zeggen.'

Santomauro bukte en pakte de stoel van de secretaresse. Hij zette hem rechtop en schoof hem op zijn plaats achter het bureau. Daarna keek hij weer naar Brunetti, en zei: 'Verdwijn. Verdwijn uit mijn kantoor. Ik ga een officiële klacht indienen bij de minister van Binnenlandse Zaken. En ik ga er een kopie van naar uw chef sturen. Ik wens niet te worden behandeld als een misdadiger, en ik wil niet dat mijn secretaresse doodsbang wordt gemaakt door uw Gestapotechnieken.'

Brunetti had in zijn leven en in zijn loopbaan genoeg woede gezien om te weten dat dit menens was. Zonder iets te zeggen verliet hij het kantoor en hij liep de Campo San Luca op. Mensen drongen langs hem heen, op weg naar huis voor de lunch.

## 28

Brunetti's besluit om terug te gaan naar de Questura was een overwinning van de wilskracht op die van het vlees. Hij was dichter bij huis dan bij de Questura, en hij wilde alleen maar daar naartoe, om een douche te nemen en aan andere dingen te denken dan aan de onontkoombare gevolgen van wat er zojuist was gebeurd. Onaangekondigd en met geweld was hij het kantoor binnen gevallen van een van de machtigste mannen van de stad, hij had diens secretaresse de stuipen op het lijf gejaagd en door de verklaring van zijn gedrag duidelijk gemaakt dat hij vermoedde dat Santomauro betrokken was bij Malfatti en het gesjoemel met de boekhouding van de Lega. Alle goodwill die hij, hoe onwaarachtig ook, de afgelopen weken had opgebouwd bij Patta, zou in het niet vallen bij het protest van iemand met Santomauro's status.

Nu Ravanello dood was, was alle hoop op een zaak tegen Santomauro vervlogen, want de enige die Santomauro in de problemen kon brengen was Malfatti: doordat hij schuldig was aan de dood van Ravanello, verloor elke beschuldiging van hem aan het adres van Santomauro zijn waarde. Brunetti besefte dat het zou neerkomen op een keuze tussen het verhaal van Malfatti en dat van Santomauro; hij had noch gezond verstand, noch een vooruitziende blik nodig om te weten welk van de twee zwaarder zou wegen.

Toen Brunetti arriveerde, was de Questura in rep en roer. Drie agenten in uniform stonden met elkaar te smoezen in de entreehal, en de mensen in de lange rij bij het Ufficio Stranieri dromden samen in een geroezemoes van verschillende talen. 'Ze hebben hem gepakt, meneer,' zei een van de bewakers toen hij Brunetti zag.

'Wie?' vroeg hij, zonder te durven hopen.

'Malfatti.'

'Hoe?'

'De mannen die bij zijn moeder stonden te wachten. Een halfuurtje geleden stond hij ineens bij haar voor de deur, en ze hadden hem te pakken nog voor ze hem binnen kon laten.'

'Waren er nog problemen?'

'Een van de mannen die erbij was, zei dat hij probeerde te ontsnappen toen hij ze zag, maar toen hij doorhad dat ze met z'n vieren waren, gaf hij het gewoon op en ging rustig met ze mee.'

'Met z'n vieren?'

'Ja, meneer. Vianello belde om te zeggen dat we meer mannen moesten sturen. Ze kwamen net aan toen Malfatti opdook. Ze hadden niet eens tijd om naar binnen te gaan, ze zagen hem gewoon bij de deur staan.'

'Waar is hij?'

'Vianello heeft hem in een cel gezet.'

'Ik ga naar hem toe.'

Toen Brunetti de cel binnen ging, herkende Malfatti hem meteen als de man die hem de trap af had gegooid, maar hij begroette Brunetti niet bijzonder vijandig.

Brunetti trok een stoel van de muur en ging tegenover Malfatti zitten, die half op het bed lag, met zijn rug tegen de muur. Hij was een korte, stevige man met dik bruin haar, en zulke doorsnee trekken dat je hem bijna meteen zou vergeten.

Hij zag eruit als een boekhouder, niet als een moordenaar.

'En?' begon Brunetti.

'Wat nou, en?' Malfatti's stem klonk volkomen nuchter.

'En, wilt u dit doen via de weg van de minste of van de meeste weerstand?' vroeg Brunetti onverstoorbaar, net zoals de agenten op de televisie dat deden.

'Wat is de weg van de meeste weerstand?'

'Dat u zegt dat u hier niets van weet.'

'Waarvan niet?' vroeg Malfatti.

Brunetti perste zijn lippen op elkaar en keek even omhoog naar het raam, en toen weer naar Malfatti.

'Wat is de weg van de minste weerstand?' vroeg Malfatti na lange tijd.

'Dat u me vertelt wat er is gebeurd.' Voordat Malfatti een woord kon zeggen, lichtte Brunetti toe: 'Niet over de huur. Daar gaat het nu niet om, dat zal toch allemaal wel uitkomen. Maar over de moorden. Allemaal. Alle vier.'

Malfatti ging iets verzitten op het matras, en Brunetti kreeg even de indruk dat hij vraagtekens ging zetten bij dat aantal, maar toen liet Malfatti het rusten.

'Hij is een gerespecteerd man,' ging Brunetti verder, zonder uit te leggen over wie hij het had. 'Het zal neerkomen op zijn woord tegen het uwe, tenzij u iets weet wat hem in verband brengt met u en de moorden.' Hier wachtte hij even, maar Malfatti zei niets. 'U hebt een flink strafblad,' ging Brunetti verder. 'Poging tot moord en nu moord.' Voordat Malfatti iets kon zeggen, ging Brunetti op volstrekt ongedwongen toon verder: 'Het zal geen enkel probleem zijn om te bewijzen dat u Ravanello hebt vermoord.' In antwoord op Malfatti's verraste blik legde hij uit: 'De oude vrouw heeft u gezien.' Malfatti keek weg.

'En rechters hebben een hekel aan mensen die agenten vermoorden, vooral vrouwelijke agenten. Dus zie ik geen andere optie dan een veroordeling. De rechters zullen me ongetwijfeld vragen hoe ik erover denk,' zei hij en hij wachtte om er zeker van te zijn dat hij Malfatti's onverdeelde aandacht had. 'Als ze dat doen, dan zal ik Porto Azzurro adviseren.'

Elke crimineel kende de naam van die gevangenis, de ergste van Italië, waaruit nog nooit iemand was ontsnapt. Zelfs een man die zo hard en ongevoelig was als Malfatti kon zijn schrik niet verbergen. Brunetti wachtte even, maar toen Malfatti niets zei, voegde hij eraan toe: 'Ze zeggen dat niemand weet wie er groter zijn: de katten of de ratten.' Opnieuw wachtte hij.

'En als ik wel met u praat?' vroeg Malfatti eindelijk.

'Dan zal ik tegen de rechters zeggen dat ze dat moeten meenemen in hun overweging.'

'Meer niet?'

'Meer niet.' Ook Brunetti moest niets hebben van mensen die agenten vermoorden.

Malfatti had maar even nodig om tot een beslissing te komen. '*Va bene*,' zei hij, 'maar ik wil dat wordt vastgelegd dat ik dit vrijwillig doe. Ik wil dat wordt opgeschreven dat ik bereid was om alles te vertellen, zodra jullie me arresteerden.'

Brunetti stond op. 'Ik ga een notulist halen,' zei hij en hij liep na de deur van de cel. Hij wenkte een jongeman die aan het eind van de gang achter een bureau zat, en die kwam naar de cel met een bandrecorder en een notitieblok.

Toen alles gereedstond, zei Brunetti: 'Geeft u alstublieft uw naam, geboorteplaats en huidige woonadres.'

'Malfatti, Pietro. Achtentwintig september 1962. Castello 2316.'

Zo ging het een uur lang door. Malfatti's stem bleef net zo onbewogen als toen hij die eerste vraag beantwoordde, al bracht zijn verhaal steeds meer gruwelen aan het licht.

Het oorspronkelijke idee kon net zo goed van Ravanello zijn gekomen als van Santomauro; het had Malfatti nooit genoeg geïnteresseerd om dat te vragen. Ze hadden zijn naam gekregen van de mannen op de Via Cappuccina en contact met hem gezocht om te vragen of hij elke maand huur voor hen wilde innen in ruil voor een percentage van de winst. Hij had er nooit over getwijfeld of hij op hun aanbod moest ingaan, alleen maar over het percentage dat hij zou krijgen. Ze waren twaalf procent overeengekomen, al had Malfatti bijna een uur moeten onderhandelen om er zoveel uit te halen.

De hoop dat zijn eigen aandeel groter zou worden was de reden waarom Malfatti had voorgesteld een deel van de legale inkomsten van de Lega in cheques uit te betalen aan mensen van wie hij de namen zou opgeven. Brunetti sneed Malfatti's absurde trots op zo'n slim systeem de pas af door te vragen: 'Wanneer kwam Mascari daarachter?'

'Drie weken geleden. Hij ging naar Ravanello om te vertellen dat er iets niet klopte met de boekhouding. Hij had geen idee dat Ravanello ervan op de hoogte was, hij dacht dat Santomauro erachter zat. De sukkel,' gromde Malfatti vol minachting. 'Als hij had gewild had hij eenderde van ze kunnen krijgen, minstens eenderde.' Hij keek heen en weer van Brunetti naar de notulist, als om ze te vragen of zij dat net zo walgelijk vonden als hij.

'En toen?' vroeg Brunetti, die zijn eigen walging voor zich hield.

'Santomauro en Ravanello kwamen ongeveer een week

voor het gebeurde naar mijn huis. Ze wilden dat ik hem uit de weg ruimde, maar ik wist hoe ze waren, dus zei ik dat ik het alleen maar deed als zij meehielpen. Ik ben niet gek.' Opnieuw keek hij naar de andere mannen voor bevestiging. 'U weet hoe dat gaat met zulk soort mensen. Als je iets voor ze doet, kom je nooit meer van ze af. De enige manier om dat te voorkomen is ervoor te zorgen dat zij ook vuile handen krijgen.'

'Hebt u dat tegen ze gezegd?' vroeg Brunetti.

'In zekere zin. Ik zei dat ik het zou doen, maar dat zij mee moesten helpen bij de voorbereiding.'

'Hoe hebben ze dat gedaan?'

'Ze lieten Crespo naar Mascari bellen en zeggen dat hij had gehoord dat hij op zoek was naar informatie over de appartementen die de Lega verhuurde, en dat hij in een daarvan woonde. Mascari had de lijst, dus hij kon het controleren. Toen Mascari vertelde dat hij die avond naar Sicilië zou vertrekken – dat wisten we – zei Crespo dat hij andere informatie voor hem had, en dat hij op weg naar het vliegveld langs kon komen.'

'En?'

'Hij vond het goed.'

'Was Crespo thuis?'

'O, nee,' snoof Malfatti minachtend. 'Hij was een overgevoelig snertjoch. Wilde er niets mee te maken hebben. Dus hij ging ervandoor – is waarschijnlijk vroeg de straat op gegaan. En wij wachtten Mascari op. Hij kwam om een uur of zeven aanzetten.'

'Wat gebeurde er?'

'Ik liet hem binnen. Hij dacht dat ik Crespo was, had geen reden om dat niet te denken. Ik zei dat hij moest gaan zitten en bood hem iets te drinken aan, maar hij zei dat hij een vliegtuig moest halen en dat hij haast had. Ik vroeg nog eens of hij iets wilde drinken, en toen hij dat afsloeg, zei ik dat ik wel wat wilde en liep achter hem langs naar de tafel waar de drank op stond. Toen heb ik het gedaan.'

'Wat hebt u gedaan?'

'Ik heb hem een klap gegeven.'

'Waarmee?'

'Een ijzeren buis. Dezelfde die ik vandaag bij me had. Dat werkt heel goed.'

'Hoe vaak hebt u hem geslagen?'

'Maar één keer. Ik wilde niet dat er bloed op Crespo's meubels kwam. En ik wilde hem niet vermoorden. Dat moesten zij maar doen.'

'En hebben ze dat gedaan?'

'Dat weet ik niet. Tenminste, ik weet niet wie van de twee het heeft gedaan. Ze zaten in de slaapkamer. Ik riep ze en toen hebben we hem naar de badkamer gedragen. Toen leefde hij nog; ik hoorde hem kreunen.'

'Waarom naar de badkamer?'

Aan Malfatti's blik was te zien dat hij vond dat hij Brunetti's intelligentie had overschat. 'Het bloed.' Er viel een lange stilte, en toen Brunetti niets meer zei, ging Malfatti verder: 'We legden hem op de grond, en toen ging ik terug om de ijzeren buis te pakken. Santomauro had gezegd dat we zijn gezicht moesten toetakelen – we hadden het allemaal van tevoren afgesproken, als een puzzel in elkaar gelegd – hij moest onherkenbaar worden, zodat er genoeg tijd was om de gegevens bij de bank te veranderen. Maar goed, hij zei telkens dat we zijn gezicht moesten bewerken, dus heb ik hem de buis gegeven en gezegd dat hij dat zelf maar moest doen. Toen ben ik teruggegaan naar de woonkamer om een sigaret te roken. Toen ik terugkwam was het gebeurd.'

'Was hij dood?'

Malfatti haalde zijn schouders op.

'Hebben Ravanello en Santomauro hem vermoord?'

'Mijn taak zat er al op.'

'En toen?'

'Toen hebben we hem uitgekleed en zijn benen geschoren. Jezus, wat een rotklus was dat.'

'Ja, dat kan ik me voorstellen,' verwaardigde Brunetti zich te zeggen. 'En toen?'

'Toen deden we hem make-up op.' Malfatti raakte even in gedachten verzonken. 'Nee, dat is niet waar. Dat hebben zij gedaan voordat ze zijn gezicht insloegen. Een van de twee zei dat dat makkelijker was. Toen trokken we zijn kleren weer aan en droegen hem naar buiten, alsof hij dronken was. Maar we hadden geen moeite hoeven doen; niemand heeft ons gezien. Ravanello en ik hebben hem naar Santomauro's auto gedragen en hem naar het veld gereden. Ik weet wat daar allemaal gebeurt, en het leek me wel een goede plek om hem te dumpen.'

'En de kleren? Waar hebben jullie die aangetrokken?'

'Toen we daar waren, in Marghera. We hebben hem van de achterbank gesleurd en zijn eigen kleren uitgetrokken. Toen hebben we hem die kleren aan gedaan, die rode jurk en alles, en ik heb hem naar een plek aan de andere kant van het veld gedragen en daar achtergelaten. Ik duwde hem onder het struikgewas zodat het langer zou duren voor hij gevonden werd.' Malfatti wachtte even om zijn geheugen op te frissen. 'Ravanello deed de schoenen in mijn zakken. Ik heb er een naast hem laten vallen. Ik geloof dat het Raanello's idee was, van die schoenen.'

'Wat hebben jullie met zijn kleren gedaan?'

'Op de terugweg naar Crespo's huis ben ik gestopt en heb ze in een vuilcontainer gepropt. Dat was prima; er zat geen bloed op. We zijn heel voorzichtig geweest. We hadden zijn hoofd in een plastic tas gewikkeld.'

De jonge agent kuchte, maar wendde zijn gezicht af zodat het niet op de band te horen zou zijn.

'En daarna?' vroeg Brunetti.

'We gingen terug naar het appartement. Santomauro had het schoongemaakt. Dat was het laatste wat ik van ze hoorde tot die avond dat u naar Mestre kwam.'

'Wiens idee was dat?'

'Niet het mijne. Ravanello belde me op om alles te vertellen. Volgens mij hoopten ze dat het onderzoek zou vastlopen als we u uit de weg konden ruimen.' Malfatti zuchtte. 'Ik probeerde ze duidelijk te maken dat die dingen niet zo werken, dat het niets zou uitmaken als we u vermoordden, maar ze wilden niet luisteren. Ze stonden erop dat ik ze hielp.'

'Dus u stemde in?'

Malfatti knikte.

'U moet antwoord geven, signor Malfatti, anders registreert de bandrecorder het niet,' legde Brunetti kalm uit.

'Ja, ik stemde ermee in.'

'Waarom bent u van gedachten veranderd en hebt u er toch mee ingestemd?'

'Ze betaalden genoeg.'

Omdat de jonge agent erbij was, vroeg Brunetti niet hoeveel zijn leven waard was. Dat zou later wel komen.

'Bestuurde u de auto die ons van de weg probeerde te drukken?'

'Ja.' Malfatti zweeg lange tijd en voegde er toen aan toe: 'Weet u, ik denk niet dat ik het had gedaan als ik had geweten dat er een vrouw bij u in de auto zat. Het brengt ongeluk om een vrouw te vermoorden. Het was de eerste keer voor me.' Toen het tot hem doordrong wat hij had gezegd, keek hij op: 'Ziet u wel? Het brengt ongeluk.'

'Waarschijnlijk meer voor de vrouw dan voor u, signor Malfatti,' antwoordde Brunetti, maar voordat Malfatti kon reageren, vroeg Brunetti: 'En Crespo? Hebt u hem vermoord?'

'Nee, daar had ik niets mee te maken. Ik zat met Ravanello in de auto. We hebben Santomauro achtergelaten bij Crespo. Toen we terugkwamen, was het gebeurd.'

'Wat heeft Santomauro u verteld?'

'Niets. Niet daarover. Hij zei gewoon tegen ons dat het was gebeurd, en toen zei hij dat ik me gedeisd moest houden, dat ik zo mogelijk weg moest uit Venetië. Dat was ik van plan, maar ik denk niet dat dat er nu nog in zit.'

'En Ravanello?'

'Daar ben ik vanochtend naartoe gegaan, nadat u naar mijn huis was gekomen.' Nu zweeg Malfatti, en Brunetti vroeg zich af welke leugen hij aan het verzinnen was.

'Wat gebeurde er?' spoorde Brunetti hem aan.

'Ik vertelde hem dat de politie achter me aan zat. Ik zei dat ik geld nodig had om Venetië uit te kunnen, naar een andere plek. Maar hij raakte in paniek. Hij begon te schreeuwen dat ik alles had verpest. Toen trok hij het mes.'

Brunetti had het mes gezien. Het leek hem nogal vreemd dat een bankier een stiletto op zak had, maar hij zei er niets over.

'Hij kwam ermee op me af. Hij was helemaal doorgeslagen. We hebben erom gevochten, en volgens mij is hij erop gevallen.' Dat was zo, merkte Brunetti bij zichzelf op. Twee keer. In zijn borst.

'En toen?'

'Toen ging ik naar mijn moeder. Daar hebben uw mannen mij gevonden.' Malfatti hield op met praten, en het enige geluid in de kamer was het zachte gebrom van de bandrecorder.

'Wat is er met het geld gebeurd?' vroeg Brunetti.

'Wat?' vroeg Malfatti, verrast door de plotselinge wending van het gesprek.

'Het geld. Dat is verdiend aan al die huur.'

'Ik heb het mijne uitgegeven. Elke maand. Maar het was niets vergeleken bij wat zij kregen.'

'Hoeveel kreeg u?'

'Tussen de negen en tien miljoen.'

'Weet u wat zij met hun geld hebben gedaan?'

Malfatti wachtte even, alsof hij daar nooit over had nagedacht. 'Ik denk dat Santomauro een groot deel ervan aan zijn zoons heeft uitgegeven. Van Ravanello weet ik het niet. Hij leek me wel iemand die geld investeerde.' Uit Malfatti's mond klonk dat als iets obsceens.

'Hebt u verder nog iets te zeggen over dit alles of over uw betrokkenheid bij deze mannen?'

'Alleen maar dat het idee om Mascari te vermoorden van hen kwam, niet van mij. Ik heb meegedaan, maar het was hun idee. Ik had niet veel te verliezen als iemand het ontdekte van de huur, dus zag ik niet in waarom hij vermoord moest worden.' Het was duidelijk dat als hij had gedacht dat hij wel iets te verliezen had, hij zonder aarzelen Mascari zou hebben vermoord, maar Brunetti zei niets.

'Verder niet,' zei Malfatti.

Brunetti stond op en gaf de jonge agent een teken dat hij mee moest komen. 'Ik zal dit laten uittypen, dan kunt u het ondertekenen.'

'Neem de tijd,' zei Malfatti met een lachje. 'Ik kan toch geen kant op.'

## 29

Een uur later ging Brunetti met drie kopieën van de uitge-
typte verklaring naar Malfatti, die ze ondertekende zonder
de moeite te nemen ze door te lezen. 'Wilt u niet weten wat
u ondertekent?' vroeg Brunetti aan hem.

'Dat maakt niet uit,' zei Malfatti, die nog steeds geen moeite
deed overeind te komen van het bed. Hij wuifde met de pen
die Brunetti hem had gegeven naar het papier. 'Trouwens, het
is toch niet erg aannemelijk dat iemand dit gelooft.'

Omdat hetzelfde in Brunetti was opgekomen, ging hij er
niet tegen in.

'Wat gaat er nu gebeuren?' vroeg Malfatti.

'Binnen een paar dagen komt er een verhoor, en de po-
litierechter zal beslissen of u de kans moet krijgen om op
borgtocht vrij te komen.'

'Zal hij om uw mening vragen?'

'Waarschijnlijk wel.'

'En?'

'Ik zal het afraden.'

Malfatti bewoog zijn hand over de schacht van de pen,
draaide hem toen om en gaf hem terug aan Brunetti.

'Vertelt iemand het aan mijn moeder?' vroeg Malfatti.

'Ik zal zorgen dat iemand haar belt.'

Malfatti maakte een schouderbeweging ten teken van
erkentelijkheid, zakte onderuit op het kussen en deed zijn
ogen dicht.

Brunetti ging de cel uit en liep twee trappen op naar het kantoortje van signorina Elettra. Vandaag droeg ze een kleur rood die buiten het Vaticaan slechts zelden te zien was, maar Brunetti vond het te fel, en strijdig met zijn stemming. Toen ze glimlachte, verbeterde die een beetje.

'Is hij er?' vroeg Brunetti.

'Hij is een uur geleden aangekomen, maar hij zit aan de telefoon en zei dat ik hem niet mag storen, voor niets.'

Brunetti vond dat prettiger, wilde liever niet bij Patta zijn als die Malfatti's bekentenis las. Hij legde een kopie van de bekentenis op haar bureau en zei: 'Wilt u dit aan hem geven zodra hij klaar is met bellen?'

'Malfatti?' vroeg ze, terwijl ze er met openlijke nieuwsgierigheid naar keek.

'Ja.'

'Waar bent u te bereiken?'

Toen ze dat vroeg, realiseerde Brunetti zich ineens dat hij compleet gedesoriënteerd was, geen idee had hoe laat het was. Hij keek even op zijn horloge en zag dat het vijf uur was, maar dat tijdstip zei hem niets. Hij had geen honger, alleen maar dorst en hij was doodmoe. Hij dacht eraan hoe Patta zou reageren; daar kreeg hij alleen nog maar meer dorst van.

'Ik ga even iets drinken en daarna ben ik op mijn kamer.'

Hij draaide zich om en vertrok; het kon hem niet schelen of ze de bekentenis wel of niet las, hij merkte dat hij alleen maar geïnteresseerd was in zijn dorst en de hitte en zijn wat korrelig aanvoelende huid, waarop de hele dag zweet was verdampt en zout was achtergebleven. Hij bracht de rug van zijn hand naar zijn mond en likte eraan, bijna blij om die bittere smaak te proeven.

Een uur later ging hij Patta's kantoor binnen, nadat die hem had ontboden, en achter het bureau trof Brunetti de oude Patta aan: hij zag eruit alsof hij van de ene op de andere dag vijf jaar jonger en vijf kilo zwaarder was geworden.

'Ga zitten, Brunetti,' zei Patta. Hij pakte de bekentenis en klopte met de zes pagina's op zijn bureau om ze netjes op elkaar te krijgen.

'Ik heb dit zojuist gelezen,' zei Patta. Hij keek even naar Brunetti en legde de papieren toen op zijn bureau. 'Ik geloof hem.'

Brunetti deed zijn best om geen emotie te tonen. Patta's vrouw had ergens iets te maken met de Lega. Santomauro was iemand van politiek belang in een stad waar Patta macht hoopte te verwerven. Brunetti realiseerde zich dat rechtvaardigheid en de wet geen enkele rol zouden spelen in het gesprek dat hij met Patta zou gaan voeren. Hij zei niets.

'Maar ik betwijfel of iemand anders dat zal doen,' voegde Patta daaraan toe, waarmee hij Brunetti naar verlichting begon te leiden. Toen duidelijk werd dat Brunetti niets zou zeggen, ging Patta verder: 'Ik heb vanmiddag een paar telefoontjes gehad.'

Het was te zeer een schot voor open doel om te vragen of een daarvan door Santomauro was gepleegd, dus vroeg Brunetti het niet.

'Niet alleen heeft avvocato Santomauro me gebeld, maar ik heb ook lange gesprekken gevoerd met twee gemeenteraadsleden, die allebei vrienden en politieke bondgenoten zijn van de avvocato.' Patta duwde zichzelf achteruit in zijn stoel en sloeg zijn benen over elkaar. Brunetti kon de neus van één glanzende schoen zien en een smalle rand dunne blauwe sok. Hij keek weer naar Patta's gezicht. 'Zoals ik al zei, zal niemand deze man geloven.'

'Ook niet als hij de waarheid vertelt?' vroeg Brunetti eindelijk.

'Voorál niet als hij de waarheid vertelt. Niemand in deze stad zal geloven dat Santomauro in staat is tot de dingen waarvan deze man hem beticht.'

'U lijkt het geen moeite te kosten om hem te geloven, vicequestore.'

'Ik ben niet echt een onpartijdige getuige wat signor Santomauro betreft,' zei Pátta, waarmee hij Brunetti met net zo'n terloopsheid zijn eerste beetje zelfkennis liet zien als waarmee hij de papieren op zijn bureau legde.

'Wat heeft Santomauro tegen u gezegd?' vroeg Brunetti, al had hij al bedacht wat dat moest zijn.

'Je weet vast wel wat hij heeft gezegd,' zei Patta, waarmee hij Brunetti opnieuw verraste. 'Dat dit alleen maar een poging van Malfatti is om de schuld deels af te schuiven en zijn verantwoordelijkheid in dit alles zo klein mogelijk te maken. Dat nauwkeurig onderzoek van de boekhouding bij de bank vast zal aantonen dat Ravanello achter dit alles zat. Dat er geen enkel bewijs is dat hij, Santomauro, hierbij betrokken was, niet bij de dubbele huur en niet bij de dood van Mascari.'

'Heeft hij nog iets gezegd over de andere moorden?'

'Op Crespo?'

'Ja, en op Maria Nardi.'

'Nee, geen woord. En er is niets wat hem in verband brengt met Ravanello's bank.'

'We hebben een vrouw die Malfatti bij Ravanello de trap af heeft zien rennen.'

'Aha,' zei Patta terwijl hij zijn ene been van het andere

haalde en vooroverleunde. Hij legde zijn rechterhand op Malfatti's bekentenis. 'Hier hebben we niets aan,' zei hij eindelijk, zoals Brunetti al had verwacht.

'Hij kan proberen het bij zijn proces te gebruiken, maar ik betwijfel of de rechters hem zullen geloven. Hij kan zichzelf maar beter voordoen als Ravanello's onwetende pion.' Ja, dat was waarschijnlijk het beste. De rechter die Malfatti zag als het brein achter dit alles bestond niet. En een rechter die inzag dat Santomauro hiermee te maken had, was helemaal onbestaanbaar.

'Betekent dat dat u daar niets mee gaat doen?' vroeg Brunetti, terwijl hij met zijn kin naar de papieren knikte die op Patta's bureau lagen.

'Ja, tenzij jij iets kunt verzinnen,' zei Patta, en Brunetti probeerde vergeefs te horen of er sarcasme doorklonk in zijn stem.

'Nee, dat kan ik niet,' zei Brunetti.

'We kunnen hem niets maken,' zei Patta. 'Ik ken die man. Hij is te voorzichtig om ooit te zijn gezien met de mensen die hierbij betrokken zijn.'

'Zelfs de jongens op de Via Cappuccina niet?'

Patta's mond trok samen van afschuw. 'Dat hij zich inlaat met die creaturen is maar een bijkomstigheid. Geen enkele rechter zou luisteren naar bewijzen die daarvoor worden aangevoerd. Hoe weerzinwekkend zijn gedrag ook is, het is een privéaangelegenheid.'

Brunetti begon de mogelijkheden na te gaan: als er maar genoeg prostitués die appartementen van de Lega huurden bereid waren om te getuigen dat Santomauro gebruik had gemaakt van hun diensten; als hij de man kon vinden die in Crespo's appartement was toen hij hem bezocht; als het bewijs kon worden gevonden dat Santomauro een van de mensen die dubbele huur betaalden had ondervraagd.

Patta sneed dit alles de pas af. 'Er is geen bewijs, Brunetti. Alles komt aan op de woorden van een moordenaar die heeft bekend.' Patta tikte op de papieren. 'Hij heeft het over die moorden alsof hij een pakje sigaretten is gaan halen. Niemand zal hem geloven als hij Santomauro beschuldigt, niemand.'

Ineens werd Brunetti overmand door vermoeidheid. Zijn ogen begonnen te tranen en hij moest zijn best doen om ze open te houden. Hij bracht een hand naar zijn rechteroog en deed alsof hij er een stofje uit moest vegen, deed ze even dicht en wreef toen met zijn hand in beide ogen. Toen hij ze weer opendeed, zag hij dat Patta hem eigenaardig aankeek. 'Volgens mij moet je naar huis, Brunetti. Hier valt niets meer aan te doen.'

Brunetti duwde zichzelf overeind, knikte naar Patta en verliet het kantoor. Daarvandaan ging hij linea recta naar huis, zonder langs zijn eigen kamer te gaan. Thuis trok hij de stekker van de telefoon uit het stopcontact, nam een lange, hete douche, at een kilo perziken en ging naar bed.

## 30

Brunetti sliep twaalf uur achter elkaar, een diepe, droomloze slaap waaruit hij verfrist en alert weer wakker werd. De
lakens waren doorweekt, al was hij zich er niet van bewust
dat hij de hele nacht had liggen zweten. Toen hij in de keuken de koffiepot stond te vullen, viel hem op dat drie van
de perziken die hij de avond ervoor in de schaal had laten
liggen, bedekt waren met een zacht, groen donslaagje. Hij
gooide ze in de vuilnisemmer onder de gootsteen en zette
de koffie op het fornuis.

Telkens als hij aan Santomauro of aan Malfatti's bekentenis moest denken, riep hij die gedachten een halt toe. In
plaats daarvan keek hij uit naar het naderende weekend en
zwoer hij naar de bergen te gaan, naar Paola. Hij vroeg zich
af waarom ze gisteravond niet had gebeld, en bij die gedachte werd hij overspoeld door een golf van zelfmedelijden: hij
stikte hier van de hitte terwijl zij als dat onnozele wicht uit
*The Sound of Music* door de bergen dartelde. Maar toen herinnerde hij zich dat hij de telefoon eruit had getrokken en
schaamde zich diep. Hij miste haar. Hij miste ze allemaal.
Hij zou zaterdag gaan. Vrijdagavond, als er een late trein
was.

Opgemonterd door dit besluit ging hij naar de Questura,
waar hij de krantenverslagen over Malfatti's arrestatie door-
ploegde, die allemaal vice-questore Patta als hun voornaamste informatiebron noemden. Er stonden regelmatig citaten

in dat de vice-questore 'de arrestatie had geleid' en 'Malfatti zijn bekentenis had ontfutseld'. De kranten legden de schuld voor het schandaal van de Banca di Verona bij haar jongste directeur, Ravanello, en lieten er bij de lezers geen twijfel over bestaan dat die verantwoordelijk was voor de moord op zijn voorganger, waarna hij zelf het slachtoffer was geworden van zijn boosaardige handlanger, Malfatti. Santomauro werd alleen in de *Corriere della Sera* genoemd, waarin hij vertelde dat hij geschokt was, en zijn verdriet erover uitsprak dat er zo'n misbruik was gemaakt van de verheven doelen en hoogstaande beginselen van de organisatie die hij tot zijn grote eer mocht dienen.

Brunetti belde Paola en vroeg of ze de krant had gelezen, ook al wist hij dat het antwoord nee zou zijn. Toen ze vroeg wat erin stond, vertelde hij alleen maar dat de zaak was gesloten en dat hij haar erover zou vertellen als hij vrijdagavond naar haar toe kwam. Zoals hij al dacht vroeg ze hem meer te vertellen, maar hij zei dat het wel kon wachten. Toen ze het onderwerp verder liet rusten, voelde hij een vlaag van boosheid dat ze niet langer aandrong: had deze zaak hem niet bijna het leven gekost?

De rest van de ochtend besteedde Brunetti aan het voorbereiden van een verklaring van vijf bladzijden waarin hij uitlegde waarom hij ervan overtuigd was dat Malfatti de waarheid sprak in zijn bekentenis, en gaf verder een uiterst gedetailleerd en grondig beargumenteerd verslag van alles wat er was gebeurd, van de vondst van Mascari's lichaam tot het moment dat Malfatti werd gearresteerd. Na de lunch las hij het twee keer over en moest hij toegeven dat het allemaal berustte op niets meer dan zijn eigen vermoedens: er was geen flinter fysiek bewijs dat Santomauro met ook maar één van de misdrijven in verband bracht, en het was evenmin waarschijnlijk dat iemand anders zou geloven dat een man als Santomauro, die vanaf de hemelse morele hoogte van de Lega neerkeek op de wereld, betrokken kon zijn bij zoiets laags als hebzucht, lust of geweld. Toch typte hij het uit op de standaard Olivetti-typemachine die op een klein tafeltje in de hoek van zijn kamer stond. Toen hij de voltooide bladzijden bekeek met de met wit aangebrachte correcties, vroeg hij zich af of hij voor zijn kantoor een aanvraag voor een computer zou indienen. Hij ging er helemaal in op, bedacht waar hij kon staan, vroeg zich af of hij zijn eigen printer zou krijgen of dat alles wat hij typte beneden op het kantoor van de secretaresses moest worden uitgeprint, een gedachte die hem niet beviel.

Hij zat daar nog steeds over na te denken, toen Vianello op zijn deur klopte en binnenkwam, gevolgd door een kleine, zeer gebruinde man in een kreukelig katoenen overhemd. 'Commissario,' begon de brigadier op de formele toon die hij gebruikte als hij Brunetti in het bijzijn van burgers aansprak, 'mag ik u voorstellen aan Luciano Gravi?'

Brunetti liep naar Gravi toe en reikte hem de hand. 'Aangenaam kennis te maken, signor Gravi. Waarmee kan ik u van dienst zijn?' Hij leidde de man naar zijn bureau en wees hem een stoel die ervoor stond. Gravi keek het kantoor rond en ging toen zitten. Vianello ging op de stoel naast hem zitten, wachtte even om te zien of Gravi iets zou zeggen, en toen die dat niet deed, begon hij zelf uitleg te geven.

'Commissario, signor Gravi is de eigenaar van een schoenwinkel in Chioggia.'

Brunetti bekeek de man met hernieuwde belangstelling. Een schoenwinkel.

Vianello wendde zich tot Gravi en nodigde hem met een handgebaar uit om te spreken. 'Ik ben net terug van vakantie,' begon Gravi, die het woord richtte tot Vianello, maar toen die zich tot Brunetti wendde, zijn aandacht naar hem verplaatste. 'Ik ben twee weken in Puglia geweest. Het heeft geen zin om de winkel tijdens Ferragosto open te houden. Dan heeft toch niemand zin om schoenen te kopen. Het is te warm. Dus gaan we elk jaar drie weken dicht, en gaan mijn vrouw en ik op vakantie.'

'En u bent net terug?'

'Nou, ik ben eergisteren teruggekomen, maar ik ben pas gisteren naar de winkel gegaan. Toen vond ik de ansicht-kaart.'

'De ansichtkaart, signor Gravi?' vroeg Brunetti.

'Van het meisje dat bij mij in de winkel werkt. Ze is op vakantie in Noorwegen met haar verloofde; hij werkt geloof ik voor u, Giorgio Miotti.' Brunetti knikte; hij kende Miotti. 'Nou, zoals ik al zei zitten ze in Noorwegen, en ze schreef me dat de politie geïnteresseerd was in een paar rode schoenen.' Hij wendde zich weer tot Vianello. 'Ik heb geen idee waar ze het over hebben gehad dat ze daaraan moesten denken, maar onder aan de kaart schreef ze dat Giorgio zei dat u op zoek was naar iemand die misschien een paar damesschoenen had gekocht, van rood satijn, in een grote maat.'

Brunetti merkte dat hij zijn adem inhield, en dwong zichzelf te ontspannen en uit te ademen. 'En hebt u die schoenen verkocht, signor Gravi?'

'Ja, ik heb er een paar van verkocht, ongeveer een maand geleden. Aan een man.' Hier wachtte hij even, zodat de politieagenten konden zeggen hoe vreemd ze het vonden dat een man die schoenen kocht.

'Een man?' vroeg Brunetti braaf.

'Ja, hij zei dat hij ze voor Carnevale wilde hebben. Maar Carnevale is pas volgend jaar. Toen vond ik het vreemd, maar ik wilde de schoenen verkopen omdat het satijn van een van de hakken loszat. Van de linker, geloof ik. Maar goed, ze waren afgeprijsd, en hij kocht ze. Negenenvijftigduizend lire, afgeprijsd van honderdtwintig. Een koopje.'

'Dat is het zeker, signor Gravi,' stemde Brunetti in. 'Denkt u dat u de schoenen zou herkennen als u ze nog een keer zag?'

'Ik denk het wel. Ik heb de opruimingsprijs op de zool van een ervan geschreven. Misschien staat die er nog op.'

Brunetti wendde zich tot Vianello en vroeg: 'Brigadier, zou u die schoenen voor me uit het forensisch lab willen halen? Ik wil ze graag aan signor Gravi laten zien.'

Vianello knikte en liep het kantoor uit. Terwijl hij weg was, vertelde Gravi over zijn vakantie, beschreef hoe helder het water van de Adriatische Zee was, als je maar zuidelijk genoeg ging. Brunetti luisterde, glimlachte als hij dacht dat dat werd verwacht en hield zich in, vroeg niet of Gravi de man wilde beschrijven die de schoenen had gekocht voordat Gravi ze had geïdentificeerd.

Een paar minuten later was Vianello terug met de schoenen in een doorzichtige plastic bewijszak. Hij gaf de zak aan Gravi, die niet probeerde hem open te maken. Hij draaide de schoenen rond in de zak, keerde eerst de ene en toen de andere om en tuurde op de zool. Hij hield ze dichterbij, glimlachte en hield de zak omhoog voor Brunetti. 'Kijk maar, hier staat het. De opruimingsprijs. Ik heb het met potlood opgeschreven zodat degene die ze kocht het kon uitgummen. Maar je kunt het nog steeds zien, hier.' Hij wees naar vage potloodstrepen op de zool.

Eindelijk mocht Brunetti het van zichzelf vragen. 'Kunt u de man beschrijven die deze schoenen heeft gekocht, signor Gravi?'

Gravi aarzelde even en vroeg toen, op eerbiedige toon omdat hij zich tot iemand van een overheidsinstantie richtte: 'Commissario, kunt u me vertellen waarom u geïnteresseerd bent in deze man?'

'We denken dat hij ons belangrijke informatie kan verschaffen over een lopend onderzoek,' antwoordde Brunetti, waarvan de man niets wijzer werd.

'Ah, op die manier,' antwoordde Gravi. Zoals elke Italiaan was hij gewend om niet te begrijpen wat de instanties tegen hem zeiden. 'Jonger dan u, zou ik zeggen, maar niet eens zo heel veel. Donker haar. Geen snor.' Misschien kwam het doordat Gravi het zichzelf hoorde zeggen dat hij besefte hoe vaag zijn omschrijving was. 'Ik zou zeggen dat hij er heel gewoon uitzag, een man in een pak. Niet erg groot, maar ook niet klein.'

'Bent u bereid om wat foto's te bekijken, signor Gravi?' vroeg Brunetti. 'Misschien dat u de man dan herkent?'

Gravi glimlachte breed, blij dat het allemaal zo op de televisie leek. 'Natuurlijk.'

Brunetti knikte naar Vianello, die naar beneden ging en al snel weer terug was met twee mappen met politiefoto's, waaronder die van Malfatti, zo wist Brunetti.

Gravi nam de eerste map aan van Vianello en legde die op Brunetti's bureau. Een voor een bladerde hij de foto's door, legde ze ondersteboven op een aparte stapel als hij ze had bekeken. Terwijl Brunetti en Vianello toekeken, legde hij Malfatti's foto ondersteboven bij de andere en ging hij door

otdat hij onder aan de stapel was. Hij keek op. 'Hij zit er
niet bij, niet eens iemand die ook maar een beetje op hem
lijkt.'

'Misschien kunt u ons een beter idee geven van hoe hij
eruitzag, signore.'

'Dat heb ik u al verteld, commissario, een man in een pak.
Al deze mannen,' zei hij, wijzend naar de stapel foto's die
voor hem lag, 'nou ja, die zien er allemaal uit als misdadi-
gers.' Vianello keek even vlug naar Brunetti. Er zaten drie
foto's van politieagenten tussen, waaronder een van agent
Alvise. 'Ik heb al gezegd dat hij een pak droeg,' zei Gravi nog
eens. 'Hij zag eruit zoals u en ik. U weet wel, iemand die elke
dag naar zijn werk gaat. Op kantoor. En hij praatte als een
ontwikkeld iemand, niet als een misdadiger.'

Door de politieke naïviteit van die opmerking vroeg Brunetti zich even af of signor Gravi wel een echte Italiaan was.
Hij knikte naar Vianello, die de tweede map pakte van waar
hij hem op het bureau had gelegd en deze aan Gravi gaf.

Terwijl de twee politiemannen toekeken, bladerde Gravi
een kleinere stapel foto's door. Toen hij bij Ravanello kwam,
wachtte hij even en keek op naar Brunetti. 'Dat is toch die
bankier die gisteren is vermoord?' vroeg hij, terwijl hij naar
de foto wees.

'Is dat niet de man die de schoenen heeft gekocht, signor
Gravi?' vroeg hij.

'Nee, natuurlijk niet,' antwoordde Gravi. 'Als dat zo was,
had ik u dat wel verteld zodra ik binnenkwam.' Hij keek nog
eens naar de foto, een studioportret dat in een folder was
opgenomen waarin alle bankemployés stonden. 'Het is niet
die man, maar wel zo'n type.'

'Zo'n type, signor Gravi?'

'U weet wel, jasje-dasje, gepoetste schoenen. Keurig wit overhemd, mooi kapsel. Echt een bankier.'

Even was Brunetti weer zeven jaar oud en knielde hij naast zijn moeder neer voor het hoofdaltaar van de Santa Maria Formosa, hun parochiekerk. Zijn moeder keek omhoog naar het altaar, sloeg een kruis en smeekte met een stem die beefde van geloof: 'Heilige Maria, Moeder van God, uit liefde voor uw zoon die zijn leven gaf voor al ons nietige zondaars, vervul deze ene wens en ik zal u mijn leven lang nooit meer om een gunst vragen.' Dat was een belofte die hij in zijn jeugd talloze malen opnieuw zou horen, want net als iedere andere Venetiaan vertrouwde signora Brunetti blind op vrienden van aanzien. Het was niet voor het eerst dat het Brunetti speet dat hij zelf niet gelovig was, maar toch bad hij.

Hij richtte zijn aandacht weer op Gravi. 'Helaas heb ik geen foto van de andere man die deze schoenen van u kan hebben gekocht, maar als u met me wilt meekomen, kunt u ons misschien helpen door op zijn werkplek naar hem te kijken.'

'U bedoelt dat ik letterlijk deelneem aan het onderzoek?' Hij klonk zo blij als een kind.

'Ja, als u daartoe bereid bent.'

'Zeker, commissario. Ik help u graag, op wat voor manier dan ook.'

Brunetti stond op en Gravi sprong overeind. Terwijl ze naar het centrum van de stad liepen, legde Brunetti Gravi uit wat hij moest doen. Gravi stelde geen vragen, vond het allang best om te doen wat hem werd opgedragen, als een braaf burger die de politie helpt bij een onderzoek naar een ernstig misdrijf.

Toen ze op het Campo San Luca kwamen, wees Brunetti de deur aan die naar Santomauro's kantoor leidde en stelde signor Gravi voor iets te gaan drinken bij Rosa Salva en Brunetti vijf minuten te geven voordat hij naar boven kwam.

Brunetti liep de inmiddels bekende trap op en klopte op de deur van het kantoor. 'Avanti,' riep de secretaresse, en Brunetti ging naar binnen.

Toen ze opkeek van haar computer en zag wie het was, kon ze de impuls niet onderdrukken half overeind te komen uit haar stoel. 'Het spijt me, signorina,' zei Brunetti terwijl hij zijn handen omhoog bracht in wat hij hoopte dat een onschuldig gebaar was. 'Ik wil avvocato Santomauro graag spreken. Het is een officiële politieaangelegenheid.'

Ze leek hem niet te horen, keek hem aan terwijl haar mond een steeds grotere o vormde, van verbazing of van angst, Brunetti wist niet welke van de twee. Heel langzaam strekte ze haar hand uit en drukte op een knopje op haar bureau, hield haar vinger erop en kwam overeind, maar bleef veilig achter haar bureau. Ze stond daar met haar vinger nog steeds op het knopje zwijgend naar Brunetti te kijken.

Een paar seconden later werd de deur vanbinnen opengerukt en Santomauro kwam het voorvertrek binnen. Hij zag zijn secretaresse stil en roerloos staan, als de vrouw van Lot, en toen zag hij Brunetti bij de deur.

Hij barstte onmiddellijk los in woede. 'Wat doet u hier? Ik heb de vice-questore gebeld om te zeggen dat hij u bij me uit de buurt moet houden. Verdwijn, verdwijn uit mijn kantoor.' Bij de klank van zijn stem deinsde de secretaresse bij haar bureau vandaan en ging tegen de muur staan. 'Verdwijn,' zei Santomauro opnieuw, nu bijna schreeuwend. 'Ik wens niet op deze manier te worden vervolgd. Ik laat u…'

begon hij, maar hij hield op toen achter Brunetti een andere man het kantoor binnen kwam, een man die hij niet herkende, een kleine man in een goedkoop katoenen pak.

'Jullie, ga terug naar de Questura, waar je vandaan komt,' schreeuwde Santomauro.

'Herkent u deze man, signor Gravi?' vroeg Brunetti.

'Ja.'

Toen viel Santomauro stil, al herkende hij de kleine man in het goedkope pak nog steeds niet.

'Kunt u me vertellen wie hij is, signor Gravi?'

'Dat is de man die de schoenen bij me heeft gekocht.'

Brunetti wendde zich af van Gravi en keek naar de andere kant van het kantoor, waar Santomauro stond, die de kleine man in het goedkope pak nu leek te herkennen. 'En wat waren dat voor schoenen, signor Gravi?'

'Een paar rode damesschoenen. Maat eenenveertig.'

# 31

Santomauro stortte finaal in. Brunetti had het fenomeen vaak genoeg gezien om te weten wat er gebeurde. Net nu Santomauro dacht over elk risico te hebben gezegevierd, net nu de politie niets had gedaan met de beschuldigingen in Malfatti's bekentenis, kwam Gravi plotseling opduiken, helemaal uit het niets, en Santomauro had noch de tijd, noch de tegenwoordigheid van geest om een verhaal te verzinnen dat verklaarde waarom hij de schoenen had gekocht.

Eerst ging hij tekeer tegen Gravi, zei dat hij uit zijn kantoor moest verdwijnen, maar toen de kleine man volhield dat hij Santomauro overal zou herkennen, zeker wist dat dit de man was die de schoenen had gekocht, viel Santomauro tegen het bureau van zijn secretaresse, met zijn armen om zijn borst geslagen, alsof hij zichzelf op die manier kon beschermen tegen Brunetti's zwijgende blik en de verwarde gezichten van de andere twee.

'Dat is hem, commissario. Ik weet het zeker.'

'Nu, avvocato Santomauro?' vroeg Brunetti, terwijl hij Gravi met een handgebaar tot stilte maande.

'Het komt allemaal door Ravanello,' zei Santomauro, en zijn stem klonk hoog en geknepen, alsof hij in tranen ging uitbarsten. 'Het was zijn idee, alles. Van de appartementen en de huur. Hij kwam ermee naar me toe. Ik wilde niet, maar hij bedreigde me. Hij wist het van de jongens. Hij zei dat hij het aan mijn vrouw en kinderen zou vertellen. En toen kwam Mascari achter die huurtoestand.'

'Hoe?'

'Dat weet ik niet. Bankgegevens. Iets in de computer. Ravanello kwam het vertellen. Het was zijn idee om hem uit de weg te ruimen.' De andere twee mensen in het kantoor begrepen er helemaal niets van, maar geen van beiden zei iets, verlamd door de panische angst van Santomauro.

'Ik wilde niets doen. Maar Ravanello zei dat we geen keus hadden. We moesten wel.' Zijn stem was zachter geworden terwijl hij sprak, en toen zweeg hij en keek naar Brunetti.

'Wat moest u, signor Santomauro?'

Santomauro staarde Brunetti aan en schudde toen zijn hoofd, alsof hij moest herstellen van een zware klap. Toen schudde hij zijn hoofd nog een keer, maar ditmaal duidelijk ontkennend. Brunetti herkende ook deze tekenen. 'Ik arresteer u, signor Santomauro, voor de moord op Leonardo Mascari.'

Toen die naam viel, keken zowel Gravi als de secretaresse naar Santomauro alsof ze hem voor het eerst zagen. Brunetti leunde over het bureau van de secretaresse en belde met haar telefoon naar de Questura om drie mannen naar het Campo San Luca te laten komen om een verdachte voor verhoor mee terug te nemen naar de Questura.

Brunetti en Vianello ondervroegen Santomauro twee uur achtereen, en langzaam kwam het verhaal naar buiten. Het was aannemelijk dat Santomauro de waarheid sprak over de details van het complot waarmee ze konden profiteren van de appartementen van de Lega; het was onwaarschijnlijk dat hij de waarheid sprak over wiens idee het was. Hij bleef volhouden dat het allemaal Ravanello's idee was, dat de bankier hem met alle uitgewerkte details had benaderd, dat het Ravanello was die Malfatti bij het complot had betrokken. Eigenlijk was Ravanello het brein achter alles geweest: het oorspronkelijke plan, de noodzaak om de rechtschapen Mascari uit de weg te ruimen, om Brunetti's auto de lagune in te laten rijden. Alles was het idee geweest van Ravanello, het gevolg van zijn verslindende hebzucht.

En Santomauro? Die schilderde zichzelf af als een zwakke man, een man die ten prooi was gevallen aan de snode plannen van de bankier vanwege diens vermogen zijn reputatie, zijn gezin, zijn leven om zeep te helpen. Hij bleef volhouden dat hij geen aandeel had gehad in de moord op Mascari, niet had geweten wat er die noodlottige avond in Crespo's appartement zou gebeuren. Toen hij werd herinnerd aan de schoenen, zei hij eerst dat hij ze had gekocht om ze te dragen tijdens Carnevale, maar toen hem werd verteld dat ze waren geïdentificeerd als de schoenen die bij Mascari's lijk waren gevonden, zei hij dat hij ze had gekocht omdat Ravanello hem dat had opgedragen en dat hij nooit had geweten waar de schoenen voor zouden worden gebruikt.

Ja, hij had een deel van de huurinkomsten van de appartementen van de Lega aangenomen, maar hij had het geld niet willen hebben; hij wilde alleen maar zijn goede naam beschermen. Ja, hij was in Crespo's appartement geweest op de avond dat Mascari was vermoord, maar het was Malfatti geweest die de moord had gepleegd; Ravanello en hij hadden toen geen andere keus dan hem te helpen van het lijk af te komen. Het plan? Van Ravanello. Van Malfatti. Wat de moord op Crespo betreft, daar wist hij niets van, en hij bleef volhouden dat de moord moest zijn gepleegd door een gevaarlijke cliënt die Crespo had meegenomen naar zijn appartement.

Hij schetste onophoudelijk het beeld van een man zoals zo veel andere, op het verkeerde pad geraakt door zijn lusten, toen geregeerd door angst. Wie zou nu geen sympathie of medelijden opbrengen voor een man als hij?

Zo ging het twee uur lang door; Santomauro bleef volhouden dat hij ongewild medeplichtig was aan deze misdrijven, dat hij enkel werd gedreven door bezorgdheid om zijn gezin en de wens het te behoeden voor de schaamte en het schandaal van zijn geheime leven. Al luisterend hoorde Brunetti Santomauro steeds overtuigder raken van de waarheid van wat hij zei. Daarop zette hij een punt achter het verhoor, onpasselijk geworden van de man en zijn aanstellerij.

's Avonds werd Santomauro bezocht door zijn advocaat, en de volgende ochtend werd de borgsom vastgesteld en werd hij vrijgelaten, terwijl Malfatti, die een moord had bekend, in de gevangenis bleef. Diezelfde dag legde Santomauro zijn voorzitterschap van de Lega della Moralità neer, en de overige bestuursleden eisten een grondig onderzoek naar zijn wanbeheer en wangedrag. Zo ging dat in bepaalde kringen van de maatschappij, peinsde Brunetti: homofilie werd wangedrag, moord werd wanbeheer.

Die middag wandelde Brunetti naar de Via Garibaldi en belde aan bij het appartement van de Mascari's. De weduwe vroeg wie het was, en hij noemde zijn naam en rang.

Het appartement was niet veranderd. De luiken hielden nog steeds de zon buiten, al leken ze de warmte binnen vast te houden. Signora Mascari was dunner, haar aandacht vluchtiger.

'Heel vriendelijk van u om me te ontvangen, signora Mascari,' begon Brunetti toen ze tegenover elkaar zaten. 'Ik kom u vertellen dat elke verdenking van uw man is weggenomen.

Hij is bij geen enkele wandaad betrokken geweest; hij was een onschuldig slachtoffer van een wreed misdrijf.'

'Dat wist ik al, commissario. Dat wist ik van meet af aan.'

'Het spijt me dat uw man ook maar een minuut verdacht is geweest.'

'U kon het ook niet helpen, commissario.'

'Toch heb ik er spijt van. Maar de mannen die verantwoordelijk zijn voor zijn dood zijn gevonden.'

'Ja, dat weet ik. Ik heb het in de krant gelezen,' zei ze. Ze zweeg even, en voegde er toen aan toe: 'Ik geloof niet dat het iets uitmaakt.'

'Ze zullen gestraft worden, signora. Dat kan ik u verzekeren.'

'Ik ben bang dat we daar niets aan hebben. Ik niet, en Leonardo niet.' Toen Brunetti wilde protesteren, sneed ze hem de pas af en zei: 'Commissario, de kranten kunnen publiceren wat ze willen over wat er echt is gebeurd, maar het enige wat de mensen zich van Leonardo zullen herinneren is het verhaal dat verscheen toen zijn lichaam net was ontdekt, dat hij gevonden is in een jurk en dat er aangenomen werd dat hij een travestiet was. En een hoer.'

'Maar het zal duidelijk worden dat hij dat niet was, signora.'

'Als er eenmaal met modder is gegooid, commissario, laat die zich nooit meer helemaal wegspoelen. Mensen denken graag slecht over andere mensen; hoe erger het verhaal, hoe meer ze ervan smullen. Als mensen Leonardo's naam over een paar jaar horen, zullen ze zich die jurk herinneren en alle smerige gedachten hebben die maar bij ze opkomen.'

Brunetti wist dat ze gelijk had. 'Het spijt me, signora.' Iets anders kon hij niet zeggen.

Ze boog naar voren en raakte zijn hand aan. 'Niemand kan zich verontschuldigen voor de menselijke natuur, commissario. Maar dank voor uw medeleven.' Ze nam haar hand weg. 'Was er verder nog iets?'

Brunetti, die wist wanneer hij werd weggestuurd, zei dat er verder niets was en vertrok, haar achterlatend in het verduisterde huis.

Die avond trok er een enorm noodweer over de stad dat dakpannen losrukte, potten met geraniums op de grond smeet, bomen ontwortelde in de openbare parken. Drie uur achtereen kwam de regen met bakken uit de lucht, zodat putten overliepen en vuilniszakken de kanalen in werden gespoeld. Toen het ophield met regenen, daalde er een plotselinge kou neer die tot in de slaapkamers doordrong en slapers dwong dichter tegen elkaar aan te kruipen om warm te worden. Omdat Brunetti alleen was, moest hij om een uur of vier opstaan om een deken uit de kast te halen. Hij sliep bijna tot negen uur, besloot toen dat hij pas na de lunch naar de Questura zou gaan en dwong zichzelf verder te slapen. Hij stond ver na tienen op, zette koffie voor zichzelf en nam een lange douche, voor het eerst in maanden blij met het warme water. Hij stond aangekleed en met nog natte haren op het terras toen hij achter zich een geluid uit het appartement hoorde komen. Met zijn kopje nog aan zijn lippen draaide hij zich om en zag Paola staan. En toen Chiara, en toen Raffaele.

'Ciao, papà' riep Chiara uitgelaten terwijl ze zich in zijn armen stortte.

'Wat is er gebeurd?' vroeg hij, terwijl hij haar dicht tegen zich aan hield maar alleen haar moeder zag.

Chiara maakte zich van hem los en keek grijnzend naar hem op. 'Kijk eens naar mijn gezicht, papà.'

Dat deed hij, en hij had nog nooit zo'n mooi gezicht gezien. Hij zag dat ze in de zon had gezeten.

'O, papà, zie je het dan niet?'

'Wat zie ik niet, lieverd?'

'Ik heb de mazelen en ze hebben ons uit het hotel gezet.'

Hoewel de kilte van de vroege herfst in de stad bleef hangen, had Brunetti die nacht geen deken nodig.